尚秉和 撰　張善文 校理

尚秉和易學全書　第二卷　下　焦氏易林注（下）

中華書局

焦 氏 易 林 注

下

尚秉和　撰

張善文　校理

焦氏易林注卷九

遯之第三十三

遯

三塗五岳,陽城太室。神明所保,獨無兵革。

> 艮爲徑,納丙,數三,故曰三塗。艮爲山,互巽卦數五,故曰五岳。三塗、五岳、太室,皆山名。陽城,谷名。艮爲谷也。乾爲神明,爲保佑。乾數無,故曰獨無兵革。艮爲刀兵,爲膚革。○保,汲古作住。依宋、元本。

乾

軟弱無輔,不能自理。意在外野,心懷勞苦,雖憂不殆。

> 此用遇卦遯象。遯伏臨,上坤爲柔,故曰軟弱。坤爲野,爲心,爲憂苦。震往,故曰意在外野。坤爲萬物役,故曰勞。○不殆,宋、元本作無殆〔一〕。依汲古。

坤

周成之隆,刑措無凶。太宰讚佑,君子作仁。

〔一〕"殆",刻本訛"但",據稿本改。

此仍用遯卦象。遯伏臨,震爲周,坤爲刑。震爲主,故曰太宰。艮爲君子,震爲仁。○太宰,汲古作大衆。依宋、元本。佑,元本作右。依宋本、汲古。太宰謂周公。

屯

穴有孤烏,坎生蝦蟆。象去萬里,不可得捕。

艮爲穴,爲黔喙,爲烏。坎孤,故曰穴有孤烏。上坎,震爲生,伏巽爲蝦蟆。艮爲象,又爲鼻。象鼻最大,故取之。坤爲萬里。艮手爲捕,坤亡,故不可得捕。○孤,依宋、元本。汲古作狐。去,宋、元本作出。依汲古。

【補校】去,宋、元本作出。汲古作云。茲依何本、局本、翟本。

蒙

俱爲天門,雲過吾西。伯氏嫉妬,與我無恩。

艮坤皆居戌亥,故曰俱爲天門。坤爲吾,坎爲雲,位西,故曰雲過吾西。震爲伯。坎爲嫉妬,爲恩澤。坤爲我,坤虛,故無恩。○門,汲古作民。西作面。伯氏作治民。均依宋、元本。

【補校】門,宋、元、汲古諸本皆作民。惟汲古舊注云,一作門。茲依校。

需

三首六目,政多煩惑。皋陶瘖聾,亂不可從。

乾首,離卦數三,故曰三首。離目,坎數六,故曰六目。通晉。坤爲政,爲多;離爲煩,坎爲惑,故政多煩惑。艮爲皋,離火爲陶,坎耳坤閉,故曰皋陶瘖聾。離爲亂。震爲從,震覆,故不可從。○首,宋本作手。依元本。

【補校】首,依元本、汲古。

訟

德積不輕,辭王釣耕。三媒不已,大福來成。

　　　通明夷。坤爲積,爲重,故曰不輕。震爲言,爲王,爲耕,故曰
辭王釣耕。坎爲合,爲媒,震數三,故曰三媒。三媒,即三聘。乾爲
福,爲大,故曰大福。用伊、呂事。〇辭王釣耕,汲古作辭出真心。
依宋、元本、局本。

師

堅固相親,日篤無患。六體不易,執以安全。雨師駕西,濡
我轂輪。張伯李季,各坐關門。

　　　坎爲堅固。坤順,故相親。坤厚,故曰篤。坎爲患,震樂,故無
患。坤爲身體,坎數六,故曰六體。坤爲安全。坎爲雨師,位西,故
曰雨師駕西。又爲輪轂,爲濡。震爲伯,爲張,爲李。遯艮爲季,爲
坐。坤爲門,坤閉,故關門。〇第二句,汲古作日用自完。執以作
執爲。坐作噬。均依宋、元本。

【補校】日,宋、元本作曰。依汲古。

比

方內不行,輻摧輪傷。馬楚踶甚,受子閔時。

　　　坤爲方,爲內。坎陷艮止,故不行。坎爲輪輻,坎破,故摧傷。
震爲馬,震倒足向上,故踶。坤爲受,艮爲時,坎爲閔。楚,不馴貌。
受子,應爲壽子。桓十六年,衛朔搆急子。使於齊,將以盜殺諸塗。
壽子閔其兄,乃自載其旌以行。〇第三句,汲古作馬禁隄輿。受作
愛。均依宋、元本、局本。

小畜

畜牝無駒,養雞不雛。羣羊三歲,不生兩頭。

五陽畜一陰,故曰畜牝。震爲馬,震伏,故無駒。兌爲雞[一],兌折,故不雛。兌羊,乾爲歲;離卦數三,故曰三歲。二至上正覆兩兌[二],故曰羣羊。乾爲頭,兌卦數二,故曰兩頭。乾爲生,巽隕落,故不生。

履

老耄罷極,無取中直。懸輿致仕,得歸鄉國。

通謙。坤老,坎爲勞卦,故曰疲極。坎矯輮,故無取中直。艮手爲取。坤爲輿,在上,艮爲手,故曰懸輿。艮爲官,爲清高,故曰致仕。坤爲鄉國,震爲歸。○國,宋、元本作里。依汲古。

泰

縮緒亂絲,手與爲災。越畎逐兔,斷其褌襦。

巽爲繩,爲緒,爲絲。巽倒,故曰亂、縮。伏艮爲手,坤喪兌折,故曰爲災。坤爲畎。震爲兔,爲越,爲逐。坤震連體,故曰越畎逐兔。兌爲決斷。伏巽爲褌,震爲襦,皆裏衣也。○宋本災作哭。褌作褝。均依汲古。

【補校】宋、元本災作哭。褌作褝。

否

海老水乾,魚鱉蕭索。藁落無潤,獨有沙石。

坤爲海水,乾爲老,故曰海老水乾。巽爲魚,艮爲鱉,坤敝,故蕭索。巽爲藁,風散故藁落。艮爲沙石,故無潤。○蕭,宋、元本作盡。依汲古。藁,汲古作高。潤作潿。均依宋、元本。

同人

入市求鹿,不見頭足。終日至夜,竟無所得。

〔一〕"兌爲雞",稿本作"震爲雛"。
〔二〕"兩",刻本訛"雨",據稿本改。

中爻巽爲市，爲入，故曰入市。旁通師。師震爲鹿，坎爲大首。
震爲足，坎伏，故不見頭足。離爲日，坎爲夜，故曰終日。坤喪坎
失，故無所得。○頭，汲古訛頓。依宋、元本。

大有

築門壅户，虎卧當道。驚我驊騮，不利出處。

　　乾爲門户，乾實，故曰築、壅。乾爲道，兌虎在前，故曰當道。
乾爲馬，故曰驊騮。乾在下，兌毀折，故不利出處。

謙

陶朱白圭，善賈息資。公子王孫，富貴不貧。

　　通履。乾爲朱，離火爲陶，故曰陶朱。乾爲玉，爲圭，巽白，故
曰白圭。巽爲商賈，爲利，故能息資。本卦震爲公子，爲王。艮爲
孫，爲貴。坤富，故不貧。

豫

王良善御，伯樂知馬。周旋步驟，行中規矩。止息有節，延
命壽考。

　　震爲帝，爲王，艮爲賢良，故曰王良。震爲樂，爲伯，故曰伯樂。
馬、御亦震象也。震爲周，爲旋，爲步驟，爲行。坎爲規，坤爲矩。
艮爲止息，爲節，爲壽考。○節，汲古作前。依宋、元本。

隨

堯問尹壽，聖德增益。使民不懼，安無怵惕。

　　震爲帝，故曰堯。艮爲壽。新序，堯學乎尹壽。震爲言，故曰
問。坎爲聖，震爲生，故曰聖德增益。坎爲民，爲怵惕[一]。震樂

〔一〕“民”下，稿本多“爲懼”二字。

艮安，故不懼。○尹壽，宋、元本作伊舜。汲古作大舜。依歸妹之小畜校。翟云，小畜作尹爵，爵即壽之訛字。

【補校】怵，從汲古。宋、元本作悚。義同。

蠱

昭公失常，季氏悖狂。遜齊處鄆，喪其寵身。

互大離爲昭。艮爲常，在外故失常。坎爲失也。事見前。艮爲季，震爲狂。巽齊坎陷，故曰遜齊，曰處鄆。艮爲邑，故曰鄆。艮爲身，兌折，故喪。○遜，汲古作遊。依宋、元本。

臨

昏莫不行，候旦待明。復住止後，未得相從。

坤爲昏暮，震爲行，坤閉，故不行。伏艮止，故曰候，曰待。震爲旦，爲明，爲復，爲後。艮止故不從。左傳云，不行之謂臨。林義與左氏同。○復，宋、元作從。依汲古。

【補校】昏，宋本、汲古作昏。茲依元本。昏、昏同。第二句，宋、元本作候待旦明。依汲古。

觀

安上宜官，一日九遷。升擢超等，牧養常山。

艮爲官，爲安，在上卦，故曰安上宜官。艮爲日[一]。伏乾，乾卦數一，又數九，艮官在上，故曰一日九遷。艮手爲擢，巽爲高，故曰超等。坤爲牧養。艮山，故曰常山。○上，汲古作止。依宋、元本。

噬嗑

去惡就凶，東西多訟，行者無功。

[一]“艮”，稿本作“乾”，茲依刻本。

離爲惡人,坎爲凶,震往,故去惡就凶。離東坎西。初至四兩
震言相對,故多訟。震爲行,坎失,故無功。

賁

老馬垂耳,不見百里。君子弗恃,商人莫取,無與爲市。

震爲馬,坎疾,故老。坎爲耳,在下,故曰垂耳。震爲百,艮爲
里。坎隱,故不見。艮爲君子,震爲商人。艮手爲取,坎失故莫取。
巽爲市,巽伏,故無與爲市。言馬老不能遠行,皆不顧也。

剝

蝸螺生子,深目黑醜。似類其母,雖或相就,衆人莫取。

艮爲蝸螺。爲觀,爲目,形長故曰深目。坤爲黑,爲醜。爲母,
爲近,故曰似類其母。坤爲衆,艮手爲取,以其醜故莫取。○蝸,汲
古作蟡。目作自。依宋、元本。

復

百足俱行,相輔爲强。三聖翼事,王室寵光。

百足,蟲名。震爲足,爲百,爲行,爲彊。坤爲輔,重坤,故曰相
輔。坤伏乾,乾爲聖,震數三,故曰三聖。坤爲事。震爲翼,爲王,
爲寵光。○王室,元本作不見。依宋本、汲古。

无妄

容民畜衆,履德有信。大人受福,童蒙憂惑,利無所得。

乾伏坤,坤爲民,爲衆,艮止,故容民畜衆。震爲履。乾爲德,爲
信,爲大人,爲福。艮爲童蒙,伏坤爲憂惑。巽爲利,風散,故無得。

大畜

左跌右僵,前躓觸桑。其指據石,傷其弟兄。老蠶不作,家
無織帛。貴貨賤身,留連久客。

中爻震爲左，兌爲右，兌毀折，故左跌右僵。乾爲前，兌折，故前躓。震爲桑，在前，故觸桑。艮爲指，爲石。震爲兄，艮爲弟，兌折，故傷其弟兄。卦通萃。萃中爻巽爲蠱，坤爲老。兌毀，故不作蠱。艮爲家，坤爲帛，巽爲織。巽隕坎失，故無織。艮爲貴，坤爲財貨，爲身，爲賤，故曰貴貨賤身。艮爲留連，震爲客。○末句，宋、元本作久流連客。依汲古。

【補校】末句，宋、元、汲古諸本皆作久留連客。此依局本。

頤

昏人旦明，賣食老昌。國祚東表，號稱太公。

坤爲昏，震爲人，爲旦，艮爲明，故曰昏人旦明。言人由貧賤而富貴，如人處昏夜而忽遇旦明也。震爲食，爲商旅，故曰賣食。坤老，震昌，故曰老昌。言姜尚始賣飯朝歌，老而受封也。坤爲國，震爲東。震言爲號，爲稱。坤伏乾，乾爲父，爲太公。譙周云，呂望嘗屠牛於朝歌，賣飯於孟津。○旦，宋、元本作宜。依汲古。

大過

敝笱在梁，魴逸不禁。漁父勞苦，焦喉乾口，虛空無有。

通頤。坤爲敝，震爲笱，艮爲梁，故曰敝笱在梁。坤爲魚，震爲逸，故曰魴逸不禁。坤聚爲漁，伏乾爲父。坤役，故勞苦。震爲喉，爲口，艮火，故焦喉。乾口坤虛，故無有。○焦喉，宋、元本作藏空。無第五句。均依汲古。敝笱，齊詩篇名。齊人以莊公不能防閑文姜而作，故曰魴逸不禁。

坎

盛中後跌，衰老復掇。盈滿減毀，疾羸肥腬。鄭昭失國，重耳興立。

坎中滿，故曰盛中。坎陷，故跌。震爲後，故後跌。坎疾病，故

衰老。艮手爲掇，坎破，故盈、毀。坎疾，故肥腯者羸。坎平，故曰
鄭。釋名云，鄭，町也，地多平町町然也。艮爲昭，爲國。坎失，故
曰鄭昭失國。習坎，故曰重耳。鄭昭被弑在桓十七年，晉文入國在
僖二十四年，事不相涉，此但取卦象耳。○老，汲古作者。減作或。
羸作贏。均依宋、元本。興，宋、元本作與。依汲古。

【補校】贏，諸本皆同。此謂汲古作贏者，未詳，謹紀以俟考。

離

折亡破甕，使我貧困。與母生分，別離異門。

伏震爲甕，中爻兌毀，故曰折，曰破。離虛，故貧。坎陷，故困。
坤爲母，坤二五之乾成離，乾二五之坤成坎，坎中爻震，震生，故曰
與母生分。言坎居坤中，使坤分析，所謂坎折坤也。坎中爻艮，艮
爲門，正覆兩艮相反，故異門。亡，疑爲缶之訛字。

【補校】貧困，各本皆作困貧。茲以困與甕協韻，似頗切。惟
未審所本，謹紀以備考。

咸

野有積庾，嗇人駕取。不逢狼虎，暮歸其宇。

通損。坤爲野，爲積，艮爲庾。震爲嗇人，爲駕，艮手爲取。艮
爲虎狼，艮在外，故不逢。坤爲暮，艮爲宇[一]，伏震爲歸。○虎與
宇韻，宋、元本作虎狼，非。依汲古。

【補校】嗇，宋、元本作穡。依汲古。嗇、穡通。

恒

襁褓孩呱，冠帶成家。出門如賓，父母何憂。

巽爲襁褓，兌爲孩，爲呱。乾爲冠，巽爲帶，伏艮爲家。成家，

〔一〕“宇”，刻本訛“守”，據稿本改。

言由孩提而成立也。乾爲門，震出，震爲賓客，故曰出門如賓。乾爲父，伏坤爲母，坎爲憂。乾福震樂，故不憂。○呱，汲古作孤。依宋、元本。

大壯

陳力就列，官職並廢。手不勝盆，失其寵門。

　　通觀。震爲陳力，爲就列。孟子，陳力就列，不能者止。艮爲官職，艮伏，故並廢。艮爲手，震爲盆，坤弱，故不勝盆。乾爲寵，爲門，坤喪，故失。○並，汲古作無。依宋、元本。

晉

積雪大寒，萬物不生。陰制庶士，時本冬貧[一]。

　　坎爲雪，爲積，爲寒。坤爲萬物，坤殺，故不生。坤爲陰，爲庶。艮爲時，坎爲冬，坤爲貧。庶士二字，必有訛。○冬，依宋、元本。汲古作寒。

明夷

龍鬬時門，失理傷賢。內畔生賊，自爲心疾。

　　震爲龍，爲鬬[二]，爲時。坤爲門，故曰龍鬬時門。坤爲理，震爲賢，坎爲失，爲傷，故曰失理傷賢。坤爲內，離爲畔亂。震爲生。坎爲賊，爲心，爲疾。○時，汲古作海。依宋、元本。左傳昭十九年，龍鬬鄭時門外。

家人

犬畏猛虎，依人爲輔。三夫執戟，伏不敢起，身安无咎。

　　此用遇卦遯象。艮爲犬，乾爲虎。伏震爲人，兌爲輔。震爲

〔一〕"本"，刻本訛"木"，據稿本改。
〔二〕"鬬"，刻本誤作"門"，據稿本改。

夫,數三,故曰三夫。艮爲執,爲戟。震爲起,巽伏,故不敢起。艮爲身,爲安。安故无咎。○犬,宋本作狗。汲古作不。依元本。猛,元本作狼。依宋本、汲古。戟,汲古作獸。依宋、元本。起,宋、元本作趨。依汲古。

【補校】犬,宋、元本皆作狗。依未濟之隨及翟本校。

睽

南山高岡,回隙難登。道路遼遠,行者無功。憂不成凶,惡亦消去。

此仍用遯象。艮山,納丙,故曰南山,曰高岡。巽進退不果,故曰回隙難登。艮爲道路,乾爲遼遠,爲行。巽隱,故無功。坤爲憂,爲惡。坤伏,故不凶,故消去。○岡〔一〕,宋、元本作罡。路作里。均依汲古。

【補校】岡,汲古作崗。依蠱之兌校。成,從宋、元本。汲古作改。

蹇

逢時陽遂,富且尊貴〔二〕。

艮爲時,陽居五,故遂,故富且貴。艮爲尊貴。

解

求我所欲,得其利福,終身不辱。盈盛之門,高屋先覆,君失邦國。

此仍用遯象。艮爲求。互巽爲利,乾爲福,故曰得其利福。艮爲終,爲身。艮貴,故不辱。乾爲盈盛,爲門戶。巽爲高,艮爲屋,

〔一〕"岡",稿本、刻本誤"崗",據尚録林辭改。
〔二〕"尊貴"二字,刻本誤倒,據稿本改。

巽爲隕落,故曰高屋先覆。艮爲邦國,乾爲君,在外,故曰君失邦國。○先,汲古作光。末句作君先其固。兹依宋、元本。

損

安坐至暮,禍災不到。利詰奸妖,罪人不赦。

艮爲安坐,坤爲暮,故曰安坐至暮。坤爲禍災,震解,故禍災不到。二至上兩震言相對[一],故利詰。坤爲奸妖,爲罪過。震爲人。坤殺,故罪人弗赦。○末句,汲古作皇宥不赦。奸妖,汲古作姑姝。均依宋、元本。

【補校】不赦,宋、元本作弗赦。依汲古。

益

膠車駕東,與雨相逢。五㮤解墮,頓輈獨坐,憂爲身禍。

詳大過之蠱。此用伏象恒。恒、蠱象多同,故詞同。○頓輈,汲古作頹杭。依宋、元本。坐,宋本作宿。依汲古。

【補校】頓輈,汲古作頓斬。局本作頹杭。又,坐,宋、元本、汲古皆作宿。依局本、翟本及大過之蠱校。禍,汲古作福。依宋、元本。

夬

擇日高飛,遠至東齊。見孔聖師,使我和諧。

此用遯象。乾爲日,艮爲高。巽爲齊。伏震爲東,爲孔。乾爲聖。○遠,宋、元本作遂。依汲古。末句,汲古作徒我相諧。依宋、元本。

姤

陳嬀敬仲,兆興齊姜。乃適營丘,八世大昌。

[一] "二",刻本誤"三",據稿本改。

通復。震爲陳,乾爲敬。坤拆爲兆,巽爲齊姜,故曰兆興齊姜。震爲丘陵。巽數八,故曰八世大昌。震爲昌也。事詳屯之噬嗑。

萃

缺埒無墠,難從東西。毀破我盆,泛棄酒食。

埒,短垣也。爾雅,山上有水,埒。卦下坤爲水,艮爲埒,而兌上缺,故曰缺埒。坤爲墠,兌毀,故無墠。兌爲西,震爲東,爲從。震覆,故難從。震爲盆,震覆兌毀,故破我盆。兌爲酒食,在外,中爻艮手,故曰泛棄酒食。○首句,汲古作缺將無憚。非。依宋、元本。

升

中夜犬吠,盜在廬外。神光佐助,消散歸去。

通无妄。坤爲夜,艮爲犬,震爲吠。巽爲盜,艮爲廬,巽在艮上,故曰盜在廬外。震爲神光,兌爲輔,故曰神光佐助。巽風爲散,震爲歸去。

【補校】犬,宋、元、汲古各本皆作狗。依乾之比汲古本校。佐,宋、元本作祐。歸作解。均依汲古。

困

雷車不藏,隱隱西行。霖雨三旬,流爲河江,使我憂凶。

通賁。震爲雷,爲車。坎伏震出,故不藏。坎隱兌西,故曰隱隱西行。坎爲雨,互大坎,下坎,故曰霖雨。中爻震數三,故曰三旬。坎水,故曰流爲河江。坎爲憂凶。○我,依汲古。宋、元本作國。

井

老河空虛,舊井無魚。利得不饒,避患東鄰。禍來入門,使我悔存。

坎爲河,爲舊,故曰老河。離爲空虛。兌爲井,故曰舊井。巽爲魚,坎失,故無魚。巽爲利,坎瘠,故不饒。坎爲患,坎隱,故避患。離爲東鄰,爲禍。伏艮爲門,巽入,故曰禍來入門。坎爲悔。○來入,宋、元本作入我。依汲古。

【補校】空虛,宋、元本作虛空。依汲古。禍,汲古作福。依宋、元本。

革

福德之士,歡悅曰喜。夷吾相國,三歸爲臣,貴流子孫。

通蒙。震爲福德,爲士,爲歡喜。坤爲夷,爲吾,爲國。兌爲輔相。震數三,震反爲歸,坤爲臣,故曰三歸爲臣。艮爲貴,爲孫,震爲子,坤爲水,故曰貴流子孫。○貴,宋、元本作賞。依汲古。論語,管氏有三歸。注,取三姓女。朱子云,臺名。

【補校】歡,元本作懽。依宋本、汲古。懽、歡同。

鼎

清人高子,久屯外野。逍遙不歸,思我慈母。

通屯。艮爲清高,震爲人,爲子,故曰清人高子。艮止爲久,爲屯,坤爲野。震爲逍遙,爲歸。坤迷,故不歸。坎爲思,坤爲我,爲慈母也。

震

驄驪黑鬣,東歸高鄉。白虎推輪,蒼龍把衡。朱雀導引,靈鳥載遊。遠扣天門,入見真君,馬全人安。

震馬,故曰驄驪。坎黑,對象巽,巽髮,故曰黑鬣。震爲東,爲歸。艮爲高鄉,爲虎。震白坎輪,艮手爲推,故曰白虎推輪。震爲龍,色青,故曰蒼龍。坎爲衡。互大離爲朱雀,爲靈鳥。震往爲導引,爲遊。艮爲天門,艮手爲扣。震爲帝,故爲真君。爲馬,爲人,艮爲安全。〇高，元本作南。依宋本、汲古。靈鳥，宋、元本作虛鳥。遠作逐。作馬安人全。均依汲古。

【補校】蒼，元本作倉。導作道。均依宋本、汲古。倉通蒼。道同導。又，高、宋、元、汲古各本皆同。兹謂作南者，惟汲古本大壯之謙是也。

艮

路多枳棘，前刺我足。不利旅客，爲心作毒。

艮爲路，坎爲棘。中爻震爲足，坎棘，故刺足。震爲旅客。坎爲毒，爲心。

【補校】前，宋、元本作步。依汲古。

漸

端坐生患，憂來入門，使我不安。

艮爲端坐，坎爲患，故曰端坐生患。坎爲憂，艮爲門，巽入，故曰憂來入門。艮爲安，坎險，故不安。

歸妹

小陬之市，利不足喜。二世積仁，蒙其祖先。匪躬之言，狂悖爲患。

通漸。巽爲市，坎狹，故曰小陬之市。陬，隅也。巽爲利，坎憂，故不喜。本卦兑卦數二，震仁坎積，故曰二世積仁。艮爲祖，坎爲蒙，故曰蒙其祖先。坤爲躬。本卦震爲言，爲狂。坎爲悖，爲患。

豐

登高望時，見樂無憂。求利南國，與寶相得。

巽爲高，震爲時，爲登，離爲目，爲望，故曰登高望時。坎爲憂，震樂,故無憂。巽爲利。伏艮爲求,爲國。離南,故曰南國。震爲玉,爲寶,坎爲得也。

旅

跛足息肩,有所忌難。金城鐵郭,以銅爲關。藩屏自衛,安土無患。

通節。震爲足,坎蹇,故跛足。艮爲肩,艮止,故息肩。坎爲忌難。艮爲金鐵,爲銅,爲城郭,爲關,爲藩屏。震爲衛,故曰藩屏自衛。艮爲安,坤爲土〔一〕。坎爲患,震出故無患。○跛,宋、元本作疏。土作上。依汲古。

【補校】土,宋、元、汲古諸本皆作上。惟汲古本注云,疑當作土。兹依校。謹按,晉之貢、既濟之益二林均作止,似亦可通。

巽

江有沱氾,思附君子。仲氏爰歸,不我肯顧,姪娣悔恨。

通震。中爻坎爲江,爲沱氾,爲思。艮爲君子,故曰思附君子。坎爲仲,震反爲歸。女嫁曰歸,爰歸者,言仲氏已嫁也。艮爲顧,坎蔽,故不顧。兌爲姪娣,坎爲悔恨。○詩,江有沱,江有氾,之子歸,不我顧。林用其意,與毛合。○仲氏爰歸,宋、元本作伯仲受歸〔二〕。汲古作伯仲處市。依局本明夷之噬嗑校。又,江有,汲古作江水。依宋、元本。

【補校】沱氾,宋本作沱泍。元本訛沱泥。依汲古。沱、泍同。悔恨,汲古作悵悔。依宋、元本。

兌

芽蘗生達,陽倡於外。左手執籥,公言錫爵。

〔一〕"土",刻本訛"上",據稿本改。
〔二〕"受",稿本、刻本誤"爰",據宋、元本改。

通艮。中爻震爲芽蘗,爲生。艮上下卦皆陽居上,故曰陽倡於外。震爲左,爲籥,艮手爲執,故曰左手執籥。震爲言,爲爵。爲諸侯,故曰公。二語皆詩辭。

【補校】倡,從宋、元本。汲古作唱,注云疑當作倡。按,唱、倡通。

渙

雲夢苑囿,萬物蕃熾〔一〕。犀象玳瑁,荊人以富。

坎水爲雲夢,艮爲苑囿。震爲萬物,爲蕃熾。艮爲犀象,爲玳瑁。震爲荊,爲人,爲富。

【補校】玳,元本作瑇。依宋本、汲古。玳、瑇同。

節

渠戎萬里,晝夜愁苦。橐甲戎服,雖荷不賊。鷹鸇之殃,害不能傷。

坎爲戎,爲溝瀆,故曰渠戎。後漢書,義渠戎在涇北。震爲萬里。伏離爲晝,坎爲夜。坎憂,故愁苦。艮爲甲,坎隱,故橐甲。坎西爲戎,震爲服,故曰橐甲戎服。艮爲負荷。坎爲賊,在外,故不賊。艮爲鷹鸇,坎爲殃害。震解,故不傷。○殃,宋、元本作殘。依汲古。

【補校】戎,汲古作戍。依宋、元本。

中孚

鎡基逢時,稷契皋陶。貞良得願,微子解囚。市恐無虎,讒言妄語。

〔一〕“蕃”,稿本、刻本作“繁”,據宋、元、汲古及所見其他各本改。按,蕃、繁音義同。

鎡基，鉏也。震爲鎡基，艮爲時。震爲稷。爲竹，故爲契。艮爲皋。爲火，故爲陶。故曰稷契皋陶。艮爲貞良。爲小，震爲子，故曰微子。艮爲拘，故爲囚[一]。震出，故解囚。巽爲市，艮爲虎，風散故無虎。中爻正反兩震言相背，故曰譖言妄語。○恐，宋、元本作空。言作誕[二]。均依汲古。汲古作既濟林，依宋、元本。

【補校】得願，宋、元本作願得。依汲古。

小過

騎騅與蒼，南賈太行。逢駮猛虎，爲所吞殘，葬於渭陽。

震爲馬，東方色青，故騎騅與蒼。騅、蒼，青色馬也。震爲商賈，爲南。艮山，故曰太行。艮爲駮，爲猛虎。兌口爲吞折，爲殘。坎爲葬，爲渭。渭濁坎黑，故象之。水北爲陽，坎北故曰渭陽。凡易林用字取象之精，皆如此。○駮，汲古作蛟。殘作湌。依宋、元本。

既濟

出門東行，日利辰良。步騎與駟，經歷宗邦。暮宿北燕，與樂相逢。

此用遯象。伏震爲出，爲東行，坤爲門，故曰出門東行。乾爲日，巽爲利，艮時，故曰日利辰良。伏震爲騎，爲駟，爲宗。坤爲邦，乾坤相間隔，故曰經歷宗邦。坤爲暮，爲宿，爲北，兌爲燕。震爲樂。○辰，宋、元本作時。依汲古。宗，汲古作京。依宋、元本。

【補校】經，汲古作徑。依宋、元本。又，汲古作中孚林，依宋、元本。

〔一〕“艮爲拘，故”稿本作“伏坎爲願”。
〔二〕“誕”，刻本訛“誑”，據稿本改。

未濟

酒爲歡伯,除憂來樂。福善入門,與君相索,使我有得。

兼用半象。坎爲酒,震爲歡,爲伯。坎爲憂,震出,故除憂。震福艮善,巽入艮門,故曰福善入門。震爲君,艮爲求索。離正反艮相對,故相索。坤我,坎得。

【補校】歡,元本作懽。依宋本、汲古。懽、歡同。來,元本、汲古作未。從宋本。

大壯之第三十四

大壯

左有噬熊,右有囓虎。前觸鐵矛,後躓强弩,無可抵者。

　　震爲左,兌爲右,伏艮爲熊虎。兌口,故曰左有噬熊,右有囓虎。乾爲前,爲鐵。震爲後,兌折,故後躓。伏艮爲刀兵,故曰矛,曰弩。抵,禦也。艮爲禦,艮伏,故無可禦者。

　　【補校】熊,元本作羆。依宋本、汲古。

乾

金齒鐵牙,壽考宜家。年歲有儲,貪利者得,離其咎憂。

　　大壯中爻兌,兌爲齒牙,乾爲金鐵,故曰金齒鐵牙。伏艮爲壽考,爲家。乾爲年歲,爲富,故有儲,故利得。乾爲吉慶,故離咎憂。

　　【補校】離其,汲古作有其。依宋、元本。

坤

家給人足,頌聲並作。四夷賓服,干戈囊閣。

　　大壯震爲人,伏艮爲家,坤富,故家給人足。震言爲頌,爲聲。坤陰爲夷順,爲服。震卦數四,爲賓客,故曰四夷賓服。艮爲干戈,艮伏,故曰干戈囊閣。坤爲囊也。○囊,宋、元本作囊。依汲古。

屯

獼猴冠帶,盜載非位。衆犬嘈吠,狂走躐足。

　　震爲獼猴,艮爲冠,伏巽爲帶。坎爲盜,震車爲載,艮爲位。古君子方許乘車,今載以盜,故曰非位。艮爲犬,坤衆震鳴,故曰衆犬嘈吠。震爲足,爲走,坎蹇,故躐足也。○嘈,汲古作持。依宋、元本。蹶,宋、元本作厥。依汲古。

蒙

心患其身,不念安存。忠臣孝子,爲國除患。

　　坎爲心,爲患,爲念。坤爲身,爲安。言身之所以安存,由心時時慮患也。坤爲臣,坎爲忠,故曰忠臣。震爲子,坤順,故曰孝子。坤爲國,坎爲患。震解,故除患。

需

君不明德,臣亂爲惑。丞相命馬,胡亥失所。

　　乾爲君,爲德,坎隱故不明。乾伏坤,坤爲臣,爲亂,爲惑,故曰臣亂爲惑。兌爲輔相,兌口爲命,乾爲馬。伏坤爲胡,乾居亥,故曰胡亥。坎爲失。謂趙高命鹿爲馬,而弑胡亥。胡亥,秦二世名。乾爲君,居亥。胡亥亦國君。用字取象,神妙如此。○馬,汲古作駕。非。依宋、元本。

訟

東行西窮,南北無功。張伯賣鹿,從者失羊。

　　通明夷。震爲東,爲行。坎爲西,坎陷,故窮。離南坎北。坤喪,故無功。震爲伯,爲鹿。震爲商賈,故賣鹿。震爲從,爲羊。本大壯上六也。坤爲失。○賣,汲古作買。依宋、元本。

師

鹿下西山,欲歸其羣。逢羿鋒箭,死於矢端。

　　震爲鹿,爲陵。坎西,故曰西山。坤爲羣。羣者,五陰也。震爲歸。坤爲惡,故曰羿。坎爲箭,爲矢,爲鋒。鋒矢,末也。坤爲死,在坎上,故死於矢端。○歸,汲古作保。鋒箭作箭鋒。依宋、元本。死,元本作無。依宋本、汲古。

【補校】鋒箭，宋本、汲古作箭鋒。依元本。

比

明夷兆初，三日爲災。以讒復歸，名曰豎牛。剝亂叔孫，餒卒虛丘。

坎黑坤晦，故曰明夷。坤爲兆[一]。左傳昭五年，初，穆子生穆莊叔，筮之，遇明夷之謙。初爻動，故曰明夷兆初。坎爲災，艮爲日，數三，故曰三日爲災。坎上下兩兌口相背，故曰讒。大壯震爲歸，故曰以讒復歸。艮爲名，爲豎，爲牛。坤爲亂，艮爲剝，爲叔孫，故曰剝亂叔孫。坤爲餒，爲卒，爲虛，艮爲丘。言魯叔孫穆子爲豎牛所亂，三日不得食而餓死也[二]。與剝之比參看。○日，汲古作旦。依宋、元本。復，宋、元本作後。依汲古。餒，元本作餧。依宋本、汲古。

【補校】明夷，汲古作夷明。依宋、元本。

小畜

秦失嘉居，河伯爲怪。還其衛璧，神怒不祐。織組無文，燒香不芬。

通豫。兌西，故曰秦。艮爲居，震爲嘉，坎失，故失嘉居。震爲伯，坎爲河，爲怪，故曰河伯爲怪。震爲璧，爲衛，爲還，爲神，爲怒。按秦紀，使者從關東夜過華陰，有人持璧遮使者，曰，爲吾遺滈池君，今年祖龍死。因置其璧去，忽不見。始皇視之，乃二十八年過江所沈璧也。未幾，始皇果死。故曰還璧，曰不祐。坤爲文，爲帛。坎爲伏，故織組無文[三]。本卦巽爲香，爲芬，互離爲燒。風散，故不芬。

【補校】衛，宋、元本作御。不作弗。均依汲古。

〔一〕“坤爲兆”，稿本作“坎爲兆”。
〔二〕“餓”，刻本作“饑”，茲依稿本校。
〔三〕“織組”二字，刻本誤倒，依稿本改。

履

至德之君,禍不過鄰。使我世存,身無患災。

　　乾爲德,爲君。離東爲鄰,離亂兑毀,故曰禍不過鄰。言不及
乾也。通謙。坤爲我,爲身,爲世。坎爲災患,震解,故無災患。○
至德,宋、元本作德至。依汲古。

泰

衆惡之堂,相聚爲殃。幽毒良人,使道不通。

　　坤爲衆,爲惡,伏艮爲堂,故曰衆惡之堂。坤爲聚,爲殃,爲幽
毒。震爲人,乾爲善,故曰良人。乾在下,故曰幽毒良人。乾爲道,
坤閉,故道不通。○幽,宋、元本作出。依汲古。

否

三痴六狂,欲之平鄉。迷惑失道,不知昏明。

　　通泰。坤爲痴,震數三,故曰三痴。震爲狂,乾數六,故曰六
狂。震爲之。坤爲平鄉,爲迷惑。乾爲道。迷惑故失道。坤爲昏,
震旦爲明。

同人

**老弱無子,不能自理。郭氏雖憂,終不離咎。管子治國,侯
伯來服。乘輿八百,尊祀祖德。**

　　通師。乾老坤弱,震子坤喪,故無子。坤爲自,爲理,柔弱故不
能自理。坤爲郭,坎爲憂咎。郭爲齊滅,故曰終不離咎。震爲竹,
爲管子。坤爲國。震爲侯伯,坤順爲服。坤爲乘輿,卦數八,故曰
乘輿八百。乾爲祖[一],爲德,爲尊。坎爲祀也。○此林前四句與

〔一〕“爲”下,刻本衍一“爲”字,據稿本删。

後四句吉凶不同,意亦不屬,顯爲兩林,非盡焦氏。

【補校】來,宋、元本作之。依汲古。又,汲古本舊注云,一作大有卦。

大有

褭后生蛇,經老日微。退跌衰耄,酒滅黃離。

通比。坤爲后。昔周人發龍漦,化爲玄黿,後宮童女遭之而孕,生褭姒。玄黿,蜥蜴也。亦非蛇,且卦無蛇象。而各本皆作蛇,無如何也。坤帛爲經。坎爲跌,乾爲衰老。坎爲酒,離爲黃。於卦象雖偶合,而語皆難解,疑訛字仍多。

【補校】老,汲古作孝。酒作復。均依宋、元本。耄,宋、元本作光。依汲古。日,宋、元本作皆。汲古作曰。退,宋、元、汲古諸本皆作追。疑曰、追爲日、退二字之形訛。然未詳所本,今謹紀以俟考。又,汲古本舊注云,一作同人卦。

謙

驄驥黑鬣,東歸高鄉。白虎推輪,蒼龍把衡。遂至夷傷,不離咎殃。

解詳遯之震。○驥,汲古作驪。高作南。均依宋、元本。遂,元本作逐。非。依宋本、汲古。

【補校】驄,汲古作聰。鬣作鬒。均依宋、元本。

豫

信譎龍且,塞水上流。半渡決囊,楚師覆亡。

坎爲信。正反兩震言相背,故曰譎。震爲龍,故曰信譎龍且。艮爲防,爲塞。卦本坤體,亦爲水,陽在坤上,故曰塞水上流。坤爲囊，艮手爲決。震爲渡，陽居中〔一〕，故曰半渡。震木爲楚，坤爲師。坤喪，故覆亡。史記，韓信與項羽將龍且戰於濰水，令萬餘人囊沙壅水上流，引軍半渡，佯不勝走還。龍且追信。信令人決壅，水大至，且軍大半不得渡。信急擊殺龍且。○渡，宋、元本作涉。亡作凶。均依汲古。

隨

有莘季女，爲王妃后。貴夫壽子，母字四海。

　　莘，草也，震象。兌爲季女。大禹母，有莘氏也。震爲王，兌爲妃，故曰爲王妃后。震夫艮貴，故曰貴夫。艮壽震子，故曰壽子。兌澤，故曰海。震卦數四，故曰四海。巽爲母。○字，汲古作尊。依宋、元本。

蠱

德被八表，蠻夷率服。螫賊不作，道無苛慝。

　　震爲德，艮爲表，數八，故曰德被八表。互大坎爲蠻夷。巽順，故曰率服。巽爲螫賊，爲苛慝。艮爲道，艮在上，故無苛慝。

臨

載日精光，驂駕六龍。禄命徹天，封爲燕王。

　　伏乾爲日，爲精光，坤爲載。乾爲龍，數六，乾行，故曰驂駕六龍。乾爲天，爲禄，伏巽爲命，故曰禄命徹天。震爲王，兌爲燕，故曰燕王。巽爲誥命，故曰封。

觀

纓急縮頸，行不得前。五石示象，襄霸不成。

〔一〕“陽居中”，稿本作“過下卦”。

巽爲繩，爲纓。巽躁故急，巽退故縮。艮爲頸。言纓急項不得伸也。震爲行，震覆，故行不得前〔一〕。乾爲前也。艮爲石，巽卦數五，故曰五石。艮爲象，故曰五石示象。伏乾爲君，故曰襄。震爲霸，震覆〔二〕，故曰襄霸不成。左傳僖十六年，隕石于宋五〔三〕。後宋襄圖霸不成而死，以隕石爲不祥。石，星石也。○不，元本作弗。非。依宋本、汲古。

【補校】霸，從宋、元本。汲古作伯。通霸。

噬嗑

蛇失其公，戴麻當喪。哀悲哭泣，送死離鄉。

　　通井。巽爲蛇，震爲公，坎失，故曰蛇失其公。巽爲麻，艮爲戴，兌折爲喪，故曰戴麻當喪。卦正反兌口，故曰哀悲哭泣。坎爲死，艮爲鄉。○蛇失其公，汲古作蛇鄉其穴。非。依宋、元本。

賁

回隕不安，兵革爲患。掠我妻子，客屢飢寒。

　　中爻震爲馬。回隕，病也。詩，我馬虺隤，是也。艮爲兵革，坎爲患。艮手爲掠，離妻震子，故曰掠我妻子。震客，離飢，坎寒。虺隤，説文，又作痕隤。蓋傳寫異文，不得以與詩異，即定回爲訛字。○回隕，汲古作四隕。依宋、元本。屢，宋、元本作屬。依汲古。

剝

乘風駕雨，與飛鳥俱。一舉千里，見吾愛母。

〔一〕　“不”下，刻本脱“得”字，據稿本補。
〔二〕　“震覆”，稿本作“坤喪”。
〔三〕　“左傳僖十六年，隕石于宋五”，稿本、刻本“十六”誤“十四”。據阮刻《左傳正義》校改。

坤爲風，伏兌爲雨。艮爲鳥，爲飛。乾卦數一，艮爲舉，坤爲里，故曰一舉千里。坤爲吾，爲母，伏兌爲見。○駕雨，宋本作雨橋。元本、汲古作禹。依明夷之鼎校。

【補校】駕雨，宋、元本作雨橋。汲古作禹橋。又，飛鳥，從汲古。宋、元本作鳥飛。

復

雷霆所擊，誅者五逆。劘滅無迹，有懼方息。

震爲雷霆，艮手爲擊。坤殺，故曰誅。乾順行，坤逆行，五陰，故曰五逆。坤死，故劘滅。坤虛，故無迹。乾爲惕，爲懼。息者，生也。言乾陽從此漸息也。

【補校】劘，宋、元本作磨。依汲古。按，劘，音義同磨。

无妄

張氏揖酒，請謁左右。平叔枯槁，獨不蒙所。

震爲張，艮手爲揖，伏兌爲酒，故曰張氏揖酒。艮爲求，爲請謁，震左兌右，故請謁左右。伏坤爲平，艮爲叔，離爲枯槁。離虛，故獨不蒙所。關西方言，致力於一事爲所。書無逸，君子所其無逸；召誥，王敬作所，是也。言獨不致意於平叔也。按，史記陳丞相世家，富人張負，獨偉視平[一]，歸謂其子仲曰，人固有美好如陳平而長貧賤者乎？乃以其孫女嫁之，並假以幣，爲内婦酒食之資。林用其事。三、四句言平叔不能久枯槁也。○平叔，依宋、元本。汲古作王時。

【補校】平叔，宋、元本作王叔。汲古作王時。叔字從宋、元本，平字則依學津、局本。按，汲古舊注云，王一作平。亦可從。疑王爲平之形訛，時爲叔之音訛。

大畜

坐爭立訟，紛紛匈匈。卒成禍亂，災及家公。

　　艮爲坐，震爲立。三至上正反兩震言相對，故有爭訟之象，而
紛紛匈匈也。離爲禍亂，爲災。艮爲家，乾父爲公。

頤

霜降閉户，蟄蟲隱處。不見日月，與死爲伍。

　　坤爲門户，爲閉，爲霜，故曰霜降閉户。通大過。巽伏爲蟄，爲
隱處，爲蟲。艮爲日，兑爲月，巽伏，故不見。坤爲死也。

　　【補校】閉，汲古作門。依宋、元本。

大過

鼠聚生怪，爲我患悔。道絕不通，商旅失意。

　　通頤。艮爲鼠，震爲生。坤爲聚，爲鬼怪，爲患悔。坤爲我。
艮震皆爲道路，坤閉，故不通。震爲商旅，坤喪，故失意。漢書五
行志，昭帝元鳳元年，燕有黃鼠銜其尾，舞王宫端門中，未幾，燕
王誅死。

坎

寒暑不當，軌度失常。一前一後，年歲鮮有。

　　坎爲寒，伏離爲暑。震爲道，故曰軌度。艮爲常，坎失，故曰失
常。艮爲前。震爲後，爲年歲。離虛坎病，故年歲鮮有。

離

築室水上，危於一齒。丑寅不徙，辰巳有咎。

　　通坎。中爻艮爲室，爲築，下坎，故曰築室水上。坎爲危險，後
天坎數一，故曰危於一齒。齒字恐訛，未詳其義。先天震居丑寅，
後天艮居丑寅，故曰不徙。坎中爻也。先天兑居辰巳，後天巽居辰

巳。離中爻也。澤風成大過,大過死,故曰有咎。

【補校】巳,宋、元、汲古及所見其他各本皆作卯。此蓋疑卯爲巳之訛字。惟未詳所本,今謹記存備考。

咸

畜雞養狗,長息有儲。耕田得黍,主母喜舞。

　　巽爲雞,艮爲狗。旁通損,震爲長,爲息。艮止,故有儲。坤爲田,震爲耕,爲黍,故耕田得黍。震爲主,爲喜,爲舞,坤爲母,故曰主母喜舞。○主,宋、元本作王。依汲古。

恒

東壁餘光,數暗不明。主母嫉妒,亂我業事。

　　震爲東。伏艮爲壁,爲明,故曰餘光。兌昧[一],故暗而不明。震爲主,伏坤爲母,爲嫉妒。坤爲事業,爲我,爲亂。○業事,汲古作事業。依宋、元本。事詳謙之屯。

【補校】暗,從宋本、汲古。元本作闇。同暗。

遯

剛柔相傷,火爛銷金。雕鷹制兔,伐楚有功。

　　通臨。遯陰消陽,臨陽消陰,故曰剛柔相傷。乾金,艮爲火,陰在下消陽,故曰火爛銷金。艮爲黔喙,爲雕鷹。震爲兔,爲楚,爲伐。震樂,故伐楚有功。

晉

鄭國讒多,數被楚憂。征夫愁苦,民困無聊。

　　坤爲國,爲平,故曰鄭國。鄭,町也,地多平,町町然也。離

〔一〕"兌昧",稿本作"坎黑"。

上下兩兌口相背,故曰讒多。大壯震木爲楚,坎爲憂。震爲征夫,坎爲愁苦。坤爲民,坎困,故無聊。○征夫,宋、元本作商人。依汲古。

明夷

弓矢斯張,把彈弦折。丸發不至,道遇害患[一]。

坎爲弓,爲矢,震爲張。坎爲彈,爲弦,爲折,故曰把彈弦折。坎爲丸,坎陷,故不至。震爲道,坎爲患害。○斯,宋、元本作其。依汲古。

【補校】遇,宋、元本作過。依汲古。按,弦折二字疑倒置,似當依乾之明夷校作折弦,庶與患協。

家人

舉觴飲酒,未得至口。側弁醉酗,拔劍斫怒,武侯作悔。

通解。坎爲酒,爲飲。震爲觴,爲舉,爲口。震伏,故未得至口。艮爲弁,艮覆,故曰側弁。離爲惡人,故醉酗。坎爲匕,爲劍,震爲拔,爲怒,爲斫,故曰拔劍斫怒。震爲武,坎爲悔,故曰武侯作悔。按小雅,賓之初筵,賓既醉止,載號載呶。又曰,側弁之俄,屢舞傞傞。乃衛武公飲酒悔過之詩,故曰武公作悔。○弁,汲古作棄。依宋、元本。斫,宋、元本作相。依汲古。

睽

蒼鷹羣行,相得旅前。王孫申公,驚奪我雄。北天門開,神火飛災。如不敬信,事入塵埃。

此用遇卦象。伏艮爲鷹,震色青,故曰蒼。伏坤爲羣。震爲行,爲旅。旅者,侶也。言結爲伴旅而前行也。震爲王公,艮爲孫,

[一]"害患"二字,稿本、刻本誤倒,據宋、元、汲古及所見其他各本校正。

爲明故爲申,故曰王孫申公。震爲驚,艮手爲奪,震爲武,爲雄。伏坤爲北,艮爲天門,震爲開,故曰北天門開。震爲神,艮爲火,爲災,爲飛,故曰神火飛災。乾爲信,坤爲疑。艮爲塵埃。○宋、元本缺此林。

【補校】此林依汲古本。

蹇

穿屋相宜,利倍我北。循邪詭道,逃不可得。南北望邑,遂歸入室。

艮屋,坎爲穿,故曰穿屋。坎爲北,巽利坤我,故曰利倍我北。坎爲邪詭[一],艮爲道。震往爲逃,震覆,故不得逃。離南坎北,離目爲望,艮爲邑,故曰南北望邑。坎爲室,故曰入室。○屋,宋、元本作空。依汲古。逃,汲古作迎。依宋、元本。

解

壽如松喬,與日月俱。常安康樂,不罹禍憂。

此用大壯象。伏艮爲壽,爲松喬。赤松子[二]、王喬皆古仙人名。艮日兑月。艮爲常,爲安。震爲康樂,在外故不憂。

損

出門望東,伯仲不來。疾病爲患,使母憂歎。

艮門震出。震東,艮爲觀,故曰望東。震爲伯,艮止,故不來。坤爲疾病,爲患,爲憂,爲母。震爲歎也。

【補校】歎,汲古訛歡。從宋、元本。

〔一〕“邪”下,刻本無“詭”字,據稿本補。
〔二〕“赤松子”,稿本無“子”字。

益

太姒之孫，周文九子。咸遂受成，寵貴富有。

坤爲母后，故曰太姒。艮爲孫。太姒者，文王之妃。詩，太姒
嗣徽音，是也。春秋傳曰，武王同母弟八人。是並武王爲九子也。
震爲周，坤爲文。震爲子，數九，故曰九子。艮爲成，坤爲受。艮爲
寵貴，坤爲富有。言太姒教誨諸子，成武王、周公之德而富貴。○
姒，汲古作姬。依宋、元本。

夬

桃李華實，纍纍日息。長大成熟，甘美可食，爲我利福。

兌爲反巽，巽木，故曰桃李。兌爲華。大過九五，枯楊生華是
也。乾爲木果，故曰實。重乾，故纍纍日息。乾爲日，爲長大，爲美
好。兌爲食，乾爲福。伏坤爲成熟，爲我，爲利。○纍纍，宋、元本
作累累。依汲古。

【補校】華，依元本。宋本、汲古作花。花、華同。

姤

昏禮不明，男女失常。行露反言，出爭我訟。

通復。坤爲昏，爲禮，故曰昏禮不明。乾男坤女，姤坤消乾，復
乾消坤，故男女失常。震爲行，坤爲水，爲露。詩，厭浥行露是也。
震爲言，爲反，故曰反言。又，乾爲言，巽爲覆兌，兌言與上乾言相
背，故曰爭訟。行露詩，何以速我訟。用其事也。○昏，依元本。
宋、汲古作婚。露反，依宋、元本。汲古作路有。非。

萃

室穿敝漏，破桴殘缺。陰弗能完，瓦碎不全。

艮爲室，兌毀，故穿。巽爲敝漏，故曰室穿敝漏。伏震爲桴，兌

毀折，故曰破桮，曰殘缺。坤爲陰，兑折，故弗完，故瓦碎不全。艮爲瓦也〔一〕。

【補校】室，宋、元、汲古諸本皆作空。惟汲古舊注云，疑作室。茲從校。

升

數窮廓落，困於歷室。往登玉堂，與堯侑食。

中爻兑數十，坤納癸，亦數十，故曰數窮。坤虛，故廓落。伏艮爲室，爲時，故曰歷室。震爲往，爲登，爲玉，伏艮爲堂〔二〕，故往登玉堂。震爲帝，故曰堯。兑爲食，震爲侑，故曰與堯侑食。○堯，汲古作老。依宋、元本。

【補校】歷，汲古作曆。依宋、元本。歷通曆。

困

道濕爲坑，輪陷躓僵。南國作諱，使我多畏。

伏震爲道，下坎，故道濕，故爲坑。坎爲輪，爲陷，爲躓，爲僵。離爲南，伏艮爲國，坎爲諱。諱，避也。言南國禁忌多也。坎爲畏，困正互兩坎，故多畏。○輪，依汲古。宋、元本作轉〔三〕。

【補校】輪，依元本、汲古。宋本作轉。僵，依元本。宋本、汲古作彊。

井

鰥寡孤獨，福禄苦薄。入室無妻，武子哀悲〔四〕。

〔一〕　“艮”，稿本作“震”。
〔二〕　“艮”上，稿本無“伏”字。茲依刻本。
〔三〕　“轉”，刻本訛“輪”，據稿本校改。
〔四〕　“哀悲”，稿本、刻本誤倒。據宋、元、汲古及所見其他各本乙正。參見坎之升。

通噬嗑。艮爲鼈,巽爲寡,坎爲孤獨。震爲福祿,坎爲薄,故曰福祿苦薄。坎爲室,巽入。離爲坎妻,坎失,故入室無妻。震爲武人。井正覆皆兑口,故曰悲哀。左傳襄二十五年,崔杼取棠姜,筮得入其宫不見其妻凶,困三繇辭。林用其事。○武,汲古訛我。依宋、元本。

革

舉袂覆目,不見日月。衣衾杖机,就其夜室。

通蒙。震爲袂,爲舉,艮爲目。士喪禮,幎目緇尺二寸。注,覆目者也。坎隱,故覆目,故不見日月。艮日坎月也。坤爲衣衾,震木爲杖,艮爲几,故曰衣衾几杖。坎爲夜室,古以坎有棺槨象。就夜室者,言死也。首句似用吳王夫差幎目而死事。○袂,宋、元本作被。依汲古。

【補校】袂,元本作被。依宋本、汲古。机,汲古作几。從宋、元本。机、几通。

鼎

長尾蹉跎,畫地爲河,深不可涉。絕無以北,憫然憤息。

通屯。艮爲尾,巽爲長,下互坤形長,故曰長尾。蹉跎,當爲委佗。詩,委委佗佗是也。所以形容長尾。坤爲地,爲河,艮手爲畫。上坎水,下坤水,故深不可涉。坎爲北,兑折,故絕無以北。坎爲憫,爲憤,震爲太息[一]。

【補校】跎,宋、元本作虵。憫作惆。均依汲古。絕無以北,汲古作絕世之北。依宋、元本。

震

晨風文翰,大舉就温。昧過我邑,羿無所得。

[一]“震”字,刻本無。兹依稿本。

　　震旦爲晨，伏巽爲風，伏離爲文，震爲羽翰，故曰晨風文翰。
詩，鬱彼晨風。傳，晨風，鸇也。逸周書王會篇[一]，蜀人以文翰。
文翰若皋雞。艮爲鳥，亦艮象也。震舉離溫。艮爲邑，爲我，坎爲
昧，故曰昧過我邑。言夜過也。離爲惡人，故曰羿。離虛，故無所
得。羿，后羿，善射，篡夏后氏者也。

　　【補校】大，汲古作火。依宋、元本。

艮

出入節時，南北無憂。行者亟至，在外來歸。

　　中爻震出坎入，艮爲時，爲節。震爲南，坎爲北，爲憂。震樂，
故無憂。震爲行，爲亟。震反，故來歸。○來歸，宋、元本作歸來。
依汲古。

　　【補校】第三句，汲古作亟行所逐。依宋、元本。

漸

陽氏狂惑，季孫亂憒。陪臣執政，平子拘折，我心不快。

　　互離爲陽，伏震爲狂。謂陽虎也。坎爲惑。艮爲季，爲孫，離
亂坎憒，故曰季氏亂憒。謂平子也。艮爲臣僕，艮手爲執，巽爲政
令，故曰陪臣執政。坎爲平，震爲子，坎爲拘折。言平子被囚也。
坎爲心，爲憂，艮爲我，故曰我心不快。按左傳，陽虎爲季氏陪臣，
專政作亂。囚季平子，欲殺之，遇救免。

　　【補校】憒，汲古作憒。拘作俱。我作季。均依宋、元本。

歸妹

五烏六鷗，相對蹲跂。禮讓不興[二]，虞芮争訟。

────────────

〔一〕“周”上，稿本、刻本脱“逸”字。據《漢學堂叢書》本《逸周書》補。
〔二〕“興”，稿本、刻本作“行”，疑訛。據宋、元、汲古及所見其他各本改。按，注
　　文所引，正作“興”字。

伏艮爲烏,爲鷗,坎數五,又卦數六,故曰五烏六鷗。震爲立,故曰蹲跂。震決躁,兌附決,故禮讓不興。坎爲憂虞,震爲草莽,故曰虞芮。卦上震下兌,而震言與兌言相背,故曰爭訟。昔虞、芮二國爭田不決,欲訟於西伯,及入周界,耕皆讓畔,乃慚而還。首句義未詳。八烏,星名。

【補校】烏,汲古作鳥。依宋、元本。

豐

顧念所生,隔在東平。遭離滿沸,河川決潰。幸得無恙,復歸相室。

離目爲顧,伏坎爲念,震爲生。坎爲隔,震東坎平,故曰東平。互大坎爲滿沸,爲河川,爲潰決,爲病恙。震出,故得無恙。坎爲室,震爲歸。○顧,汲古作願。依宋、元本。此有故事,未能確指。末句,汲古作復生歸室,依宋、元本。

旅

追獵東走,兔逃我後。吾銳不利,獨空無有。

通節。震爲追獵,爲東走,爲兔,爲後。坎爲棘,故爲銳。巽爲利,坎塞,故不利。離虛,故空無有。坎爲獨也。

巽

犬吠非主,上下膠擾。敵人襲戰,閔王逃走。

伏艮爲犬。震爲鳴,爲吠,爲主。震伏,故曰非主。艮爲上,震爲下。坎爲膏,爲膠,離亂,故曰上下膠擾。震爲人,爲戰。三至上正反震艮相對,故曰敵人襲戰。坎爲閔,震爲王,爲走,故曰閔王逃走。戰國策,樂毅伐齊,至濟西,閔王走莒是也。○膠,依宋、元本。汲古作渾。

兑

嵩高岱宗，峻直且神。觸石膚寸，千里蒙恩。

　　通艮。艮爲山，互坎爲中，故曰嵩高。互震爲東，故曰岱宗。艮爲高峻。震爲神，爲觸。艮爲石，爲膚，故曰觸石膚寸。震爲千里，坎爲恩澤，故曰千里蒙恩。公羊傳，觸石而出，膚寸而合，不崇朝而雨遍天下者，惟泰山之雲耳。注，側手爲扶，覆手爲寸。膚、寸皆艮象。

渙

陳魚觀社，很荒踰矩。爲民開緒，亡其祖考。

　　巽爲魚，震爲陳，艮爲社，爲觀。春秋隱公五年，公如棠，陳魚而觀之。又，莊二十三年，公如齊觀社[一]，非禮也。故曰很荒踰矩，言荒淫踰越規矩也。坎爲曲，爲矩，爲民。巽爲緒。艮爲壽，故曰祖考。坎失，故亡其祖考。很音恒，有驕、癡二義。後漢蔡邕傳，董卓自很用是也。○第二句，汲古訛狼虎踰距。依宋、元本。

節

四壁無户，三步一止。東西南北，利不可得。

　　艮爲壁，震卦數四，故曰四壁。坤爲户，坎塞坤，故無户。震爲步，數三，故曰三步。艮止，坎數一，故曰一止。震東兑西，震南坎北。巽爲利，巽覆，故利不可得。

中孚

求君衣裳，情不可當。觸諱西行，爲伯生殃。君之上歡，得其安存。

〔一〕"公如齊"，刻本誤作"如齊公"，據稿本改。

震爲君，艮爲求。震爲衣裳，爲健，故不可當。震爲觸，爲行，巽伏故曰諱。諱，避也。兌爲西，故曰觸諱西行。震爲伯，爲生，兌折故生殃。震爲君，爲歡。艮爲安。春秋，蔡昭侯如楚，有善裘，子常欲之，弗與，留楚三年。後蔡人聞之，固請獻之，遂得歸。○上歡，汲古作上安。依宋、元本。

【補校】其，汲古作生。依宋、元本。

小過

春鴻飛東，以馬貿金，利可得深。

震爲春，爲鴻，爲飛，爲東，爲馬。巽爲商旅，故曰貿。艮爲金，故曰貿金。坎爲深也。巽爲利。利可得深，言得利多也。

【補校】貿，汲古作貨。依宋、元本。

既濟

禾生蟲蠹，還自尅賊，使我無得。

此用遇卦象。震爲禾，爲生。巽爲蟲，爲賊。伏坤爲我，坤虛，故無得。

未濟

桀亂無道，民散不聚。背室棄家，遁逃出走。

離爲惡人，故曰桀。離爲亂，震爲道，坎隱故無道。坤爲民，爲聚，三爻間隔，故民散不聚。坎爲室，艮爲背，故曰背室。艮爲家，坎失，故曰棄家。坎伏爲遁，震走爲逃也。凡震、艮皆用半象。

【補校】背，宋、元本作倍。遁逃，作逃遁。均依汲古。背、倍通。棄，汲古作之。依宋、元本。

晉之第三十五

晉

銷鋒鑄耞，休牛放馬。甲兵解散，夫婦相保。

坎爲鋒、耞，離火爲銷，爲鑄。離牛坎馬，艮止，故休、放。離爲甲兵，坎水尅火，故解散。坎夫離婦，坤聚艮安，故相保。

乾

一衣三冠，冠無所絆。元服不成，爲身災患。

乾爲衣，卦數一，故曰一衣。晉艮爲冠，數三，故曰三冠。艮下坤，坤坼，故曰冠無所絆，曰元服不成。坤爲身，爲災患。○第二、三句，宋、元本作無所加元，衣服不來。身作我。均依汲古。

【補校】元服，宋、元、汲古諸本皆作衣服。依局本、翟本。

坤

百足俱行，相輔爲强。三聖翼事，王室寵光。

詳屯之履、比之无妄。履用伏象謙，與无妄皆以震爲足。此則以坤形象百足蟲。坤爲百也。

屯

魚蛇之怪，大人憂懼。梁君好城，失其安居。

坤爲魚，爲蛇，坎爲怪。震爲大人，坎爲憂懼。震爲君，震木爲梁，故曰梁君。艮爲城，正覆艮，故曰好城。艮爲安居，坎失，故曰失其安居。元本注，春秋，梁君好城而弗處，卒亡其國。

蒙

少無强輔，長不見母。勞心遠思，自傷憂苦。

艮爲少,兌爲輔,爲剛。兌伏,故無。震爲長,坤爲母。坎隱,故不見。坎爲勞,爲心,爲思,爲憂苦。

需

前涉溽暑,解不可取。離門二里,敗我利市。老牛病馬,去之何悔。

乾爲前,爲行。離爲暑,與坎連,故曰溽暑。解、懈同。詩大雅,不解于位。注,息惰也。坎勞,故曰解不可取。乾爲門,兌卦數二,故曰離門二里。巽爲利市,二至四巽覆,故敗我利市。離爲牛,乾老,故曰老牛。乾爲馬,坎病,故曰病馬。坎爲悔,在外,故去之無悔。〇門二,宋、元本作河三。依汲古。涉,汲古作不。依宋、元本。

訟

君明有德,登天大禄。布政施惠,以成恩福。中子南遊,翱翔未復。

乾爲君,爲德,離火爲明。乾爲天,爲大禄。巽爲政命,巽風爲布施。乾爲恩福。坎爲中男,乾爲南,爲行,故曰中子南遊。離爲飛,故曰翱翔。坎陷,故曰未復。言未歸也。〇成,宋、元本作感。依汲古。

師

曉然唯諾,敬上尊客。執恭除患,禦侮致福。

坎正反兩兌口,震爲聲,故曰曉然唯諾。震爲客,伏乾爲貴,故曰尊客。乾惕爲敬。坎爲患,震解,故除患。坤爲禦,爲侮。震樂,故致福。

【補校】曉,汲古作堯。依宋、元本。

比

黍稷禾稻,垂秀方造。中旱不雨,傷風病藁。

> 坤爲茅茹,故爲黍稷禾稻。造,作也。言苗秀興起也[一]。坎爲中,爲雨,艮火,故中旱不雨。坤爲風,故傷風病藁。

小畜

三羸六罷,不能越跪。東賈失馬,往返勞苦。

> 通豫。震數三,坎數六。坎病故羸,坎勞故罷。震爲越跪,爲東,爲賈,爲馬。坎失,故失馬。震爲往反,坎爲勞苦。○羸,宋本作贏。依元本、汲古。

履

倚立相望,引衣欲裝。陰雲蔽日,暴雨降集。使道不通,阻我歡會。

> 通謙。震爲倚立。艮爲望,正反艮,故曰相望。坤爲衣裳,艮手爲引,爲裝。裝,束也。坤爲陰雲,爲蔽,離日,故曰陰雲蔽日。坎爲暴雨,爲降集。震爲道,坎塞,故不通,故阻我歡會。坤我,震歡也。○裝,宋、元本作莊。降,宋本作祈。元本作所。阻,宋、元本作降。會,元本作惠。五六句,宋、元本倒置。均依汲古。

泰

高腳疾步,受肩善趨。日走千里,賈市有得。

> 中爻震爲足,故曰腳步。震躁,故高腳疾步,故善趨,故日走千里。震伏巽,爲賈市。巽利,故有得。坤爲受,伏艮爲肩。○善,汲古作喜。依宋、元本。

〔一〕"坤爲茅茹"至"興起也",稿本作:"震爲黍稷,爲禾稻。震覆,故曰垂秀。震生,故曰方造。"

否

北風寒涼,雨雪益冰。憂思不樂,哀悲傷心。

中爻巽風,坤爲北,乾爲寒,爲冰雪,故曰北風寒涼,雨雪益冰。乾惕,故憂。震樂,震倒,故不樂。坤爲哀悲,爲心。

【補校】益,汲古作盈。依宋、元本。

同人

貞鳥雎鳩,執一無尤。寢門治理,君子悦喜。

離爲鳥,爲鳩。通師。坎爲尤,數一,震樂,故執一無尤。坤爲門,爲寢,爲理。震爲君子,爲悦喜。○雎,宋、元本作鳴。依汲古。

大有

蓼蕭露瀼,君子龍光。鳴鸞嚨嚨,福禄來同。

通比。坤爲薪,爲蓼蕭,坎爲露。艮爲君子,爲貴。龍,寵也。坤文爲鸞,兑爲鳴。乾爲福禄。蓼蕭義,詳恒之寋。○龍,汲古作寵。依宋、元本。嚨嚨,宋、元本作雍和。依汲古。

謙

南行求福,與喜相得。封受上賞,鼎足輔國。

震爲行,爲南,艮爲求。震爲福,爲喜。坤爲受,坤閉爲封。艮爲賞,陽在上,故曰上賞。震爲足,數三,故曰鼎足。坤爲國,艮伏兑,兑輔,故曰輔國。○封受,依宋本。汲古作受封。

【補校】封受,依宋、元本。

豫

桑葉腐蠱,衣敝如絡。女功不成,絲布爲玉。

震爲桑葉,坎病,故腐蠱。坤爲衣裳,坎破,故敝。震伏巽,巽繩,故曰如絡,故曰絲布。坤爲女,坤喪,故功不成。震爲玉。絲布爲玉者[一],言桑壞不能產絲,故值貴也。

【補校】葉,宋、元、汲古諸本皆作華。敝作蔽。均依訟之蠱校。又,翟本作葉,學津、局本作敝,亦皆可從。

隨

左服易右,王良心歡,喜利從己。

　　震左兌右。服者,夾轅之馬。震爲馬。左服易右者,震爲左,兌爲右,言馬初在左,至上兌而右也[二]。震爲王,艮爲良,故曰王良。坎爲心,震爲歡喜,爲從。巽爲利。王良,古善御者。○喜,宋、元本作嘉。依汲古。

蠱

壽考不忘,駕駟東行。三適陳宋,南賈楚荆。得利息長,旅身多罷,畏晝喜夜。

　　艮爲壽考。震爲馬,故曰駕駟。震東,故東行。震爲陳,艮爲宋,震數三,故曰三適陳宋。互震爲南,巽爲賈,爲楚荆,故曰南賈楚荆。巽爲利,爲長,爲商旅。互大坎爲罷,爲畏,爲夜。離爲晝。晝動故畏,夜伏故喜。○駟,宋、元本作駃。三作之。身作自。均依汲古。

臨

羔羊皮革,君子朝服。輔政扶德,以合萬國。

　　兌爲羔羊。通遯。艮爲皮,爲革,爲君子。坤爲朝,爲衣服,故曰君子朝服。兌爲輔,坤爲政,艮手爲扶,乾爲德,故曰輔政扶德。

[一]　"絲"下,刻本脱"布"字,據稿本補。
[二]　"兌爲"至"右也",稿本作"震之反則右矣,以初至四正反震也"。

坤爲國，坤衆，故曰萬國。坤閉爲合，故曰以合萬國。詩召南，羔羊之皮，素絲五紽。羔羊之革，素絲五緎。美召公也。○國，宋、元本作福〔一〕。依汲古。革，各本皆作弁。依謙之離校。

觀

鸜鳩徙巢，西至平州。遭逢雷電，破我葦廬。室家飢寒，思吾故初。

　　艮爲鸜，坤文爲鳩，艮爲巢，伏震爲徙，故曰鸜鳩徙巢。兌爲西，坤爲州，爲平。震爲雷電。兌折爲破。艮爲廬，巽爲葦，故曰葦廬。艮爲室家，坤爲飢，乾爲寒，故曰室家飢寒。坤爲吾，乾爲初。○第四句，宋本、汲古廬作蘆。依元本。

　　【補校】我，汲古作全。依宋、元本。飢，汲古作饑。茲依宋、元本。饑通飢。

噬嗑

大尾小頭，重不可搖。上弱下强，陰制其雄。

　　艮爲尾，震大，故曰大尾。坎爲首，艮爲小，故曰小頭。坎陷〔二〕，故重不可搖。艮上震下。艮小故弱，震長故强。四陽陷陰中，故曰陰制其雄。

　　【補校】雄，汲古作雌。依宋、元本。

賁

疏足息肩，有所忌難。金城銅郭，以鐵爲關。藩屏自衛，安止無患。

　　震爲足，艮爲肩。坎爲忌難，艮爲城郭。三至上正反兩艮，故

〔一〕 “元”下，刻本脫“本”字，據稿本補。
〔二〕 “坎”上，刻本有“坤爲重”三字。按稿本此三字已刪除。茲依校。

又爲關。艮爲金,故曰金,曰銅,曰鐵。艮爲藩屏,爲安止。坎爲患,安止故無患。

【補校】藩,元本作蕃。依宋本、汲古。蕃、藩通。止,汲古作心。依宋、元本。

剥

天命玄鳥,下生大商。造定四表,享國久長。

通夬。乾爲天,兑爲言,故曰天命。乾爲玄,艮爲黔喙,爲鳥,故曰玄鳥。玄鳥者,燕也。兑爲燕。震爲生,震反,故下生。震爲子,故生商。商,子姓也。艮爲定,爲表,伏兑數四,故曰造定四表。坤爲國〔一〕,艮爲久長。據詩商頌箋,高辛氏妃簡狄吞鳦卵,生契,爲商祖。

【補校】大,汲古作太。依宋、元本。大、太同。

復

賦歛重數,政爲民賊。杼柚空虚,我去其室。

坤聚,故曰賦歛。重坤,故曰重數。坤爲政,爲民。伏巽爲賊,震爲杼柚。詩,杼柚其空。箋云,杼,持緯者;柚,受經者也。杼柚上下震動,故取象於震。坤虚。艮爲室,艮倒,故去室。○歛,元本訛斂。依宋本。

【補校】歛,依宋本、汲古。我,宋、元本作家。依汲古。柚,宋、元、汲古諸本皆作軸。依翟本及復之兑校。按,柚、軸通。惟詩大東作柚,似柚字勝。然則否之豐或亦當依校。

无妄

陰陽隔塞,許嫁不答。宛丘新臺,悔往歎息。

―――――――――

〔一〕“坤爲國”,稿本、刻本原在前句“伏兑數四”下,謹依文意後移。

初陽伏陰下，艮止，故曰隔塞。女嫁曰歸。震爲歸，爲言，故許嫁。二至四震反，故曰不答。艮爲丘，爲臺。宛丘，陳風篇名，悔嫁非其人而作也。震爲歎息。毛詩謂刺陳幽公淫亂無度。新臺，邶詩篇名，毛謂刺衛宣公娶其子伋妻，國人惡之。林意似謂婦爲夫棄也。

大畜

願望登虛，意常欲逃。賈辛醜惡，妻不安夫。

艮爲丘墟，爲望，震爲登，故曰願望登虛。震爲逃，伏坤爲意。震伏巽，巽爲商賈，納辛，故曰賈辛。兌爲醜惡。震夫兌妻，兌毀折而躁，故不安。左氏昭二十八年，昔賈大夫娶妻而美，三年不言不笑。辛，大夫名。

【補校】願，元本作顧。依宋本、汲古。

頤

跛行竊視，有所畏避。蔽目伏藏，以夜爲利。

震爲跛行，艮爲視。坤藏，故竊視，故有所畏避。艮爲目。坤爲夜，爲利。

【補校】跛，汲古作跰。依宋、元本。

大過

信敏恭謙，敬鬼尊神。五岳四瀆，克厭帝心，受福宜年。

乾爲信敏，伏坤爲恭謙。乾爲惕，故曰敬。伏坤，故曰鬼。乾爲神，兌伏艮，艮爲尊，故曰敬鬼尊神。艮爲岳，巽卦數五，故曰五岳。互大坎爲河川，乾亦爲江河，巽後天數四，故曰四瀆。坤爲心，巽伏震，震帝，故曰帝心。震爲福，坤爲受，爲歲，故曰受福宜年。

【補校】克，元本作尅。依宋本、汲古。

坎

懸懸南海，去家萬里。飛兔腰裏，一日見母，除我憂悔。

坎爲海，伏離，故曰南海。震爲萬里，故曰懸懸。艮爲家。震爲馬，爲兔，坎爲腰，故曰飛兔腰裏。飛兔、腰裏，皆良馬名。離日，坎數一，故曰一日。本卦坤體，坤爲母，乾二五之坤，故見母。坎爲憂悔，震爲除。

【補校】裏，宋本作裛。依元本、汲古。裛、裏同。

離

雖污不辱，因何跣足。童子褰衣，五步平復。

通坎。坎爲汙。坤爲辱，坎折坤，故不辱。跣足者，赤足也。震足坎赤，故曰跣足。艮爲童子。艮手爲褰，震爲衣，故曰褰衣。震爲步，坎數五，坎平，故曰五步平復。〇跣，宋、元本作洗。步作年。依汲古。

咸

宫城立見，衣就袂裾。恭謙自衛，終無禍尤。

通損。艮爲宫城，震立，兌見。艮爲衣，震口爲袂，爲裾。巽爲恭謙，震爲警衛。坤爲自，爲禍尤。震解，故無禍尤。〇裾，宋、元本作裙。依汲古。

恒

敝筍在梁，不能得魚。望食千里，所至空虛。

巽爲繩，故爲筍。筍，罟也。巽下斷，故曰敝。艮爲梁。巽爲魚，巽敝漏，故無得。伏艮爲望，震爲粒粟，爲食，爲千里。震爲虛，故所至空虛。首句，齊風語。〇食，宋、元本作貧。依汲古。

【補校】敝，元本作弊。汲古作蔽。依宋本。

遯

千里驊駒，爲王服車。嘉其驪榮，君子有成。

　　乾爲馬，爲赤，故曰驊。艮少爲駒，乾爲千里，故曰千里驊駒。
乾爲王。二至四通震，震爲車，爲服。乾爲嘉榮。艮爲君子，爲
成。

大壯

鼎足承德，嘉謀生福。爲王開庭，得心所欲。

　　乾爲德。震爲足，數三，故曰鼎足。乾爲福，爲生，爲嘉，爲王，
爲開。伏艮爲庭。兌悅，故得所欲。

明夷

右手無合，獨折左指。禹湯失佐，事功不立。

　　艮爲手，爲指。先天坎西，故曰右手。艮覆，故指折。震左，坎
折，坤寡，故曰獨折左指。震爲王，故曰禹。水在火上，故曰湯。震
佐坎失，故曰禹湯失佐。坤爲事功，坤喪，故事功不立[一]。〇佐，
汲古作位。依宋、元本。

　　【補校】不，宋、元、汲古及所見其他各本皆作弗。茲蓋從劉毓
崧易林無弗字之説，以弗爲不之訛字。然未獲確據，謹記存俟考。

家人

憂凶增累，患近不解。心意西東，事無成功。

　　坎爲憂[二]，爲凶，爲累，爲患。坎陷，故不解。坎爲心意，爲

〔一〕"爲事功"下，刻本無"坤喪，故事功"五字，據稿本補。
〔二〕"憂"下，稿本、刻本多一"憎"字。按林辭既依汲古作"增"，不從宋、元本
　　　"憎"，則注文亦當不釋"憎"象，故依例刪"憎"字。蓋原稿初擬作"憎"，後
　　　改作"增"，而注文未及修訂也。

西,離爲東,故曰心意西東。巽爲風,風散,故事無成功。○增,宋、元本作憎。依汲古。

睽

東行食楡,困於枯株。夫妻無家,志窮爲憂。

　　離東,兌食。坎爲楡,皮可食。坎上下皆離,離科上槁,故困於枯株。株枯,則無皮可食。坎夫,離妻。艮爲家,艮伏,故曰無家。坎爲志,爲憂。嵇康養生論,楡令人瞑。博物志,啖楡則眠不欲覺。又禮内則,粉楡以滑之。古蓋常食楡皮。○夫,宋、元本作失。依汲古。

蹇

五經六紀,仁道所在。正月繁霜,獨不離咎。

　　離爲文,故曰經紀。坎納戊[一],數五,故曰五經。坎數六,故曰六紀。艮爲道路,爲反震,震爲仁,故仁道所在。坎爲中正,爲月,爲霜,重坎,故曰正月繁霜。坎爲獨,爲咎。離,罹也。坎隱,故獨不罹咎。五經者,五常。漢書賈誼傳,六親有紀。六紀,即六親也。白虎通,六紀者,諸父、兄弟、族人、諸舅、師長、朋友。正月,小雅篇名,憂亂而作。

解

懈緩不前,怠惰失便。二至之戒,家無禍凶。刻木象形,聞言不信。

　　震往爲前,坎陷,故懈緩不前,故怠惰失便。坎爲冬至,離爲夏至,故曰二至。復象傳云,先王以至日閉關,商旅不行。又月令,是月齊戒掩身。故云戒。坎爲室家,爲凶禍。知戒故無禍。刻木象

〔一〕“戊”,刻本訛“戍”,據稿本改。

形,未詳。坎爲聞,震爲言。坎上下兩兑口相背,故云不信。○怠
惰,宋、元本作惛怠[一]。依汲古、局本。木字,宋本、汲古作水。
依元本。解、懈古通。觀首二句,焦氏似讀解爲懈。

【補校】戒,宋、元本作戎。依汲古。又,惰,汲古、局本作憻。
惰、憻同。按後漢紀光武紀,其憻懶不收者,恥不獲勞,無不力田。
又後漢書王丹傳,其憻嬾者恥不致丹。注,嬾與嬾同。此皆憻、懶
連文。是則憻同惰,故從汲古等本作怠惰。

損

仁愛篤厚,不以所忿,害其所子。從我舊都,日益富有。

　　震爲仁愛,艮爲篤厚。乾爲忿,乾三之上成艮,故不忿。象傳
所謂懲忿也。震子坤害,故害其所子。坤爲都,伏乾爲舊,爲我,震
爲從,故曰從我舊都。坤爲富有,艮爲日,故曰日益富有。○從,汲
古作徙。依宋、元本。

益

缺破不成,胎卵未生,弗見兆形。

　　巽隕落,故缺破不成。震爲胎卵,震生。坤拆爲兆,爲形,巽伏
故弗見。

夬

摧角不傷,雖折復長。秉德無忿,老賴榮光。

　　艮爲角,艮伏兑折,故摧角。然陽必長,故摧而不傷,折而復
長。乾爲德,爲老。陽長,故無忿,故老而愈榮。○忿,宋、元本作
騫。依汲古。

―――――――――

〔一〕"惛",稿本、刻本訛"焰"。據宋、元本改。

姤

乘桴浮海，免脱厄中，雖困無凶。

　　通復。震爲桴，爲乘，坤爲海。坤厄震出，故免脱，故雖困無凶。○浮，宋、元本作渡。凶作咎。依汲古。

萃

孔鸞鴛雛，駿鸃鵜鴣，翱翔紫淵。嘉禾之圃，君子以娱。

　　通大畜。震爲竹，爲孔。坤爲文，故爲鸞鴛。艮鳥，故爲駿鸃鵜鴣。卦爲萃，故多若是。震爲翱翔。兑爲淵，乾亦，故曰紫淵。震爲嘉禾。艮爲圃，爲君子。震樂故娱。○駿鸃，宋、元本作鵁鶿。依汲古。禾，元本作木。依宋本、汲古。

　　【補校】駿鸃，汲古作鵁鸃。依局本。圃，汲古作國。娱作説。均依宋、元本。

升

甘露温潤，衆來得願。樂易君子，不逢禍亂。

　　兑爲露，爲潤。坤爲衆，震樂，故衆來得願。通无妄。艮爲君子，震樂乾易，故曰樂易君子。坤爲禍亂，乾在外，故不逢。○一二句〔一〕，宋、元本倒置。依汲古。

困

東騎墮落，千里獨宿。高岸爲谷，陽失其室。

　　通賁。震爲東，爲騎，坎陷，故墮落。震爲千里，坎爲獨，爲宿，故曰千里獨宿。艮爲高岸，坎窞爲谷，故曰高岸爲谷。坎爲室，爲失。困剛掩，故曰陽失其室。詩小雅，高岸爲谷，深谷爲陵。

〔一〕"一二句"，稿本、刻本誤作"二三句"，據宋、元本改。

井

八才既登，以成嘉功。龙降庭堅，國無災凶。

　　　　通噬嗑。後天艮數八。震爲才，爲登，爲嘉，爲功。艮爲成，故
曰以成嘉功。震爲龙，艮爲庭。龙降、庭堅，乃八元之二人。庭堅，
即皋陶字也。艮爲國，坎爲災凶，震樂故無。○嘉，宋、元本作善。
龙作厖。兹依汲古。

　　　【補校】八才，汲古作入村。依宋、元本。災，宋、元本作憂。
依汲古。

革

邯鄲反言，父兄生患。竟涉憂恨，卒死不還。

　　　　通蒙。二至上正覆兩震言相反，坤爲國，故曰邯鄲反言。乾父
震兄，坎爲患，震生，故曰父兄生患。坎爲憂恨，爲水，坤亦爲水；震
爲涉，艮爲終，故曰竟涉憂恨。震爲還，坤死，故曰卒死不還。案，
此似用史記陳涉傳事。邯鄲反言者，言武臣反陳涉，自立爲趙王。
涉欲係其家屬，後涉竟戰死不得還也。○宋、元本革鼎在震艮
後。非。

　　　【補校】元本革鼎在震艮後。非。兹依宋本、汲古。按，元本
諸林序次間有錯置，非僅一例。此所校及，亦發凡之意，餘可類究
也。

鼎

玉銑鐵頤，倉庫空虛。賈市無盈，與利爲仇。

　　　　元本舊注，鐘口兩旁曰銑。蓋乾爲金玉，初至五正倒皆兑，兑
爲口，故曰玉銑鐵頤。頤亦口。卦通屯，屯互頤也。屯艮爲倉庫，
坤爲空虛。巽爲賈，爲市，爲利。坤虛，故無盈，故與利爲仇。坎爲
仇也。○玉銑，汲古作五銳。從宋、元本。銳爲矛屬，與下鐵頤不

相聯屬。自以取兌象作銑爲允當。自來校此書者，不知以易象爲標準，故當否皆不知，此所以多舛也。

【補校】玉銑，宋、元、汲古本皆作五銳。茲依比之夬校。按，此林何本、局本作玉，元本舊注疑銳當作銑，亦可從校。

震

白鳥銜餌，鳴呼其子。旋枝張翅，來從其母。

震爲白，互離爲鳥，震口爲銜，坎爲餌，故曰白鳥銜餌。震爲子，爲鳴呼，爲木，爲枝，爲張翅，爲從，爲來。坤爲母。來從其母者，言陽反坤初也。○旋枝，宋、元本作施技。依汲古。

【補校】旋，宋、元、汲古本皆作施。依何本、局本。

艮

學靈三年，聖且神明。先見善祥，嘉吉福慶。鶬鶭知來，告我無憂。

學靈者，學語也。三至上正反兩震言相對，下震如何言，上即如言反答，故曰學靈。震爲年，數三，故曰三年。坎爲聖，震爲帝，爲神，艮爲明，故曰聖且神明。震爲善祥，爲吉慶。艮爲鶬鶭。震爲來，爲告。坎爲憂，震出故無憂。○第五句，宋本作餌吉知來。汲古作神馬來見。依小畜之漸校。又二、三句，元本作仁聖且神，明見善祥。今依宋本。嘉吉，元本作吉喜。汲古作吉盛。亦依宋本。鶬鶭義，詳小畜之漸[一]。

【補校】第五句，宋、元本作餌吉知來。又二、三句，宋、元本作聖且明神，先見善祥。依汲古。嘉吉，依宋、元本。按，此言二、三句元本作仁聖且神，明見善祥者，及嘉吉作吉善者，均未詳。謹記

〔一〕"鶬鶭"至"之漸"八字，稿本無。茲依刻本。

存備考。

漸

雲孽蒸起，失其道理。傷害年穀，神君乏祀。

坎爲雲，爲孽。下得艮火，故能蒸起。伏震爲起，爲道。坎爲失，故失其道里。震爲年穀，巽隕落，故曰傷害年穀。震爲神，爲君。○理，應爲里。乏祀〔一〕，依顧校。

【補校】乏祀，從汲古。宋、元本作之精。

歸妹

春耕有息，秋入利福。獻豜大狝，以樂成功。

震爲春，爲耕。爲生，故曰息。兌爲秋，震爲利福。秋收，故曰入。坎爲豕，故曰豜，曰狝。震爲功，爲樂也。○大，疑作私。豳風，言私其豵，獻豜于公。

【補校】豜，宋、元、汲古本皆作豜。狝作豜。均依局本。按，豜、豜同，狝、豜亦同。

豐

贏豕蹢躅，虎入都邑。遮過左右，國門勑急。

巽爲豕，巽繩，故曰贏豕。震爲蹢躅。巽入，伏艮爲都邑，爲虎，故曰虎入都邑〔二〕。艮止，故遮過。震左兌右。艮爲國門，坎險故急。震爲勑。○勑，宋本作敕。元本作敕。依汲古。

【補校】勑，元本、汲古作敕。依局本。入，汲古作來。依宋、元本。急，從汲古。宋、元本作至。惟宋、元舊注亦云，一作急。

旅

東行西維，南北善迷。逐旅失羣，亡我襦衣。

〔一〕“乏祀”，刻本作“之訛”。據稿本改。
〔二〕“都邑”，刻本作“邑都”。茲依稿本。

通節。震爲東，爲行，兌爲西，巽繩爲維。維，係也。離南坎北〔一〕，坎又爲疑，故曰南北善迷。震爲逐。陰以陽爲伴旅，旅卦下二陰隨二陽，上一陰隨一陽，故曰逐旅。坤衆爲羣，坎爲失。言否二升五，遺二陰在下，故曰失羣。否上乾爲衣，下坤爲襦。今變旅，乾坤形變，故曰亡我襦衣。東行西維者，言身向東而心係屬於西也〔二〕。

巽

居室之倫，夫婦和親。小人乘車，碩果失豢。

通震。中爻艮爲居，坎爲室。震夫巽婦，兌悦故和親。震爲車，爲人，艮爲小，故曰小人乘車。艮爲碩果，兩艮皆覆，故失豢。豢，養也。○汲古多車在夫家，不知孰是二句。依宋、元本〔三〕。

【補校】碩，元本作石。依宋本、汲古。又，汲古所多二句，車在夫家，在第四句；不知孰是，在第六句。

兌

東方孟春，乘冰戴盆。懼危不安，終失所歡。

通艮。中爻震爲東，爲孟春。坎爲冰，震爲乘，坎在下，故乘冰。震爲盆，艮爲戴，故曰戴盆。坎爲危懼。艮爲終，兌爲歡。○首二句，謂當春暖，戴盆行冰上，故危而不安也。古人以頭戴物，孟子所謂斑白者不負戴於道路也。汲古作載。非。依宋、元本。失，宋、元、汲古皆作身。依周本。

【補校】冰，汲古訛水。依宋、元本。

〔一〕“離”，刻本作“震”。據稿本改。
〔二〕“東行西維者”至“於西也”，刻本無。據稿本校補。按稿本此頁夾一小字條，云：“東行西維，注末增。”即指此。蓋書刊行後又作補校。
〔三〕“宋”字，刻本無。據稿本補。

渙

風吹塵起，十里無所。南國年傷，不可安處。

巽爲風，震口爲吹。艮爲沙石，爲小，故爲塵。震爲起。艮爲里，伏兌數十，故曰十里。坎隱，故無所也。震爲南，艮爲國，爲時。坎災風隕，故南國年傷。坎險，故不安。

【補校】里，從宋、元本。汲古作地。

節

重載傷車，婦女無夫。三十不室，獨坐空廬[一]。

震爲車，爲載，艮山在上[二]，故曰重載。兌折，故傷。兌爲婦女，震爲夫。坎失，故無夫。震數三，兌數十，艮爲室，坎隱[三]，故三十無室。坎爲獨，艮爲坐，爲廬。離虛，故曰空廬。

【補校】女，宋、元本作失。依汲古。

中孚

敗牛羸馬，與利爲市，不我嘉喜。

中爻艮爲牛，震爲馬。兌毀折，故曰敗，曰羸。巽爲利市，震嘉喜也[四]。

【補校】敗，元本作販。依宋本、汲古。

小過

月出阜東，山蔽其明。章甫薦屨，箕子佯狂。

震爲東，爲出，艮爲阜，兌月在山上，故曰月出阜東。艮山巽

〔一〕"空廬"二字，刻本誤倒。據稿本改。
〔二〕"上"，刻本訛"山"，據稿本改。
〔三〕"坎隱"，稿本作"離虛"。茲依刻本。
〔四〕"嘉"，刻本作"爲"，據稿本改。

伏,故明隱。艮爲冠,故曰章甫。震爲履,爲草,故曰薦屨。薦,草也。震爲箕,爲子,爲狂。御章甫之禮冠,而下躡草履,不恭甚矣,故曰佯狂。○薦屨,汲古訛憂僂。茲從宋、元本。

【補校】甫,元本、汲古作父。依宋本。佯,汲古作狋。依宋、元本。

既濟

出入門所,與道開通。杞梁之信,不失日中。少季渡江,來歸其邦,疾病危亡。

此用晉象。艮爲門,爲道。坎爲木,爲杞。艮爲梁,坎爲信。離爲日中。艮爲少季,坎爲江。艮爲邦,坎爲疾病危亡。杞梁,齊大夫。襄二十三年,齊與莒戰,杞梁夜入莒地。莒子賄杞梁,使勿死戰。杞梁曰,昏而受命,日中棄之,亦君之所惡也。少季,未詳。或指吳季札。林語似此者甚多,不能強解也。

【補校】通,元本作道。依宋本、汲古。

未濟

邑居衛師,如轉蓬時,居之凶危。

此仍用晉象。坤爲衆,爲兵,爲師,爲邑。坤爲薪,爲蓬。艮爲時,爲居。坎爲凶危。○居,宋、元本作兵。茲依汲古。均不協。

【補校】凶危,宋、元本作危凶。依汲古。

明夷之第三十六

明夷

他山之錯,與瑈爲仇。來攻吾城,傷我肌膚,邦家騷憂。

> 震爲玉,爲瑈。坤爲城,爲邦家。艮爲肌膚,三至五艮覆,故曰傷我肌膚。坎爲仇,爲憂。詩小雅鶴鳴篇,他山之石,可以爲錯。傳,錯,石也。可以琢玉,故與瑈爲仇。

乾

踐履寒冰,十步九尋。雖有苦痛,不爲憂病。

> 此用遇卦明夷象。震爲踐履,坎爲寒,爲冰。坤數十,震數九,故曰十步九尋。禮王制注,六尺爲步。周禮地官媒氏注,八尺曰尋。坎爲苦痛,爲憂病。震在外,故解也。
>
> 【補校】憂病,汲古作病憂。依宋、元本。

坤

太公避紂,七十隱處。卒逢聖文,爲王室輔。

> 此仍用明夷象。震爲公,坤老,故曰太公。坤爲惡,故曰紂。坎伏,故曰避紂。坤爲文。坎爲聖,爲室。震爲王,故曰王室。言太公遇文王,爲周室輔也。○逢,元本作遭。依宋本、汲古。
>
> 【補校】避,元本作辟。逢作遭。均依宋本、汲古。辟、避通。遭、逢義同。

屯

日月之塗,所行必到,無有患悔。

> 艮日坎月。震爲塗,爲行。坎爲患。

蒙

諷德誦功,美風盛隆。旦輔成周,光濟沖人。

　　震爲功德,爲言。正反震,故曰諷誦。震爲周,爲盛,爲旦。艮爲光,坎爲和。沖,和也。震爲人。沖人,成王也。旦,周公也。○美風,宋、元本作美周。依汲古。

需

童子無室,未有配合,空坐獨宿。

　　伏艮爲童子。坎爲室,兌毀,故無室。坎爲合,二五不相應,故無合。坎爲獨,爲宿。○子,宋、元本作女。依汲古。

訟

穿鼻繫株,爲虎所拘。王母祝詞,禍不成災,惠然肯來。

　　艮爲鼻,坎爲穿。初至四艮,二陽穿其中,故曰穿鼻。此與入於淵入字同義,皆謂二也。巽爲繫,爲木,故曰繫株。言既穿其鼻,復係於木上也。乾爲虎,爲王。巽爲母,故曰王母。伏震爲祝。坎爲禍,離爲災,風散故脫。

　　【補校】末句,宋、元本作遂然脫來。汲古作逐然脫來。此作惠然肯來,未詳所本。馬生新欽云,疑從詩邶風終風惠然肯來句校。

師

黃帝神明,八子聖聰。佚受大福,天下平康。

　　震爲帝,坤黃,故曰黃帝。坎爲聖,爲聰。坤卦數八,震爲子,故曰八子。震爲福。坤爲天下,坎爲平,故天下平康。

比

深谷爲陵,衰者復興。亂傾之國,民得安息。中婦病困,遂入冥室。

　　艮爲谷,爲陵。坤爲國,爲亂,爲民。艮止爲安息。火爲水妃,火伏,故曰中婦病困。坎爲室,爲冥,坤爲死。入冥室,言死也。卦坎爲水,坤又爲水,故離火病也。詩小雅,高岸爲谷,深谷爲陵。

　　【補校】得,汲古作德。依宋、元本。德、得古通。

小畜

道遠遼絕,路宿多悔。頑嚚相聚,生我畏忌。

　　乾爲道路,爲遼遠。坎爲宿,坤爲悔,故曰路宿多悔。坤爲聚,爲惡,故曰頑嚚相聚。震爲生,坎爲畏。皆用伏象。○忌,宋、元本作惡。依汲古。

履

且樹菽豆,暮成藿羹。心之所樂,志快心懽。

　　伏謙。震爲旦,爲樹,爲菽豆。坎爲暮,巽爲藿羹。坎爲心,震爲樂。○羹、懽,依宋、元、汲古。本作藿葉〔一〕,作心愜。韻似協,然不可從。

　　【補校】懽,宋本作歡。依元本、汲古。懽、歡同。

泰

切切之患,凶憂不成。虎不敢嚙,利當我身。

　　坤爲患,爲凶憂。兌爲虎,爲嚙。坤爲我,爲身。伏巽爲利。○嚙,宋、元本作齚。依汲古。

　　【補校】成,元本作存。依宋本、汲古。

否

王伯遠宿,長婦在室。巽庖待食,所求不得。

〔一〕"本",稿本作"或"。兹依刻本。

震爲王,爲伯。坤爲宿,震伏不見,故曰遠宿。巽爲長婦,互艮爲室,故曰長婦在室。艮爲庖,爲待,伏兑爲食。艮爲求。言與庖厨離異,不能得食也。○待,宋、元本作恃。依汲古。

【補校】庖,宋、元本作袍。依汲古。

同人

寒燠失時,陽旱爲災,雖耗無憂。

乾寒,離火,故曰寒燠失時。離爲陽旱,爲災。巽隕落,故曰耗。坎爲憂〔一〕,坎伏,故無憂。

大有

雖窮復通,履危不凶,得其明功。

此用遇卦明夷象。震爲通,爲履。坎在震下,故曰履危。

【補校】得,宋、元本作保。依汲古。

謙

狼虎所宅,不可以居,爲我患憂。

艮爲虎狼,爲宅。坎坤皆爲憂患,故不可居。

豫

喋囁嚎嚯,昧冥相搏。多言少實,語無成事。

震言,故曰喋囁。嚎,大笑;嚯,喧囂也。卦正反艮,故曰相搏。正覆震相背,故曰多言少實,語無成事。○嚎嚯,宋、元本作處曜。汲古作處耀。搏,宋、元本、汲古訛傳。均依汲古中孚之升校。

【補校】昧冥,汲古作明昧。依宋、元本。

隨

履冰蹈凌,雖困不窮。播鼓登巖,卒無憂凶。

〔一〕“坎”,刻本訛“故”,據稿本改。

明夷坎爲冰凌。震爲蹈履，爲通，故不窮。震爲鼓，互艮手，故曰播鼓。艮爲巖，震爲登。言登山擊鼓也。○鼓，宋、元本作雀。兹依汲古。

蠱

文文墨墨，憂禍相雜。南北失志，東西不得。

震東兑西，震亦爲南，北象或指大坎。○首句，依宋、元本。汲古作文墨且墨。文，疑汶之訛。汶汶墨墨，言雜亂不明也。

【補校】憂禍，汲古作禍福。依宋、元本。

臨

爭訟不已，更相談詢。張季弱口，被髮北走。

詳大畜之家人。○口，宋、元本訛曰。依汲古。

【補校】詢，汲古作詢。依宋、元本。

觀

德積逢時，宜其美才。相明輔聖，拜受福休。長女不嫁，後爲大悔。

坤爲積。艮爲時，爲明。伏乾爲聖，爲休福。艮爲拜，故拜受福休。巽爲長女。震爲嫁，震伏故不嫁。

噬嗑

江水沱汜，思附君子。仲氏爰歸，不我肯顧，姪娣恨悔[一]。

詳遯之巽。

【補校】仲氏，宋、元本作伯仲。汲古作仲伯。依何本及遯之巽校。爰，汲古訛愛。依宋、元本。

[一]"恨悔"二字，稿本、刻本誤倒，據宋、元、汲古及所見其他各本校正。

賁

光祀春成,陳寶雞鳴。陽明失道,不能自守,消亡爲咎。

詳大有之井。○祀,汲古作禮。寶作室。陽作師。均依宋、元本。

【補校】祀,各本皆作禮。依宋、元本大有之井校。

剝

驚虎無患,虞爲我言,賴得以安。

艮爲虎,坤爲患,艮安故無患。虞,虞人,守山澤之官。艮爲官,爲山,故艮爲虞人。反震爲言。

復

僞言妄語,轉相詿誤,不知狼處。

震爲言,坤虛,故曰僞妄,曰詿誤。艮爲狼。艮覆坤迷,故不知。○相,汲古作爲。依宋、元本。

【補校】僞,汲古作譌。依宋、元本。

无妄

履隙自敵,凶憂來到,痛不能笑。

互巽爲隙。震爲履,爲笑。伏坤爲凶憂,故不能笑。○隙,宋、元本作悖。依汲古。能笑,汲古作死哭。依宋、元本。

【補校】隙,汲古作懏。依局本。按,懏,疑爲陳之形訛字。陳,古文隙也。

大畜

牽尾不前,逆理失臣,惠朔以奔。

艮爲尾,爲牽,艮止故不前。坤爲理,爲臣,坤伏故失臣。乾爲朔,互震爲奔。衛惠公名朔,初,譖急子於宣公,公令急子使齊。其弟壽知之，先往，盜殺之。急子至，又殺之。及朔即位，爲諸公子所惡，故出奔。見左傳桓十六年。

頤

三狸捕鼠，遮遏前後。死於環城，不得脫走。

詳離之遯。

【補校】捕，宋、元本作搏。依汲古。前，汲古作我。依宋、元本。

大過

言笑未畢，憂來暴卒。身加檻纜，囚繫縛束。

大過爲棺槨，故爲死卦。兌口，故曰言笑。伏坤爲憂，爲身。艮爲檻。史記陳平傳，即反接嚙，載檻車，詣長安。巽爲繩，故曰纜。繰絏也。卦爲大坎，坎爲囚，巽爲繫縛。漢人以大過爲死卦，故象如此。○畢，宋、元本作卒。依汲古。三四句，宋、元本、汲古皆作身墨丹索，檻囚裝束。茲依汲古既濟之大過校。

【補校】第四句，宋、元本作檻囚裝束。汲古作檻內裝米。

坎

陰積不已，雲作淫雨。傷害平陸，民無室屋。

坎爲積，爲雲，爲雨。重坎，故曰淫雨。艮爲平陸，爲室屋，爲民。坎陷，故傷害，而無室廬也。

離

山林麓藪，非人所處。鳥獸無禮，使我心苦。

伏艮爲山麓，巽爲林。

咸

新作初陵，踮蹈難登。三駒推車，跌頓傷頤。

艮爲陵。震爲踊蹈，爲登。震伏，故難登。言始皇初即位，即穿治驪山爲陵，其高大難登也。震爲駒，爲車，數三，故曰三駒。兌毀折，故曰跌頓。兌又爲頤。〇蹈，汲古作陷。頓作損。均依宋、元本。

恒

魂微惙惙，屬纊聽絕。擴然大通，復更生活。

　　乾爲魂，陷陰中，成大過。大過死，故曰魂微惙惙。惙惙，短氣貌。巽爲纊，兌爲絕。震爲通，爲生。震在上，出人過，故更生也。〇屬，宋、元本作行。依汲古。

　　【補校】擴，宋、元本作曠。依汲古。

遯

欒子作殃，伯氏誅傷。州犂奔楚，去其邑鄉。

　　通臨。震木，故曰欒子。坤爲殃，爲誅傷。震爲伯，故伯氏誅傷。震爲犂，坤爲州，震爲奔，爲楚。坤爲邑，爲鄉。左傳成十五年，晉三郤殺伯宗及欒弗忌〔一〕，伯宗子伯州犂奔楚。〇楚，宋、元本作荆。依汲古。

　　【補校】犂，汲古作吁。依宋、元本。

大壯

驕胡犬形，造惡作凶。無所能成，還自滅身。

　　通觀。坤爲胡，艮爲犬，故曰驕胡犬形。坤爲凶惡，爲身。兌毀，故無成。坤死，故滅身。

　　【補校】首句，元本作高明大彤。汲古作驕胡大彤。依宋本。

―――――――――――

〔一〕“郤”，刻本訛作“卻”，據稿本改。

晉

陳詞達情，使安不傾。增榮益譽，以成功名。

> 艮爲榮譽，爲名。○情，宋、元本作城。蓋誠之訛。茲依汲古。

家人

三杞無棗，家無積莠。使鳩求婦，頑不我許。

> 巽爲杞，離卦數三，故曰三杞。巽爲不果，故無棗。巽爲茅，爲莠。坎爲積，爲室家。莠在火上，故曰家無積莠。離爲鳩，巽爲婦。巽爲反兑[一]，言反故不許。

睽

慎禍重患。顏子爲友，乃能安存。牢户繫羊，乃能受福。

> 坎爲禍患。伏艮爲顏，與下兑爲友。坎爲牢，兑羊在坎下，故曰繫羊牢户。坎陷，故曰繫。○患，宋、元本作病。福作慶。依汲古。
>
> 【補校】友，汲古作尤。依宋、元本。

蹇

鹿得美草，鳴呼其友。九族和睦，不憂飢乏。

> 詳同人之蹇。
>
> 【補校】呼，汲古作唤。依宋、元本。睦，宋、元本作穆。依汲古。

解

亡玉失鹿，不知所伏。利以避危，全我生福。甘雨時降，年

[一]“爲”上，刻本無“巽”字，依稿本增。

穀有得。

> 震爲玉，爲鹿。坎爲隱伏，故亡失。坎爲甘雨。震爲年，爲穀。○穀，宋、元本作歲。依汲古。

損

逢時積德，身受福慶。

> ○積德，宋、元本作得當。依汲古。

益

鵠思其雄，欲隨鳳東。順理羽翼[一]，出次須日。中留北邑，復反其室。

> 艮爲鵠。坤爲鳳，震爲東，爲隨，故欲隨鳳東。震爲羽翼。艮爲日，艮止，故曰須日，曰中留。坤爲邑，爲北。艮爲室。○須日、中，汲古作日中、須。茲依宋、元本。

夬

環堵倚鉏，斗升屬口[二]。貧賤所處，心寒悲苦。

> 此用明夷象。坤爲堵，震爲鉏，爲升斗，爲口。坤爲貧賤。坎爲心，爲寒，爲悲苦。○斗升，宋、元本作升升。悲作咋。依汲古。堵，汲古作緒。依宋、元本。
>
> 【補校】鉏，依宋本、汲古。元本作鉏。即鋤。

姤

孤獨特處，莫依爲輔，心勞志苦。

> 巽爲寡，故曰孤獨。伏坤爲心志，爲勞苦。

〔一〕"理"，刻本訛"里"。據稿本改。
〔二〕"斗升"二字，稿本、刻本誤倒，據汲古本校正。下文校語同此。

萃

稷爲堯使，西見王母。拜請百福，賜我喜子，長樂富有。

　　此用明夷象。互震爲稷，又爲帝，爲堯。坎爲西，震爲王，坤爲母，故曰王母。震爲百，爲福，爲富有，又爲喜子[一]。喜子，蠨蛸也。劉勰新論，野人晝見蟢子者，以爲有喜樂之瑞[二]。

升

鳴條之災，北奔犬胡。左袵爲長，國號匈奴。主君旄頭，立爲單于。

　　詳屯之无妄。○災，宋、元本作郊。爲作尊。依汲古。

困

絕而復通，雖危不窮。終得其願，姬姜相從。

　　兌爲絕，坎爲通，故絕而復通。坎爲危。巽爲姜，伏震爲姬。○危，宋、元本作達。依汲古。

井

陽并悖狂，拔劍自傷，爲身生殃。

　　○并，依宋本。汲古、元本作氏。生，宋、元本作坐。依汲古。翟云升云，内經，陰不勝其陽，則脈流薄疾，并乃狂。注，盛實也。

　　【補校】并，依宋、元、汲古本。唯元本舊注云當作氏，謂陽氏即陽虎。

革

方圓不同，剛柔異鄉。掘井得石，勞而無功。

―――――――――

[一]“互震”至“爲喜子”，稿本作：“伏巽爲稷，乾爲帝，爲堯。坎爲西，乾爲王，巽爲母，故曰王母。乾爲百，爲福，爲富有。巽爲喜子。”
[二]“之瑞”下，稿本有“多用明夷伏象”六字。

互乾爲圓,伏坤爲方。乾剛坤柔,故曰異鄉。兌爲井,乾爲石,互巽亦爲石。伏坎爲勞。掘井得石,不能再掘,故勞而無功。

鼎

乘風駕雨,與鳴鳥俱。動舉千里,見我愛母。

通屯。震爲乘,坤爲風,故曰乘風。坎爲雨,故曰駕雨。震爲鳴,艮爲鳥。坤爲千里,爲母。○駕雨,宋、元本作雨會。鳴作飛。均依汲古。

震

三塗五岳,陽城太室。神明所扶,獨無兵革。

詳需之蒙。

艮

鷗鶂娶婦,深目窈身。折腰不媚[一],與伯相背。

艮爲鷗鶂,震爲娶,伏兌爲艮婦。互大離,故曰深目。艮爲身,坎隱,故曰窈身。坎爲腰,爲折。兌爲媚,兌伏,故曰不媚。互震爲伯,爲反艮,故曰相背。○鷗鶂[二],元本作鶂鷗。從宋本、汲古。背,汲古作悖。依宋、元本。

【補校】娶,宋、元本作取。依汲古。取通娶。窈,汲古作窅。依宋、元本。

漸

轉行軌軌,行近不遠。且夕入門,與君笑言。

伏震爲旦,坎爲夕。艮爲門,巽入。震爲君,爲笑言。

〔一〕“腰”,刻本作“要”,據稿本改。
〔二〕“鷗鶂”,稿本、刻本無。蓋省文。據上下語意補,使易讀也。

歸妹

求利離國，逃去我北。復歸其城，不爲吾賊。

伏艮爲求，爲國，爲城。巽爲利，在外，故曰離國，曰逃去。坎爲北，爲賊。巽亦爲賊。茲曰不爲吾賊，似用伏巽。○離，從汲古。宋、元本作難。

【補校】離，宋、元、汲古諸本皆作難。惟宋本、汲古舊注云，疑當作離。茲依校。

豐

日月之塗，所行必到。無凶無咎，安寧不殆。

離日兌月。伏震爲大塗，爲行。伏艮爲安寧。

【補校】塗，宋、元本、汲古作途。依學津、局本。塗、途同。

旅

管仲遇桓，得其願歡。膠目啓牢，振冠無憂。笑喜不莊，空言妄行。

通節。震爲管，坎爲仲，震爲桓。桓，木表也。故曰管仲遇桓。震爲懽。兌爲澤，爲膠，上離，故曰膠目。坎爲牢，互震，故曰啓牢。艮爲冠，爲手，故曰振冠。坎憂震解，故曰不憂。呂氏春秋，魯送管仲於齊，鞹其拳，膠其目。○啓牢，汲古、丁本作殺糾。局本作膠口。依宋、元本。

【補校】目，汲古訛曰。依宋、元本。笑喜不莊，宋、元本作笑戲不止。依汲古。

巽

出入蹈踐，動順天時。俯仰有節，禍災不來。

巽入震出。伏艮爲天，爲時，巽順。離爲禍災。

兑

内崩中傷，上亂無常。雖有美粟，我不得食。

互離爲亂，兑毀，故曰内崩中傷。兑爲常，亂故無常。互巽爲粟，兑爲食。○中傷，宋、元本作傷中。常作恒。依汲古。美，汲古作米。依宋、元本。

涣

逐禍除患，道德神仙。遏惡萬里，福常在前，身樂以安。

坎爲患，震爲逐。艮爲壽，故曰仙。震爲神，爲道德，爲福，爲樂。艮爲身。○遏，汲古作過。依宋、元本。

節

牛驚馬走，上下渾擾。鼓音不絶，頃公奔敗。

艮爲牛，震爲馬，正反艮震，故曰牛驚馬走，上下渾擾。震爲鼓，爲音，爲公。兑毀折，故敗。○頃，汲古及各本訛項。依宋、元本。齊頃公與郤克戰敗，見左傳成二年〔一〕。

中孚

西上九阪，往來流連。止須時日，虛與有得。

兑西，震爲阪，數九，故曰西上九阪。正覆艮震，故曰往來流連。艮爲時日，艮止故曰須。○阪，宋本、汲古皆作陂。依元本。止，汲古作心。虛作靈。依宋、元本。

【補校】得，宋本、汲古作德。依元本。得、德古通。

小過

虎怒捕羊，狷不能攘。

<hr/>

〔一〕“二年”，稿本、刻本誤“十三年”。據阮刻《左傳正義》改。

艮虎,兑羊。卦是坎形,故曰猵。猵能伏虎,見龜策傳注。

既濟

湧泉涓涓,南流不絕。卒爲江海,壞敗邑里,家無所處。將師襲戰,獲其醜虜。

重坎,故泉流不絕,故爲江海。離爲南。〇湧,元本作踴。依宋本、汲古。四五兩句,依宋、元本增。汲古無。

【補校】涓涓,宋、元本作滴滴。依汲古。師,宋、元、汲古諸本皆作帥。依局本。

未濟

桃弓葦戟,除殘去惡,敵人執服。

此用遇卦明夷象。震爲桃、葦,坎爲弓,離爲戟。丁云,左傳昭四年,桃弧棘矢,以除其災。又,太平御覽引禮稽命徵曰,桃弧葦矢,以除疾殃。

焦氏易林注卷十

家人之第三十七

家人

天命赤烏,與兵徼期。征伐無道,誅其君傲,居止何憂。

坎爲赤,離爲烏,巽爲命。離爲兵戈,伏震爲征伐。震爲大塗,爲君。震伏,故曰無道,曰誅其君。坎巽皆爲伏,故曰居止。史記周本紀,武王伐紂,有赤烏流於王屋。首二句,謂天以赤烏示瑞,示伐紂之期至也。○天,汲古作王。兵作君。均依宋、元本。

乾

千歲槐根,身多斧瘢。傷夷倒掘,枝葉不存。

乾爲千歲,家人巽爲槐。兌爲斧,初二三四皆兌形。艮爲節,爲瘢,二三四五皆艮形,故曰身多斧瘢。巽隕落,故曰傷夷,故無枝葉。○瘢,汲古作痕。非。依宋、元本。三句,宋、元作傷癰擣理。依汲古。

【補校】存,宋、元本作出。依汲古。

坤

嗟嗟諤諤，虎豹相齘。畏懼悚息，終無難惡。

此亦取遇卦家人象。家人重離，離正反兌口相對。嗟嗟諤諤，語多貌。離正反艮相對[一]，艮爲虎豹，故曰相齘。齘亦兌象也。坎爲畏懼。

【補校】畏懼，宋、元本作懼畏。依汲古。

屯

娶於姜呂，駕迎新婦。少齊在門，夫子歡喜。

震爲娶。伏巽爲姜呂，爲震婦，爲少齊。坤爲門。震爲夫子，爲喜。左傳昭二年[二]，少姜有寵於晉，謂之少齊。

【補校】歡，元本作懽。依宋本、汲古。歡、懽同。

蒙

膏壤肥澤，民人孔樂。宜利居止，長安富有。

坎爲膏澤。坤爲壤，爲民人。互震爲孔樂。艮止，故利居。坤爲安，震爲長，故曰長安。坤多，故曰富有。

【補校】膏，汲古作高。富有作有福。均依宋、元本。

需

主有聖德，上配太極。皇靈建中，授我以福。

乾爲聖，爲主。乾天，故配太極。乾爲帝，爲皇，爲福。坎爲中。○主，元本訛生[三]。從宋本、汲古。詩大雅，克配彼天，莫匪爾極。書，建中于民，斂時五福。

〔一〕“艮”，刻本誤“兌”，據稿本改。
〔二〕“二”，稿本、刻本誤“三”，據阮刻《左傳正義》改。
〔三〕“生”，稿本、刻本誤“坐”，據元刊本改。

【補校】太，宋、元本作大。依汲古。大即太。

訟

耄老蒙鈍，不見東西。少者弗慕，君不與謀。懸輿致仕，退歸里居。

乾爲老。離東坎西，坎隱，故不見東西。兌爲少，乾爲君。今兌口向下，與乾君背，故曰弗慕，曰君不與謀。伏坤爲輿，在上，故曰懸輿。艮爲官，爲仕，伏震艮覆，故曰致仕。震爲歸，坤爲里。

師

三狂北行，道逢大狼。暮宿患宅，爲禍堪傷。

震爲狂，數三，故曰三狂。坤北，故曰北行。震爲行，爲道。艮爲狼，狼首向內，與坎室連，故曰患宅。坤爲暮，坎爲宿，爲患，爲室，故曰暮宿患宅。○堪，汲古作所。依宋、元本。

【補校】宅，宋、元本作澤。依汲古。

比

更旦初歲，振除禍敗。新衣元服，拜受利福。

震爲旦，震覆，故曰更旦。坤爲歲，爲禍敗。艮手，故曰振除禍敗。坤爲衣服，坤黑，故曰元服。艮手爲拜，坤爲受。一陽居五，羣陰拱之，故云利福。指五。

【補校】旦，元本訛且。依宋本、汲古。

小畜

杲杲白日，爲月所食。損上毀下，鄭昭出走。

互離爲日，兌爲月。兌侵入離體之半，故曰日爲月所食。巽爲損，在上，故曰損上。兌毀折，在下，故曰毀下。伏坎爲鄭，離爲昭。

鄭昭名忽,桓十一年出奔。〇下,汲古作上。依宋本。

【補校】下,依宋、元本。

履

君子失意,小人得志。亂擾並作,姦邪充塞。雖有百堯,顛不可救。

　　通謙。艮爲君子,在下,故失意。坤爲小人,在上,故得志。坎爲失,爲志。坤爲亂,爲姦邪。震爲帝,坤爲百,故曰百堯。正反震,故曰顛。〇擾,汲古作憂。依宋、元本。

泰

仁德利洽,恩及異域。澤被殊方,福慶隱伏。作蠱不織,寒無所得。

　　乾爲仁德,兌爲恩澤,坤爲方域。乾爲福慶,在下,故隱伏。巽爲蠱,巽覆,故不織。乾爲寒。〇利,汲古作優。依宋本。

【補校】利,宋、元本作覆。檢歸妹之革諸本亦作覆。此作利,疑別有所據,謹紀以備考。

否

東求金玉,反得弊石。名曰無宜,字曰醜惡,衆所賤薄[一]。

　　伏震爲東,艮爲求,乾爲金玉。艮爲石,互巽,故曰弊石。艮爲名。坤爲字,爲醜惡,爲衆,爲惡,爲賤。

同人

擊鼓合戰,士怯叛亡。威令不行,敗我成功。

〔一〕"薄",稿本、刻本誤"惡"。據宋、元、汲古及所見其他各本校改。

通師。震爲鼓,爲戰,爲士〔一〕。坤柔,故曰怯。震爲往,爲亡,爲威令。坤閉,故不行。坤喪,故敗。

大有

仲春孟夏,和氣所舍。生我嘉福,國無殘賊。

伏震與坎連,故曰仲春。巽爲孟夏。坎爲和。舍,發也。伏艮爲國,坎爲賊。首二句言春夏之交,陽和之氣發生也。用家人象〔二〕。

謙

尹氏伯奇,父子生離。無罪被辜,長舌爲災。

震爲伯,爲父,又爲子。正反震相背,故曰生離。坤爲罪辜。兌爲舌,震形似兌而長,故曰長舌。坤爲災。伯奇,尹吉甫子,爲後母所讒,被放逐。〇生,汲古作相。依宋、元本。

豫

五穀不熟,民苦困急。駕之新邑,嘉樂有得。

震爲穀,坎納戌,數五,故曰五穀。坤喪,故不熟。坤爲民,坎爲困苦。震爲駕,爲樂。坤爲邑。〇五,宋、元本作三。依汲古。第二句,汲古作困民惡極。樂作禾。均依宋、元本。

【補校】第二句,困急,宋本作困極。依元本。得,宋、元本作德。依汲古。德、得古通。

隨

登虛望貧,暮食無飡。長子南戌,與我生分。

〔一〕"士",刻本譌"土",據稿本改。
〔二〕"首二"至"家人象"十九字,稿本無。

　　震為登，艮為虛。詩，登彼虛矣。艮為望。巽隕落，故曰貧。兌為暮，為食。震為長子，為南。艮守，故曰南戍。艮為我，正反艮，故曰生分。震為生[一]。

蠱

東市齊魯，南賈荆楚。羽毛齒革，為吾利寶。

　　巽齊，兌魯。震為東，為南。巽為市，為賈。震為荆楚，故東市齊魯，南賈荆楚。震為羽毛，兌為齒，艮為革。巽為利，震為寶。

臨

節情省欲，賦斂有度。家給人足，公劉以富。

　　坤為情欲，為吝嗇，故曰節省。坤為聚，故曰賦斂。坤多，故曰家給人足。坤為殺，震為公，故曰公劉。公劉，周祖也。○斂，宋、元本作鈠。依汲古。

　　【補校】斂，元本作鈠。賦訛賊。均依宋本、汲古。

觀

恭寬信敏，功加四海。辟去不祥，喜來從母。

　　坤柔，故曰恭寬。艮止，故信。風散，故敏。坤為海，巽數四，風散，故功加四海。坤死，故不祥。巽伏，故避去不祥。伏震為喜，坤為母。

噬嗑

張狂妄行，與惡相逢。不得所欲，生我獨凶。

　　震為張狂，為行。遇坎陷，故曰與惡相逢，故曰不得所欲。○行，宋、元本作作。依汲古。

[一]　"震為生"下，稿本有"暮象或指大坎"六字。前後標符號「」，似擬刪略。

賁

畫龍頭頸,文章不成。甘言美語,詭辭無名。

賁,飾也,故曰畫。震爲龍,艮爲頭頸。離爲文章,坎黑而隱伏,故文章不成。三至上正反震,故曰甘言美語,故曰詭辭。艮爲名,坎伏,故無名。

剝

騎龍乘風,上見神公。彭祖受刺,王喬讚通。巫咸就位,拜壽無窮。

伏乾爲龍,坤爲風,一陽在上,故曰騎乘。乾爲神,爲公。艮爲壽,故曰彭祖。艮陽在上,故曰刺。刺,謁札也。王喬,古仙人,亦艮象。巫咸,王逸離騷注,古神巫也,殷中宗之世下降。伏兌爲巫。彭祖受刺者,言欲見神公,彭祖受謁札。王喬讚通者,言見神公時,王喬爲通其名也。艮爲拜,爲壽。○刺,汲古訛制。喬訛高。均從宋、元本。

【補校】風,汲古作鳳。讚作贊。均依宋、元本。贊、讚通。

復

温仁君子,忠孝所在。八國爲鄰,禍災不處。

坤柔,故曰温仁,曰忠孝。震爲君,爲子,故曰温仁君子。震爲鄰,坤爲國,卦數八,故曰八國爲鄰。坤爲禍災,震解,故不處。○處,汲古作起。依宋、元本。

无妄

威權分離,烏夜徘徊。羣蔽月光,大人誅傷。

震爲威,巽爲權,初至四正反震,故曰分離。艮爲烏。伏坤爲夜,爲羣。兌爲月,兌伏,故月爲坤黑所蔽也。乾爲大人,坤殺,故誅傷。此必有故實，或以左氏楚幕有烏，及城上有烏，齊師其遁當之，皆不合。俟攷。○月，宋、元本作目[一]。非。依汲古。

大畜

學靈三年，仁聖且神。明見善祥，吉喜福慶。鴞鵒知來，告我無憂。

> 詳小畜之漸。○第五句，宋、元本作神烏來見。汲古烏作鳥。皆依小畜之漸校。

> 【補校】吉，汲古作言。憂作窮。依宋、元本。又，二三句，宋、元本作聖且明神，先知善祥。汲古作聖且神明，先知吉祥。皆依小畜之漸校。

頤

東山辭家，處婦思夫。伊威盈室，長股贏户。歡我君子，役日未已。

> 震爲東，爲夫。艮爲山，爲室家，爲君子。巽爲震婦，巽伏，故曰處婦。坤爲心，爲思。巽爲蟲，故曰伊威。詩傳，伊威，委黍也。陸機云，生甕底，似白魚。長股，蠨蛸也。詩疏，即長腳小蜘蛛。贏，宋衷易贏豕注，以贏爲大索。陸績、虞翻皆讀作縲。長股贏户者，言蜘蛛作網於户。元本舊注疑贏爲贏，誤之遠矣。巽爲股，爲長，故曰長股。詩，蠨蛸在户。傳，蠨蛸，長踦。是焦詩與毛同也。

> 【補校】辭家，宋、元本作家辭。依汲古。

大過

張頷開口，舌直距齒。然諾不行，政亂無緒。

〔一〕"目"，稿本、刻本誤"日"。據宋、元本改。

兌爲口,爲頷,爲舌,爲齒。乾爲直,兌爲言。正覆兌相背,故
曰舌直距齒,曰然諾不行。伏坤爲政,爲亂,巽爲緒。○直距,汲古
作宜絕。依宋、元本。

坎

吹角高邦,有失牛羊,衆民驚惶。敬慎避咎,勅不行殃。

互艮爲角,爲高邦。震口爲吹,爲羊。艮爲牛。坎爲失,故有
失牛羊。坎爲衆,爲民,震爲驚。艮爲敬慎。○敬,宋、元本作警。
從汲古。

【補校】第一句,宋、元本作有大失羊。依汲古。末句,汲古作
勅行不殃。依宋、元本。

離

南行出城,世得福祉。王姬歸齊,賴其所欲。

通坎。震爲南,爲行。艮爲城,爲世。震爲福祉,爲王,爲姬,
爲歸。巽爲齊。○得,汲古作德。歸作嫁。均依宋、元本。王姬嫁
齊,魯爲主,在莊元年。

【補校】王,汲古作三。依宋、元本。

咸

心狂志悖,視聽聾瞶。政令無常,下民多孽。

通損。坤爲心志,震爲狂。艮爲視,坤爲瞶。艮一陽在坤上,
故曰聾瞶。坤爲政,巽爲令。二至上正反巽,故曰無常。坤爲下
民,爲孽。○志,宋、元本作老。茲依汲古。視、聾,汲古作耳、從。
依宋、元本。

【補校】多,汲古作食。依宋、元本。

恒

安上宜官,一日九遷。踰羣越等,牧養常山。

通益。艮爲安[一],爲上,爲官。乾爲日,卦數一,故曰一日。震數九,故曰九遷。坤爲羣,爲等,爲牧養。震爲遷,故曰踰越。艮爲山,坤北,故曰常山。常山,北岳也。

遯

東鄰嫁女,爲王妃后。莊公築館,以尊王母。歸于京師,季姜悦喜。

> 詳屯之觀。○莊當爲桓。事在桓九年,紀季姜歸于京師。王,汲古作主。非。

> 【補校】王母,汲古作主母。依宋、元本。

大壯

六甲無子,以喪其戊。五丁不親,庚失曾孫,癸走出門。

> 乾納甲,震爲子,兑毁折,乾數六,故曰六甲無子。坎居子方,納戊。六甲始於子,今無子,故曰以喪其戊。互兑納丁,伏巽卦數五,故曰五丁。乾健震健,兑剛違行,故不親。震納庚,艮爲曾孫。艮覆,故曰失。坤上卦納癸,乾爲門,震出。大壯五上皆坤爻,在外,故曰癸走出門。○以,宋、元本作已。從汲古。

晉

陰霧不清,濁政亂民。孟秋季夏,水壞我居。

> 坎爲陰霧,爲混濁。坤爲政,爲民。伏兑爲秋,兑與離連,故曰孟秋。上離爲夏,離與艮連,故曰季夏。坤坎皆爲水,艮爲居。坎破,故曰壞。孟秋、季夏,用象之精,非夷所思。○秋,汲古作春。是不知象者妄改。依宋、元本。

[一]"安",刻本誤"山",據稿本校改。

明夷

騎豚逐羊,不見所望。徑涉虎廬,亡豚失羊。

震爲騎,坎爲豕,震爲羊。離爲望,坎隱,故不見。又豚行緩,亦不能及也。艮爲虎,艮反,與坎室連,故曰虎廬。坤爲喪,故曰亡失。○羊,宋、元本作羔。依汲古。

【補校】騎豚,汲古作騎肫。依宋、元本。徑,宋、元本作經。依汲古。亡豚,宋、元、汲古各本皆作亡身。依賁之中孚校。

睽

安牀厚褥,不得久宿。棄我喜晏,困於南國。投杼之憂,不成禍災。

伏蹇。艮爲牀,坎爲宿。離爲南,艮爲國,故曰南國。坎爲杼。戰國策,甘茂曰,昔曾參之母方織,人謂曾參殺人,三告之,其母投杼而走。○得,宋、元本作歸。晏作讌。不作弗。依汲古。

【補校】晏,宋本作宴。元本作讌。

蹇

五方四維,安平不危。利以居止,保有玉女。

坎納戊數五,伏兌納丁數四,故曰五方四維。艮爲安,爲居止。坎爲危,艮安,故不危。伏兌爲女,艮堅,故曰玉女。○方,汲古作日。依宋、元本。

解

西賈巴蜀,寒雪至轂。欲前不得,復反其室。

坎位西,伏巽爲賈。巽在西南,故曰巴蜀。坎爲寒,爲雪,爲轂。坎陷,故不能前。震爲反,坎爲室。○此爲坎西,巽西南之確證。○復反,汲古作反復。依宋、元本。

損

剛柔相呼，二姓爲家。霜降既同，惠我以仁。

兌爲剛，互坤爲柔。正反震，故曰相呼。坤爲姓，數二，故曰二姓。艮爲家。坤爲霜，爲我。震爲仁。家音姑。荀子大略篇，霜降逆女，冰泮殺内。言嫁娶始于霜降，至冰泮而止。

益

天馬五道，炎火分處，往來上下。相隨哭歌，凶惡如何。

震爲馬，爲大塗，艮爲天，巽卦數五，故曰天馬五道。晉書天文志，王良五星，一名天馬。艮爲火，正反艮，故曰分處。震爲往，正反震，故曰往來上下。震爲歌，震之反則哭矣。中孚六三云[一]，或泣或歌，林所本也。坤爲凶惡。○宋、元本第三句下多住又駒亡[二]，衣柔巾麻二句。定爲衍文，依汲古刪。炎火，汲古訛夾大。如何訛好向。均依宋、元本。

夬

出門懷憂，東上禍丘。與凶相遇，自爲災患。

通剥。坤爲門，爲憂禍，爲凶災。艮爲丘，乾坤納甲乙，故曰東上禍丘。

姤

西行求玉，冀得隋璞。反見凶惡，使我驚惑。

通復。震爲行，爲玉璞。坤爲凶惡，爲惑。震爲驚。○隋，宋、元本訛隨。依汲古。

【補校】隋，元本訛隨。依宋本、汲古。

〔一〕"三"，刻本誤作"二"。據稿本改。
〔二〕"駒亡"二字，稿本、刻本誤倒。據宋、元本校正。

萃

出入无妄,動作失利。銜憂懷禍,使我多悴。

伏震爲出,巽爲入。坤喪,兌毀,故无妄。妄,西漢人皆讀爲
望。兌口爲銜。坤爲憂禍,爲我。〇入,汲古作門。妄作至。非。
依宋、元本。

【補校】入,宋本、汲古作門。依元本。按,宋本舊注云,至一
作妄。似其原本亦作出門无妄。

升

高樓無柱,顛僵不久。紂失三仁,身死牧野。

坤爲重,故曰高樓。本弱,故無柱。巽隕,故顛僵。坤惡,故曰
紂。震爲仁,數三,故曰三仁。兌毀折,故失三仁。坤爲身。爲野,
爲養,故曰牧野。坤殺,故曰身死。

困

避禍逃殃,身全不傷。高位疾顛,華落墜亡。

坎爲災,故曰禍殃。坎隱,故曰避逃。伏艮爲身,在外,故曰身
全不傷。艮爲位,在上,故曰高位。巽隕,故顛〔一〕。兌爲華,巽
落,故曰墜亡。〇墜亡,宋本作墮凶。元本作墮亡。依汲古。

【補校】墜亡,宋、元本作墮凶。此言墮亡者未審何本。又,
全,宋、元本作外。依汲古。位,各本皆作貴。兹依大有之師校。

井

張牙反目,怒齗作怒。狂馬撓犬,道驚傷軫。

兌爲牙,離爲目。坎兩半離相背,故曰反目。兌爲齗,伏震爲

〔一〕“故顛”下,稿本有“三至五伏震,艮覆故位顛”十字。前後標「」,似擬删
略。

怒，爲狂馬〔一〕。伏艮爲犬，艮止，故狂。馬竟爲犬所撓〔二〕，而車驚傷軫也。震爲道，爲驚，兌爲傷。軫象或屬坎。〇作，汲古作忿。依宋、元本。撓，宋、元本作燒。依汲古。

【補校】驚，汲古作警。依宋、元本。

革

泉涸龍憂，箕子爲奴。干叔隕命，殷破其家。

詳泰之剥。

鼎

向食飲酒，嘉賓聚會。牂羊大猪，君子饒有。

通屯。坎爲酒，兌口爲飲。震爲嘉賓，坤爲聚，故曰嘉賓聚會。兌爲羊。巽爲豕，與乾連。乾爲牡，爲大，故曰牂羊大猪。艮爲君子。

【補校】聚會，汲古作會聚。大作犬。均依宋、元本。牂，宋、元本作牪。依汲古。

震

黃牛騂犢，東行折角。冀得百祥，反亡我囊。

艮爲牛犢，震爲玄黃，故曰黃牛。坎赤，故曰騂犢。艮爲角，震東，坎破，故東行折角。震爲百，爲祥。坤爲囊。坤初變陽，囊之形毀矣〔三〕，故曰亡。

【補校】祥，宋、元本作牪。依汲古。

艮

路多枳棘，步刺我足。不利旅客，爲心作毒。

〔一〕 "馬"字，刻本無。兹依稿本。
〔二〕 "竟"字，稿本無。兹依刻本。
〔三〕 "囊之形毀矣"，稿本作"有括囊之形"。兹依刻本。

詳遯之艮。

漸

執斧破薪，使媒求婦。和合二姓，親御飲酒。召彼鄰里，公姑悅喜。

艮手爲執，伏兌爲斧。巽爲薪，坎爲破，故曰破薪。詩豳風，伐柯如何，匪斧不克。娶妻如何，匪媒不得。坎爲合，爲媒。艮爲求，巽爲婦。坤爲姓，數二，坎入坤，故曰和合二姓。坎爲酒。按禮昏義，壻親御婦車三周，共牢而食，合卺而酳。親御飲酒，皆古禮也。艮爲鄰里。巽爲母，震爲公，爲悅喜。○召彼，宋、元本作居比。依汲古。飲酒，依小過之益校。各本皆作斯酒。斯，析也。卺，半瓢也。以一瓢破爲二，各持其一以酳，故曰斯酒。亦可從。

【補校】公姑，宋、元本作姑公。依汲古。

歸妹

駕車出門，順時宜西。福祐我身，安寧無患。

震爲駕，爲車，伏艮爲門。兌爲西。卦春夏秋冬皆備，故曰順時。

【補校】順，汲古作顯。依宋、元本。祐，宋本作佑。依元本、汲古。祐、佑同。

豐

日新東升，魁杓爲禍。僕臺爲秦，使我久坐。

離爲日，爲新。震爲東，爲升，爲魁杓。又伏艮爲星，卦數七，斗七星，故曰魁杓。魁杓者，斗柄也。斗柄所指，四時以成。易六二九四皆不吉，皆曰日中見斗，故曰爲禍。又魁杓，即魁罡也，亦謂天罡。渙之比云，行觸天罡，馬死車傷。睽之漸曰，魁罡所當，初爲敗殀。○升,宋、元本作從。依汲古。

【補校】僕,汲古作漢。依宋、元本。

旅

山陵邱墓,魂魄室屋。精光竭盡,長卧無覺。

艮爲山邱,爲室屋。震爲精光。震伏風隕,故曰竭盡。艮爲卧。○魄,汲古作空。依宋、元本。

【補校】邱,宋、元本、汲古皆作丘。依學津、翟本。丘、邱同。

巽

孩子貪餌,爲利所説。探釜把甀,爛其臂手。

伏震爲孩子,爲餌。巽爲利。震爲説,爲釜甀。巽爲爛,艮爲手,爲臂。言孩子無知,貪餅餌微利,探手釜甀,爲沸湯所傷也。○第三句,宋、元本作探把釜甀。依汲古。臂手,汲古作手臂。依宋、元本。

【補校】貪,汲古作含。依宋、元本。説,宋本、汲古作悦。依元本。悦、説同。

兌

何材待時,閉户獨愁[一]。蚯蚓冬行,解我無憂。桑鼉不得,女紅無成[二]。

何、荷同。伏艮爲材,爲負何,爲待,爲時,故何材待時。艮爲門,坎爲閉,爲愁。坎孤,故閉門獨愁。互巽爲蚯蚓,伏坎爲冬。震爲解,故無憂。巽爲桑,爲鼉。爲工,故曰女紅。紅同工。漢書酈食其傳,紅女下機。師古讀紅爲工。兌毀,故無成。○

[一]"户",稿本、刻本作"門",據宋、元、汲古及所見其他各本改。注文倣此。
[二]"無",刻本作"不",據稿本改。

愁,汲古作悲。不韻,非。依宋、元本。紅,宋元作功。義同。依
汲古。

【補校】材,汲古作村。閉作門。均依宋、元本。蚯,元本作
丘。依宋本、汲古。無成,宋、元本作弗成。依汲古。

渙

解商驚惶,散我衣裝,君不安邦。

震爲解,爲商旅,爲驚惶,爲衣裝,爲君。艮爲邦,正反震,故不
安。○裝,汲古作裳。依宋、元本。

【補校】商,汲古作傷。依宋、元本。

節

害政養賊,背主入愆。跛行不安,國危爲患。

坤爲政,坎折坤,故曰害政。坎爲賊。震爲主,艮爲背,爲覆
震,故曰背主。震爲足,兌折,故跛行。艮爲國,坎爲危。○國危爲
患,汲古作國爲危患。依宋、元本。

【補校】跛,元本作跋。依宋本、汲古。

中孚

禍走患伏,喜爲我福。凶惡消亡,災害不作。

巽爲伏,兌爲禍患,震行,故曰禍走患伏。震爲喜,爲福。兌剛
魯,故曰凶惡。毀折,故曰災害。兌覆爲巽,巽敝漏,故曰凶惡消
亡,曰災害不作。○亡,元本作去。依宋本、汲古。

小過

老馬爲駒,病雞不雛。三雌獨宿,利在山北。

震爲馬,艮爲壽,故曰老馬。兌少,故曰駒。巽爲雞,爲疾,故
曰病雞。兌爲雛,爲雌。震數三,故曰三雌。巽爲獨,爲伏,故曰獨

宿。巽爲利。上震爲覆艮,故曰山北。中孚二至四艮覆,曰鳴鶴在
陰,在山陰也。茲曰山北,義同。

【補校】爲,宋、元本作無。依汲古。駒,汲古作病。依宋、元
本。

既濟

播天舞,光地乳。神所守,樂无咎。

此皆用半象。○光地乳,各本皆作地曉亂[一]。依剥之兑校。

【補校】守,宋、元、汲古諸本皆作居。依剥之兑校。

未濟

異國殊俗,情不相得。金木爲仇,酉賊擅殺。

○第四句,宋、元本作酉賊檀穀。汲古作酉長擅役。茲酉字、
擅字,依汲古。賊字依宋、元本。殺字依夬之比校。

〔一〕“曉”,稿本、刻本誤“撓”。据宋、元、汲古各本校改。

睽之第三十八

睽

倉盈庾億，宜稼黍稷，年歲有息。

> 詳乾之師。
>
> 【補校】末句，汲古作年豐歲熟，民得安息二句。依宋、元本。

乾

被服文衣，遊觀酒池。上堂見觴，喜爲吾兄，使我憂亡。

> 此兼用遇卦象。乾爲衣，睽互離爲文。坎爲酒，爲憂。兌爲池。○觀，汲古作視。依宋、元本。

坤

邑姜叔子，天文在手。實沈參虛，封爲晉侯。

> 詳隨之恒。
>
> 【補校】虛，宋本、汲古作墟。依元本。虛、墟通。

屯

改柯易葉，飯溫不食。豪雄争强，先者受福。

> 震爲柯葉，坤殺，故更改。坎爲飲食，下有艮火，故曰飯溫。坤閉，故不食。震爲雄强，爲福。初至五正反震，故曰争强[一]。

蒙

馨香陟降，明德上登。社神佑顧，命予大鄰。

> 伏巽爲臭，故曰馨香。二至上正反震，故曰陟降。艮爲明，震

〔一〕"初至"至"争强"十字，稿本無。兹依刻本。

爲德，爲登。艮陽在上，故曰上登。坤爲社，震爲神，艮爲顧。伏巽爲命，震爲鄰，震言，故曰命予大鄰。○予，汲古作爲。依宋、元本。

【補校】佑，元本作祐。依宋本、汲古。佑、祐同。

需

老狼白貙，長尾大胡。前顛卻躓，進退遇崇。

此用伏象，艮爲狼，下坤，故曰老狼。貙，犬也。艮爲犬，故曰白貙。艮爲尾，爲胡。胡，領肉下垂也。艮形長，故曰長尾大胡。坎陷，故前顛卻躓。詩，狼跋其尾、狼跋其胡是也。○貙，宋、元本作驢。汲古作駒。胡，皆作狐。均非。依震之恒校。

【補校】卻，元本、汲古作郤。兹依宋本。郤通卻。

訟

山没邱浮，陸爲水魚，燕雀無廬。

詳觀之大有。

【補校】邱，宋、元本、汲古作丘。依學津、翟本。丘、邱同。

師

懿公淺愚，不受深謀。無援失國，爲狄所賊。

詳比之家人。○賊，汲古作滅。依宋、元本。

【補校】受深，宋、元本作深受。依汲古。

比

鼎煬其耳，熱不可舉。大塗塞雍，旅人心苦。

詳觀之中孚。○煬，汲古作易。依宋、元本。

【補校】塞雍，汲古作雍塞。依宋、元本。

小畜

凶聲醜言，惡不可聞。君子舍之，往恨我心。

通豫。坤爲凶,爲醜。震爲聲,爲言。坎爲聞,坤惡,故不可
聞。艮爲君子。坎爲恨,爲心。○惡,汲古作要。依宋、元本。

履

昧暮乘車,履危蹈溝。亡失羣物,摧折兩軸。

　　見前。○蹈,宋、元本作陷[一]。非。依汲古。

　　【補校】蹈,元本作陷。依宋本、汲古。

泰

南有嘉魚,駕黄取鱮。魴鱮詡詡,利來無憂。

　　詳離之中孚。

　　【補校】無,宋本、汲古作母。依元本。

否

隔在九山,往來勞難。心結不通,失其所歡。

　　艮爲山,乾數九,故曰九山。艮止,故曰隔。坤役萬物,故曰勞
難。坤爲心,爲失。坤閉,故不通。震爲歡,二至四震覆,故不歡。

　　【補校】歡,元本作懽。依宋本、汲古。懽、歡同。

同人

下流難居,狂夫多罷[二]。貞良溫柔,年歲不富。

　　通師。坤水,坎水,一陽在下,故曰下流難居。震爲夫,爲狂。
坤柔,故曰疲。坎冬,故曰貞。坤爲年歲,坤窮,故曰不富。○狂
夫,汲古訛任失[三]。罷,汲古作態。依宋、元本。

〔一〕"陷",稿本、刻本作"陷",據元刊本改。按"陷","陷"之譌字。
〔二〕"罷",稿本、刻本作"疲",據宋、元、汲古及所見其他各本改。按,"罷"通
　　　"疲"。
〔三〕"失",刻本訛"夫",據稿本改。

大有

狐狸雉兔，畏人逃去。分首竄匿，不知所處。

　　通比。離爲雉，艮坎皆爲狐狸。坎爲畏，坎隱伏，故曰逃去，曰竄匿。坎爲首，乾亦爲首，乾在下，坎伏，故曰分首竄匿。○首，宋、元本作走。依汲古。

謙

異體殊俗，各有所屬。西鄰孤嫗，欲寄我室。主母罵詈，終不可得。

　　坤爲體，爲俗，中爲一陽所隔，故曰異體殊俗。伏兌爲西，震爲鄰，巽爲寡，故曰西鄰孤嫗。互坎爲室，艮止，故曰欲寄我室。震爲主，坤爲母。正反震相背，故曰罵詈。艮爲終。

豫

怒非怨妬，貪得腐鼠。而呼鷹鷽，自令失餌，致被困患。

　　震爲怒。坎爲妬，爲鼠。伏巽，故曰腐鼠。震爲呼，艮爲鷹鷽。坤爲失，震爲餌。坎爲困。言自得腐鼠而呼鷹鷽，致爲所奪。語襲莊子。○鷹，宋、元本作鵲。依汲古。汲古致作倒。依宋、元本。

隨

五心六意，歧道多怪。非君本心，生我恨悔。

　　巽卦數五，互坎爲心意，數六，故曰五心六意。艮爲道路，正反艮，故曰歧道。坎爲怪，互大坎，故曰多怪。震爲君，爲生。坎爲心，爲恨。○心，宋、元本作志。依汲古。

　　【補校】歧，宋、元本、汲古皆作岐。依學津、局本。

蠱

三班六黑，同室共食。日長月息，我家有德。

楚人呼虎爲班。艮爲虎,數三,故曰三班。黑,豕也。詩小雅,以其駵黑。傳,黑,豕也。巽爲豕。艮爲室。兑爲食,爲月。艮爲日,爲家。震爲息。言德能感物,使虎豕同居也〔一〕。

臨

方船備水,旁河燃火〔二〕,終身無禍。

　　震爲船,坤方,故曰方船。方,並也。坤爲水,爲河。伏艮爲火,爲終。坤爲身,爲禍。震解,故無禍。言有船則無水患,旁河則無火患也。

觀

翳屏獨語,不聞朝市。以利居服,兔跛後聞〔三〕。

　　艮爲屏。坤爲寡,故曰獨。伏兑爲語,巽爲翳。翳屏獨語,隔屏獨語也。坤爲朝市,爲利。兑爲耳,兑覆,故不聞。艮爲居。震爲兔,兑折,故曰兔跛。○以利,汲古作利以。兔跛後聞,作究被後門。均依宋、元本。

　　【補校】翳,汲古作醫。服作言。均依宋、元本。

噬嗑

居處不安,徙反觸患。

　　艮爲居處,正反艮,故不安。震爲徙,前與坎遇,故曰觸患。○徙,汲古作徒。依宋、元本。

〔一〕“言德”至“居也”十一字,稿本無。兹依刻本。
〔二〕“燃”,稿本、刻本作“然”,據宋、元、汲古及所見其他各本改。檢泰之履,亦作“燃”。按,“然”即“燃”本字。
〔三〕“聞”,稿本、刻本作“閗”,據宋、元本改。注文同。按,“閗”爲“閗”譌字,或爲“聞”之行書體。

賁

剝刞髡劓，人所賤棄。批捍之言，我心不快。

通困。兌上缺，故曰剝。巽下斷，故曰刞。巽寡髮，故曰髡。
艮爲鼻，兌上缺，故曰劓。震爲人，爲言。艮手，故曰批捍。批捍之
言，猶撻之使言也〔一〕。坎爲心，爲憂，故不快。○賤，宋、元本作
殘。依汲古〔二〕。

【補校】剝，汲古作刺。依宋、元本。

剝

皋田禾黍，堆壤麻枲。衣食我躬，室家饒有。

艮爲皋。坤爲田，爲茅茹，故曰禾黍，曰麻枲。艮爲堆壤。坤
爲衣，伏兌爲食。艮爲躬，爲室家。坤多，故曰饒有。麻枲可以爲
衣，禾黍可食，故曰衣食我躬〔三〕。○堆，宋、元本作槌。依汲古。
枲，各本皆訛皁。從王校。

復

兩目失明，日奪無光。脛足跛倚，不可以行，頓於丘旁。

此兼用遇卦睽象。睽重離，故曰兩目。坎黑，故失明。離爲日
光，爲坎所奪，故無。震爲脛足，坤敝，故跛倚不行。坤閉，故頓於
丘旁。震爲陵丘〔四〕。

【補校】旁，宋、元、汲古諸本皆作傍。茲依翟本及剝之萃校。
按，旁、傍音義同。

〔一〕"撻"，刻本作"打"，據稿本改。又，(下文)"坎爲心"至"不快"八字，稿本
在"批捍之言"前。茲依刻本。
〔二〕"賤"至"依汲古"九字，刻本脫落。據稿本補。
〔三〕"躬"下，稿本有"也"字。
〔四〕"震爲陵丘"，稿本作"震爲陵，故曰丘"。

无妄

金城朔方，外國多羊。履霜不時，去復爲憂。

　　艮爲城，乾金，故曰金城。乾西北，故曰朔方。金城，亦西北郡也。伏坤爲國，在外卦，故曰外國。震爲羊，正覆震[一]，故曰多羊。坤初爲霜，初震爻，故曰履霜。艮爲時，正反艮，故不時。伏坤爲憂。去復爲憂者，言震往與坤遇也。

大畜

匿病不醫，亂政傷災。紂作淫虐，商破其墟。

　　通萃。坤爲病，巽爲伏匿，艮止，故曰匿病不醫。坤爲政，爲亂，爲災。爲惡，故曰紂。坤爲虐，爲墟。兌爲破，震爲子，震覆，故曰商破其墟。商，子姓也。○病，汲古作痼。傷作生。均依宋、元本。

頤

鬼哭泣社，悲傷無後。甲子昧爽，殷人絶嗣。

　　坤爲社，爲鬼。震爲哭，爲後。艮爲覆震，故無後。震爲子，在東方，故曰甲子。震爲旦，故曰昧爽。震爲子，殷子姓。坤殺，故殷人絶嗣。按論衡云，世稱紂之時，鬼郊夜哭。又曰，紂郊鬼哭。即所謂鬼哭泣社也。又墨子非攻下云，商王紂之時，婦妖宵出，有鬼宵吟。○社，宋、元本作枉[二]。從汲古。人字，汲古作湯。從宋、元本。

大過

猋風卒起，車馳揭揭。棄古追亡，失其和節，憂心惙惙。

〔一〕"覆"字，稿本作"反"。
〔二〕"枉"，稿本、刻本作"柱"，據宋、元本改。

正反巽，故曰猋風。猋風，回風也。月令，猋風暴雨總至。注，回風曰猋。伏震爲車，爲馳。乾爲古，大過死，故曰棄古，曰追亡。伏坤爲失，爲憂，爲心。按詩檜風，匪風發兮，匪車偈兮。傳云，偈偈疾驅。茲作揭揭，是齊詩與毛異字。又按，此詩思周道而作，棄古追亡者，言見今之人棄周道，而蹈滅亡之道也。

【補校】猋，宋、元、汲古諸本皆作猋。揭揭作袍褐。均依局本。憂心，宋、元本作心憂。依汲古。

坎

耄老失明，聞善不從。自令顛沛，反爲咎殃。

互艮爲明，爲耄老。坎黑，故失明。坎耳爲聞。互震爲善，爲從。艮止，故曰不從。〇反，宋、元本作敗。依汲古。

【補校】令，汲古作今。依宋、元本。

離

隨風騎龍，與利相逢。田獲三狐，商伯有功。衝衝之邑，長安無他。

互巽爲風，伏震爲龍。巽爲利，震爲田獵。艮爲狐，數三，故曰三狐。震爲伯，爲商旅。艮爲邑，爲安。〇田，汲古訛曰。依宋、元本。

咸

三牛五羘，重明作福，使我有得。疾入官獄，憂在心腹。

艮爲牛，數三，故曰三牛。兌爲羊，巽卦數五，故曰五羘。互乾爲大明，艮亦爲明，故曰重明。艮爲官。伏坤爲憂，爲疾，爲心腹。坤閉，故曰入獄。〇羘，汲古作牂。依宋、元本。入，宋、元本訛人。依汲古。

【補校】羘，宋本、汲古作牂。依元本。

恒

孟巳己丑，哀呼尼父。明德訖終，亂害滋起。

巽居巳，巳四月爲孟夏，故曰孟巳。巽貞丑，故曰己丑。左傳
哀十六年四月己丑，孔丘卒。公誄之曰，嗚呼哀哉，尼父！乾爲父，
爲山，故曰尼父。兌口爲呼。乾爲明德。伏坤爲死，故曰訖終，曰
亂害[一]。○己丑，各本多作乙丑，與左傳不符。依歸妹之夬校。
害，汲古作虐，依宋、元本。

遯

華燈百枝，消暗衰微。精光訖盡，奄如灰糜。

乾爲大明，爲百。艮亦爲明，巽爲枝，故曰華燈百枝。陰消陽，
故衰盡糜爛也。孟子，糜爛其民。巽消象也。

【補校】燈，汲古作登。依宋、元本。暗，依宋本、汲古。元本
作闇。同暗。糜，依汲古。宋、元本作麋。義通。

大壯

鷹飛雉退，兔伏不起。狐張狼鳴，野雞駭驚。

通觀。艮爲鷹，坤文爲雉。艮上，故曰鷹飛。坤下，故曰雉退。
震爲兔，巽伏，故曰兔伏不起。艮爲狐狼，震爲張，爲鳴。巽爲雞，
坤爲野，故曰野雞。震爲驚駭。○狐，宋、元本作弧。非。依汲古。
退，汲古作遰。駭驚作驚駭。失韻。均依宋、元本。

【補校】駭驚，宋、元本作飛驚。此作駭字，蓋以汲古本校宋、
元之飛字，遂與首句不複字，義較勝也。

晉

鬭戰天門，身有何患。室家具在，不失其歡。

〔一〕“害”，稿本、刻本作“虐”，據宋、元本改。

內經以戌亥爲天門。艮爲刀兵，居戌亥，爲天，爲門，故曰天門。坤爲身，爲患。坎爲室，艮爲家。

【補校】首二句，汲古訛作鬪身戰天，門有何患。依宋、元本。

明夷

東家殺牛，行逆腥臊。神背西顧，命衰絶周。亳社災燒，宋人夷誅。

詳噬嗑之巽。震爲周。坤爲社，下離，故曰災。艮爲宋，坤殺，故夷誅。

【補校】行逆，汲古作污梟。梟者臭之俗字。衰絶作絶衰。均依宋、元本。亳，元本訛毫。從宋本、汲古。

家人

陰陽辨舒，二姓相合。婚姻孔云，生我利福。

坎爲合，巽爲利。二姓謂離坎〔一〕。

蹇

東入海口，循流北走。一高一下，五邑無主。十日六夜，死於水涘。

離爲東，坤爲海，伏兌爲口，坎入坤中，故曰東入海口。坎爲流，重坎，故曰循流。坎北，故北走。艮高坎下，卦一陰一陽相間，故曰一高一下。坎納戊數五，艮爲邑，震爲主，震覆，故五邑無主。伏兌數十，故曰十日。坎爲夜，數六，故曰六夜。坎爲死卦，故曰死於水涘。

【補校】邑，汲古作色。依宋、元本。

────────────

〔一〕“二姓謂離坎”五字，稿本無。茲依刻本。

解

孤竹之墟，失婦無夫。傷於蒺藜，不見其妻。東郭棠姜，武子以亡。

詳需之剥。

【補校】藜，元本作蔾。子作氏。均依宋本、汲古。

損

天門東墟，盡既爲災。跰蹏喑聾，秦伯受殃。

艮居戊亥，爲天門。震爲東。坤爲墟，爲災。跰蹏，足互貌〔一〕。震爲足。兑爲口，爲耳。坤閉，故曰喑，曰聾。喑，失音也〔二〕。震爲伯，兑西，故曰秦伯。義多不解。

【補校】門，宋、元本作户。喑作黯。均依汲古。跰，汲古作跡。從宋、元本。

益

賴先休光，受福之祉。雖遭亂潰，獨不危殆。

伏乾爲先，爲休，爲光，爲福祉。坤爲亂潰，爲危殆。震解，故不危殆。殆，古音以。

【補校】首句，從宋、元本。汲古作賴生光水。

夬

折若蔽日，不見稚叔。三足孤烏，遠其元夫。

詳師之蒙。〇若，汲古作葉。非。

【補校】首句，宋本作折若閉目。元本閉作蔽。汲古若作舌。

〔一〕"互"，稿本作"立"。兹依刻本。
〔二〕"爲耳"至"音也"十三字，稿本作"兑形長，故曰喑。坎爲耳，伏大坎，故聾"。兹依刻本。

局本若作葉。末句，宋、元本作遠去家室。汲古作遠其無失。均依師之蒙校。

姤

二人同室，兄弟合食。和樂相好，各得所欲。

　　通復。震爲人，坤數二，故曰二人。坤爲室。震爲口，故曰食。震爲樂。○欲，宋、元本作敬。依汲古。

　　【補校】二，汲古作七。依宋、元本。

萃

繼體守藩，縱欲廢賢。君臣淫佚，夏氏失身。側室之門，福祿來存。

　　坤爲體，艮爲藩。乾爲賢，乾伏，故曰廢賢。乾爲君，坤爲臣。正反震，故曰縱欲，曰淫佚。巽爲夏，坤爲身，爲失，故曰夏氏失身。艮爲室，兌毀，故曰側室。坤爲門，乾爲福祿。此似指陳靈公君臣通夏姬事。

　　【補校】藩，依宋本、汲古。元本作蕃。通藩。佚，宋、元本作遊。依汲古。

升

老狐屈尾，東西爲鬼。病我長女，哭涕詘指[一]。或西或東，大華易誘。

　　通无妄。艮爲狐，爲尾。正反艮，故曰屈尾。震東，兌西。坤爲鬼，爲病。巽爲長女。兌爲哭涕，艮爲指。艮覆，故曰詘指。此似述狐祟人故事。自莊子即有孽狐爲祥之語。虞初志亡後，不得其詳耳。○哭，宋、元本作坐。依汲古。華，汲古作革。依宋、元

[一]　"詘"，稿本、刻本作"屈"，據宋、元、汲古及所見其他各本改。注文同此。

本。恐仍有訛，然太華爲近。

困

大樹之子，百條共母。當夏六月，枝葉茂盛。鸞鳳以庇，召
伯避暑。翩翩偃仰，各得其所。

〇第七句，依大過之需校。各本皆作穉穉卬甚，恐非。

【補校】第七句，宋本、汲古作穉穉卬甚。元本卬作印。又，茂
盛，宋、元本作盛茂。依汲古。

井

井堙木刊，國多暴殘。秦王失戍，壞我太壇。

兌爲井，坎爲塞，故曰井堙。巽爲隕落，故曰木刊。伏艮爲國。
震爲暴，爲王。兌西，故曰秦王。戍，守也。艮爲守，艮伏，故曰失
戍。太壇者，社稷。言秦社稷之壞，由于謫戍也。

【補校】戍，汲古作所。太作大。均依宋、元本。我，從汲古。
宋、元本作其。

革

駕黃買蒼，與利相迎。心獲所守，不累弟兄。

通蒙。震爲馬，爲黃，爲蒼。巽爲利，震巽相往復，故曰相迎。
坎爲心[一]。艮爲守，爲弟。震爲兄。

【補校】弟兄，汲古作兄弟。依宋、元本。

鼎

倉盈庾億，宜稼黍稷。年豐歲熟，民得安息。

詳乾之師。

【補校】宋、元本作三句，庾億倉盈，年歲安寧，稼穡熟成。韻

─────────────────

〔一〕“坎”，稿本作“坤”。兹依刻本。

亦協。兹依汲古。

震

龍生馬淵,壽考且神。飛騰上天,舍宿軒轅,居常樂安。

　　震爲龍,爲馬,爲神。坤爲淵。艮爲壽考,爲天。爲星,故曰舍宿軒轅。史記天官書,軒轅十二星。○龍,各本皆作人。依未濟之歸妹校。考,宋本作若。依元本。馬淵,指坤。坤初變震,故曰龍生馬淵。

　　【補校】考,宋、元本作老。依汲古。考、老義通。

艮

思顧所之,今乃逢時。洗濯故憂,拜我歡來。

　　互坎爲思,震爲之。艮爲顧,爲時。坎爲洗濯,爲憂。震爲歡。○濯,各本多作我。依節之震校。

　　【補校】顧,汲古作願。從宋、元本。今乃,宋、元本作乃令。依汲古。

漸

魁罡所當,初爲敗殃。君子留連,困於水漿。求金東山,利在代鄉。買市有息,子載母行。

　　艮爲星,故曰魁罡。參同契,二月榆魁臨于卯麥,生天罡,據西。注,天罡,即北斗。夢溪筆談,斗杓謂之剛。史記天官書,魁枕參首。注,魁,北斗第一星也。渙之比云,行觸天罡,馬死車傷。是罡星所指之地凶也。巽隕落,故敗。艮爲君子。坎爲水漿,坎陷,故困。艮爲金,爲求,爲山。離位東,故曰東山。巽爲利市,爲母。伏震爲子。

　　【補校】罡,汲古作剛。代鄉作茂卿。載作戴。均依宋、元本。

歸妹

鉛刀攻玉，無不鑽鑿。龍體具舉，魯般爲輔。三聖翼事，所求必喜。

　　通漸。艮爲刀，巽柔，故曰鉛刀。震爲玉，爲龍。艮手爲鑽鑿。兌爲魯，故曰魯般。坎爲聖，震數三，故曰三聖。震爲羽翼，爲喜。○具，宋、元本作其。般作班。依汲古。

　　【補校】般，元本作班。依宋本、汲古。聖，從汲古。宋、元本作仁。

豐

喜來如雲，舉家蒙歡。衆才君子，駕福盈門。

　　通渙。震爲喜，坎爲雲。艮爲家，爲君子，爲門。坎爲衆。震爲駕，爲福。○蒙歡，汲古作歡忻。從宋、元本。

旅

響像無形，骨體不成。微行衰索，消滅無名。

　　巽風響而無形。艮爲體，爲名。巽伏，故無名。

巽

積水不溫，北陸苦寒。露宿多風，君子傷心。

　　伏坎，故曰積水，曰苦寒。坎北，故曰北陸。坎爲露，爲宿。重巽，故風多。艮爲君子，坎爲心。

　　【補校】露，汲古作霜。依宋、元本。

兌

黃馬綠車，駕之大都。讚達才能，使我無憂。

　　伏震爲玄黃，爲馬，爲車。兌西方數四，九宮四色綠，故曰綠車。艮爲都,重艮,故曰大都。兌口〔一〕,故曰讚達。互巽爲材。坎爲憂,坎伏,故無憂。

渙

從風放火,艾芝俱死。三害積房,叔子中傷。

巽風,艮火。巽爲艾芝,在火上,故死。震數三,坎爲害,爲積。艮爲房,爲叔子。坎爲中,爲傷。論衡,身蒙三害,雖孔丘墨翟不能自免。○房,汲古作聚。依宋、元本。叔,宋、元本作十。依汲古。

【補校】積房,宋、元、汲古諸本皆作集聚。依翟本及乾之小過校。末句,宋、元本作十子患傷。從汲古。

節

一身三手,無益於輔。兩足共節,不能克敏。

艮爲身,坎數一,故曰一身。震數三,艮手,故曰三手。兌毀坎破,故無益於輔。正反震,故曰兩足。艮多節,正反艮〔二〕,故曰共節。節者,止也,故不能克敏。

中孚

南向陋室,風雨並入。埃塵積濕,王母盲痺。偏枯心疾,亂我家次。

震爲南。艮爲室,巽爲敝漏,故曰陋室。巽風,故起埃塵。兌雨,故積濕。艮爲埃塵。震爲王,巽爲母,故曰王母。互大離,故曰盲。上風下濕,故曰痺。痺,濕病也。巽枯在上,故曰偏枯。○次,宋、元本作資。依汲古。

【補校】陋,宋、元本作一。埃塵作塵埃。王作主。均依汲古。

―――――――

〔一〕“口”,稿本作“多”。茲依刻本。
〔二〕“艮”,刻本作“震”,據稿本改。

小過

采薇出車，魚麗思初。上下促急，君子懷憂。

采薇、魚麗，皆小雅詩篇名。毛序謂，美萬物盛多，能備禮。鄭注鄉飲酒云，魚麗，言太平年豐物多也。焦云思初，念初時之盛而今不然也。與毛、鄭異。艮手爲采，巽爲薇，震爲車。巽爲魚，震爲初。艮上震下，風散兌毀，故曰上下促急。艮爲君子。

【補校】采，元本作採。依宋本、汲古。采即採之本字。

既濟

先易後否，告我利市。騷蘇自苦，思吾故土^{〔一〕}。

○吾，汲古作再。依宋、元本。

【補校】末句，汲古作思再改正。依宋、元本。

未濟

生宜地乳，上皇大喜。隆我福祉，貴壽無極。

此與上皆用半象。

【補校】隆，元本作降。從宋本、汲古。福祉，宋、元、汲古各本皆作祉福。依泰之大有校。

〔一〕“吾”，刻本作“我”，據稿本改。

蹇之第三十九

蹇

同載共輿，中道別去。喪我元夫，獨與孤居。

坎爲輿，重坎，故曰同載共輿。艮爲道，坎爲中，坎死，故別去。震爲夫，爲元，震覆，故曰喪我元夫。坎爲孤，艮爲獨，故曰獨與孤居。

【補校】首句，汲古作同濟共輿。依宋、元本。

乾

叔肸居冤，祁子自邑，乘遞解患。羊舌脫免，賴得生全。

肸，叔向名也。左傳襄二十一年，欒盈之亂，范宣子殺羊舌虎。虎，叔向弟。故囚叔向。大夫祁奚聞之，乘馹而見宣子，救叔向，免之。遞即馹。僖三十三年，且使遽告於鄭。注，傳車，即驛遞也。此似用遇卦象。蹇下艮爲叔，爲邑。坎爲車，重坎，故曰遞。遞，傳車，至驛而更，有類重坎象。坎爲患。兌爲羊，爲舌。兌伏，故曰脫免。○肸居，宋、元本作肸拘。依汲古。脫免，宋本、汲古作免脫。依元本校。協。

【補校】脫免，元本作晚免。晚蓋脫之訛字。按旅之隨作羊舌以免，是免字在句腳。茲從校。又，生全，宋、元本作全生。依汲古。

坤

兔聚東郭，眾犬俱獵。圍缺不成，無所能獲。

此仍兼用遇卦象。坎爲聚，離位東。艮爲郭，爲犬。坎爲眾。坤爲圍，中斷，故圍缺。震爲兔，茲無震象，疑用艮。戰國策，東郭貌,宋之狡兔也。

屯

作室山根,人以爲安。一夕崩顛,敗我壺殨。

　　艮爲室,爲山。震爲人,艮爲安。坎爲夕,數一,故曰一夕。震
爲覆艮,故曰山崩。坤爲壺,爲漿,爲我。坎破,故曰敗。○顛,宋、
元本作頹。壺作盤。依汲古。

　　【補校】夕,宋、元本作旦。依汲古。殨,從元本。宋本、汲古
作濆。音義同。

蒙

疾風塵起,亂擾崩始。强大并小,先否後喜。

　　坤爲風,爲疾,艮爲塵,震爲起。坤爲亂擾,二四艮覆,故曰崩。
震爲始,言亂自此始也。震爲强大。正反震,中互坤,坤小,故曰强
大并小。坎陷,故曰否。震爲喜,爲後,故曰先否後喜。○擾,汲古
作我。依宋、元本。始,疑爲殆。殆古音以,亦協。

需

潔齊沐浴,思明君德。哀公怯弱,風氏復北。

　　論語,陳成子弒簡公,孔子沐浴而朝,請討之。坎爲水,故曰
潔,曰沐浴。乾爲君,互離爲明。思明君德者,言宜討齊,以明君臣
之分也。乾爲公,坎爲憂哀,爲怯。風,疑爲姜。巽爲姜,二至四巽
覆,故曰姜氏復北。北,敗也。坎爲北。言公不從孔子之請,姜氏
自此滅也。丁晏等以風氏指顓臾,季氏伐之爲解。似非。○君,汲
古作居[一]。非。依宋、元本。

　　【補校】齊,汲古作齋。依宋、元本。齊、齋通。沐浴,從宋本、

―――――――――――――

〔一〕"居",稿本、刻本誤"不",據汲古本校改。

汲古。元本作浴沐。北，元本、汲古作比。依宋本。

訟

土瘠瘦薄，培塿無柏，使我不樂。

> 通明夷。坤土，坎爲薄。震爲陵，故曰培塿。艮爲木，爲堅，故爲柏。艮覆，故無柏。震爲樂，坎憂，故不樂。

師

褰衣涉河，水深漬罷。賴遇舟子，濟脱無他。

> ○第二句，汲古作澗流波多[一]。依宋、元本。罷音婆。詳訟之萃。
>
> 【補校】遇，宋、元本作幸。依汲古。

比

送我季女，至於蕩道。齊子旦夕，留連久處。

> 詳屯之大過。
>
> 【補校】至，汲古作瑩。依宋、元本。末句，元本作久留連處。依宋本、汲古。

小畜

三孫六子，安無所苦。中歲廢殆，亡我所使。

> 通豫。艮爲孫，數三，故曰三孫。震爲子，坎數六，故曰六子。艮爲安。坎爲勞苦，爲中。坤爲歲。爲喪，故曰廢殆。坤又爲亡，爲我。○歲，汲古作藏。依宋、元本。廢，宋、元本訛發。依汲古。

履

揚風偃草，塵埃俱起。清濁溷散，忠直隱處。

[一]"波"，刻本作"渦"，據稿本改。

互巽爲風,爲草。巽爲伏,故曰偃。伏艮爲塵埃。伏坎爲水,而與土連,故曰濁,曰溷。清濁溷散,言清濁不分也。坎爲忠,乾爲直,坎爲隱。〇首句,元本作偃風揚草。依宋本、汲古。

泰

履險登危,道遠勞罷。去家自歸,困涉大波。

兌折,故危險。震爲足,故曰履,曰登。震爲道。坤役萬物,故勞疲。伏艮爲家。震爲歸,爲涉。坤水乾大,故曰大波。〇去家,宋本作玄豕[一]。元本作元豕。依汲古。

【補校】去家,宋、元本作玄豕。學津作元豕。罷,宋本、汲古作疲。依元本。罷通疲。又,履,各本皆作歷。兹作履者,義頗勝。馬生新欽云,疑依需之革履危蹈溝校。

否

六藝之門,仁義俱存。鎡基逢時,堯舜爲君。傷寒熱温,下至黃泉。

乾爲門,數六,故曰六藝之門。六藝,六經也。乾仁坤義。艮爲時。乾爲堯舜,爲君,爲寒。艮火,故曰熱温。坤爲水,爲泉,爲下,坤死,故下至黃泉。鎡基,孟子趙岐注,耒耜也。伏震象。〇五六二句,與上意不屬,似爲他林溷入者。

【補校】至,元本作室。依宋本、汲古。

同人

被服文衣,遊觀酒池。上堂見觴,喜爲吾兄,使我憂亡。

乾爲衣,離爲文,故被服文衣。伏震爲遊,離爲觀,伏坎爲酒池,故遊觀酒池。震爲觴,爲喜,爲兄。伏坤爲我,爲憂,爲亡。

〔一〕"豕",刻本訛"家",據稿本改。

大有

生時不利，天命災至。制於斧癥，晝夜勤苦。

伏艮爲時。巽爲利，爲命。巽覆，故不利，故災至。乾爲天，坤爲災也。伏坎爲制，兌爲斧。艮多節，故曰斧癥。離晝坎夜。坎勞，故勤苦。

【補校】書，汲古作當。依宋、元本。勤苦，宋、元本作苦勤。依汲古。

謙

天門開闢，牢戶寥廓〔一〕。桎梏解脱，拘囚縱釋。

内經以戌亥爲天門。艮先天居戌亥，故曰天門。坤爲門戶也。坎爲牢，爲桎梏。震解，故脱。坎爲拘囚，震縱釋。

豫

川原難遊，水爲我憂。多言少實，命鹿爲駒。建德開基，君子逢時，利以中疑。

坤爲川原，坎陷，故難遊。震爲言，正反震。坤虛，故少實。震爲鹿，亦爲馬，故曰命鹿爲駒。命，名也。史記，秦趙高命鹿爲馬。艮爲名，爲君子，爲時。伏巽爲利，坎爲疑，爲中。林文疑衹四句而止，後三句皆他人林文羼入者。○建，汲古作道。依宋、元本。中，宋、元本作仲。依汲古。

【補校】原，宋、元、汲古各本皆作淵。瞿本作深。視林意，作原較勝。惟未詳所本。馬生新欽云，疑依元本需之臨没遊原口校。

〔一〕"廓"，稿本、刻本作"闊"，據宋、元、汲古及所見其他各本改。按小畜之泰正作"廓"，可參攷。

隨

鄉歲逢時,與生爲期。枝葉盛茂,君子無憂。

　　震爲歲,艮爲時。震爲生,爲枝葉,爲茂盛。艮爲君子。震喜,
兌悦,故無憂。

蠱

六鷁退飛,爲襄敗祥。陳師合戰,左股夷傷。遂崩不起,霸
功不成。

　　左傳僖十六年,六鷁退飛,過宋都。周内史叔興對襄公曰,君
將得諸侯而不終。後二十一年,楚人執宋公。二十二年,宋敗於
泓,襄公傷左股,遂卒。故曰爲襄敗徵。艮爲鷁,震反,故曰退飛。
震爲諸侯,故曰襄公。兌折,故敗。祥,猶徵也。震爲陳,坎爲衆,
互大坎,故曰陳師。巽爲股。震爲戰,爲左。兌折,故傷。三至五
艮覆,故曰崩。震爲霸,爲功。四至上震覆,故霸功不成。○襄敗,
宋、元本作衰敗。汲古作衰毁[一]。皆非。依旅之萃校。

臨

雷君出裝,隱隱西行。霖雨不止,流爲河江,南國以傷。

　　震爲雷,爲君,爲出,故曰雷君出裝。雷君,即雷師也。兌爲
西,爲雨。坤爲水,爲江河,爲國。震爲南,故曰南國。兌爲傷。○
河,宋、元本作巨。依汲古。以傷,汲古作憂凶[二]。依宋、元本。

觀

牙孽生達,室蟠啓户。幽人利貞,鼓翼起舞。

〔一〕"毁",稿本、刻本誤"殷",據汲古本改。
〔二〕"憂凶"二字,刻本誤倒,據稿本校正。

通大壯。震爲芽蘖，爲生。艮爲室，坤爲户。蟠，曲也，屈也，言室宇曲屈而啓户也。震爲啓。艮爲高尚，爲幽人。巽爲利，爲伏，故曰利貞。震爲鼓，爲翼，爲起，爲舞。○汲古林辭與小畜之睽同。依宋、元本。

噬嗑

火起上門，不爲我殘。跳脱東西，獨得生完。不利出鄰，病疾憂患。

離火在艮門上，故不爲患。震爲跳脱，離東坎西，故跳脱東西。震爲鄰，爲出。然出即與坎逢而疾病，故不利也。○上，汲古訛土。依宋本。

【補校】上，依宋、元本。

賁

舉事無成，不利出征。言不可用，衆莫能平。

震爲舉，正反震，故無成，故不利出征，故言不可用。坎爲平，爲衆。○莫，汲古作不。依宋、元本。

剥

老狼白玃，長尾大胡。前顛卻躓，進退遇祟。

詳睽之需。○玃、胡，原作玀、狐。玀，玃之形訛字。狐，胡之音訛字。並依震之恒校。

復

日入道極，勞者休息。班馬還師，復我燕室。

此用蹇象。坎爲暮，離在坎下，故曰日入。艮爲道。極，盡也，言道止于此也。坎爲勞，艮止，故休息。坎爲馬，重坎，故曰班馬。

坎衆,故曰師。艮止^{〔一〕},故曰還師。艮爲室^{〔二〕},伏兑,故曰燕室。

无妄

林麓山藪,非人所處。鳥獸無禮,使我心苦。

　　震爲林,爲藪。艮爲山,爲麓。乾爲人,在上,故不處山林。艮爲鳥,爲獸。坤爲禮,坤伏,故曰無禮。伏坤爲我,爲心。○首句,依宋、元本。汲古作山林麓藪^{〔三〕}。

大畜

蓄利積福,日新其德。高氏飲食,憂不爲患。

　　乾爲福,伏巽爲利。艮止在上,故曰蓄積。艮爲日,爲高。兑口爲飲食,故曰高氏飲食。坤爲憂患,坤伏,故不憂。

頤

張羅百目,鳥不得北。縮頸掛翼,困於窘國。君子治德,獲譽受福。

　　離爲目,爲網羅。大離,故曰百目。坤爲百也。坤先天位北,震爲鳥。艮止在上,故不得北。艮爲頸,震爲翼。坤退而閉,故縮頸。震反在上,故掛翼。艮爲國,坤閉,故曰窘國。艮爲君子,爲名譽。震爲福。艮爲獲,故獲譽。坤受,故受福。

大過

伯虎仲熊,德義淵宏。使布五教,陰陽順序。

─────────────────

〔一〕"艮止",稿本作"坎伏"。兹依刻本。
〔二〕"艮爲室",刻本作"坎爲室"。兹依稿本。
〔三〕稿本、刻本此下有"第三句疑"四字,似欲論議"鳥獸無禮"寓旨,然終未果而置之。兹姑從删。

伏艮爲虎熊,震爲伯,坎爲仲。卦本大坎也。乾爲德,伏坤爲義;爲淵,故曰淵宏。巽卦數五,又爲命令,故曰使布五教。乾陽坤陰,巽順。伯虎仲熊,高辛子八愷之二。

【補校】宏,宋、元、汲古諸本皆作弘。翟本作閎。茲依學津本。按,宏、弘、閎三字音義並同。

坎

跛踦相隨,日暮牛罷。陵遲後旅,失利亡雌。

詳大有之歸妹。

【補校】陵,元本作凌。依宋本、汲古。

離

嬴氏違良,使孟尋兵。老師不已,敗於齊卿。

互兌爲西,故曰嬴氏。艮爲良,艮伏,故曰違良。伏震爲孟,艮爲兵。坎爲衆,爲師,重坎,故曰老師不已。兌爲敗,巽爲齊。齊卿,言孟明視、西乞術、白乙丙皆卿爵。案,漢書食貨志,世家子弟富人或走狗馬,博戲,亂齊民。如淳注,齊,等也。言無貴賤。又詩召南,齊侯之子。齊侯猶通侯,即諸侯也。由此證,敗於齊卿,即敗於諸卿也。左傳僖三十二年,秦穆公違蹇叔諫,使孟明等伐鄭,敗於崤函。○老師,宋、元本作師老。依汲古。

【補校】卿,元本作鄉。依宋本、汲古。

咸

日月並居,常暗且微。高山崩顛,丘陵爲谿。

兌月艮日,故曰並居。兌爲暗昧,故曰暗微也。艮爲高山,兌毀巽隕,故崩顛。艮爲丘陵,兌爲谿。○崩,宋本誤萌。依元本、汲古。谿,依宋、元本。汲古作溪。

【補校】暗,元本作闇。顛作巓。均依宋本、汲古。闇即暗。

巔、顛通。

恒

鳥鵲食穀[一]，張口受哺。蒙被恩德，長大成就。柔順利貞，
君臣合好。

　　震爲鳥鵲，爲穀。兌爲口，故曰食穀，曰受哺。乾爲大。巽爲
順，爲利。乾君，伏坤爲臣。六爻皆有應，故曰合好。○被恩，汲古
作恩被。依宋、元本。

　　【補校】合，汲古作相。依宋、元本。

遯

雛躓復起，不毀牙齒。克免平復，憂除無疾。

　　通臨。兌毀折，故曰躓。震爲起，兌爲牙齒。坤爲憂，爲疾。
震解，故除。

大壯

草木黃落，歲暮無室。虐政爲賊，大人失福。

　　通觀。候卦爲八月。巽爲草木，爲隕落。坤黃，故曰黃落。候
卦坤居亥，故曰歲暮。艮爲室，巽隕，故無室。坤爲政，巽爲賊。乾
爲大人，壯傷也，故失福。

晉

避凶東走，反入禍口。制於牙爪，骨爲灰土。

　　坤爲凶，離位東，在外，故曰避凶東走。坤爲禍。伏兌爲口，爲
牙爪，爲骨骸。坤爲土，艮火離火，故曰灰土。

　　【補校】入，汲古作以。依宋、元本。

〔一〕"鵲"，稿本、刻本作"雀"。據宋、元、汲古及所見其他各本校改。按履之咸
　　亦作"鵲"，可資參攷。

明夷

欲飛不能,志苦心勞,福不我求。

　　　離爲飛,坎陷,故不能飛。坎爲心志,爲勞苦。○求,依宋、元
本。汲古作來。

家人

羔裘豹袪,東與福遇。駕迎吾兄,送我驪黃。

　　　疑用半象。○驪,從元本。餘多訛鸝。

　　　【補校】袪,汲古作裏。依宋、元本。驪,宋本作鸝。依元本、
汲古。

睽

東耕破犁,西失良妻。災害不避,家貧無資。

　　　離爲東,兌爲西,坎爲災害。

解

魚陸失所,鼀黽困苦。澤無萑蒲,晉國以虛。

　　　伏巽爲魚,震爲鼀黽,坎爲困。

　　　【補校】鼀,汲古作鳥。黽作蠅。依宋、元本。

損

脱兔無蹄,三步五罷。南行不進,後市勞苦。

　　　震爲兔,爲蹄。莊子,得兔而忘蹄。注,蹄,兔胃也。係其腳,
故曰蹄。坤亡,故無蹄。震數三,故曰三步。伏巽,卦數五,坤乏,
故曰五罷。震爲南,艮止,故行不進。伏巽爲市,坤勞苦。○兔,元
本訛足。依宋本、汲古。勞,宋、元本作身。依汲古。

　　　【補校】元本作益林。依宋本、汲古。

益

行役未已，新事復起。姬姜勞苦，不得休止。

震行坤役。震爲姬，巽爲姜〔一〕，坤爲勞苦。艮止，故曰休止。正反艮，故不得休止。

【補校】元本作損林。依宋本、汲古。

夬

白日揚光〔二〕，火爲正王。消金厭兵，雷車避藏。陰雨不行，民安其鄉。

通剝。艮爲日，爲光，爲火。乾爲王，爲金。艮爲兵戈，陰消陽，故曰消金厭兵。震爲雷，爲車。震覆，故曰避藏。兌爲雨，坤爲民，爲鄉。艮日在上，故陰雨不行而民得安也。○白，宋本、汲古皆作向。依元本。

【補校】安，汲古作定。依宋、元本。

姤

放銜垂巒，奔馬不制。棄法作奸，君失其位。

通復。震爲銜，爲巒，爲奔馬。陽遇陰則通，故曰奔馬不制。坤爲奸，震爲君。坤爲喪，故失位。

【補校】奔，元本作犇。依宋本、汲古。奔、犇同。

萃

司命下遊，喜解我憂。皇母緩帶，嬰兒笑喜。

巽爲命。禮記，大夫祭五祀。注，五祀，一曰司命。漢書天文志，近魁六星，四曰司命。晉書天文志，司命主壽。互艮爲星，故曰

〔一〕"姜"下，稿本有"故曰姬姜"四字。
〔二〕"揚"，刻本訛"楊"。據稿本校改。

司命下遊。主壽,故解憂。兌悅,故喜。坤爲母,伏乾,故曰皇母。巽爲帶。兌爲嬰兒,兌悅,故笑喜。○兒,宋、元本作子。依汲古。

【補校】下,汲古作不。依宋、元本。遊,宋本作游。依元本、汲古。遊、游通。

升

黃帝出遊,駕龍乘馬。東上泰山,南過齊魯,邦國咸喜。

震爲帝,坤土色黃[一],故曰黃帝。震爲龍,爲馬,爲東。伏艮爲山,故東上太山。震又爲南,巽齊兌魯,故曰南過齊魯。坤爲邦國,震樂兌悅,故曰咸喜。○邦,宋本、汲古作郡。依元本。

【補校】泰,元本作大。依宋本、汲古。按,大音泰,與泰通。

困

既往不說,憂來禍結。比戶爲患,無所申雪。

坎爲憂患,坎陷,故禍結。伏艮爲戶,正反艮相對,故曰比戶。下與坎連,故曰比戶爲患。比戶,近鄰也。近鄰爲患,防禦難,故曰無所申雪。○雪,汲古作冤。以與患韻。今依宋、元本。雪、結爲韻。

【補校】比,汲古作北。依宋、元本。

井

何蕢隱居,以避亂傾。終身不仕,遂其潔清。

通噬嗑。艮爲何,震爲蕢。坎隱伏,故曰避亂。離爲亂也。艮爲終,爲身,爲仕。坎隱,故不仕。坎水,故曰潔清。

【補校】何,宋、元、汲古諸本皆作荷。依翟本。何、荷通。居,宋、元本作名。依汲古。

〔一〕"土"刻本訛"士"。據稿本校改。

革

折梃舂稷，君不得食。頭痒搔跟，無益於疾。

　　兌爲折，巽爲梃，爲稷。伏艮手，故曰舂。孟子，殺人以梃。趙岐注，梃，杖也。舂米須用槌，今以梃舂，非器。乾爲君，兌爲食。二至上大過，大過死，故不得食。伏艮爲頭，震爲跟。坤爲疾，故曰痒。正反震艮，故曰頭痒搔跟。搔不得所，與以梃舂稷無功同也。○梃，各本皆作挺。形訛字。孟子，梃亦多訛挺。然唐本皆作梃，見阮校。

　　【補校】梃，宋、元、汲古諸本皆作挺。依學津。又，翟本注云，挺當作梃，亦可從。

鼎

植根不固，華葉落去，便爲枯樹。

　　巽下腐，故曰植根不固。兌爲華。巽爲落，爲枯，爲樹。

　　【補校】便，汲古作使。依宋、元本。

震

凶門生患，牢户多冤。沙池秃齒，使叔困貧。

　　艮爲門，坎陷，故曰凶門。坎爲獄，故曰牢户。坎爲憂患，故曰多冤。艮爲沙。伏兌爲齒，巽爲寡髮，故曰秃齒。艮爲叔，坎爲困。○患，汲古作意。池作陁。叔作我。貧作窮。均依宋、元本。沙池，即差池，古通用〔一〕。言齒差池不齊，正以狀貧困之貌。若作沙陁，何以與下句相屬？且秃齒，亦無此國名。故陁字斷爲妄人所改。昔人不見易林善本，不知此爲訛字，輒據此及安民呼池之語，以疑易林。豈知安爲按，呼爲湖之訛字也。詩，差池其羽。

〔一〕"即差池，古通用"，稿本作"疑差池之音訛"。茲依刻本。

艮

登山履谷，與虎相觸。猢爲功曹，班叔奔北，脱之喜國。

　　艮爲山谷，爲虎。震爲登，坎爲猢。艮爲官，故曰功曹。艮爲叔。楚人謂虎爲班，故曰班叔。史記龜策傳注，猢能伏虎。故虎見而奔北[一]。艮爲國，震爲脱，爲喜。論衡云，人謂虎食人，功曹爲姦所致也。其意以爲，功曹衆吏之率，虎亦諸獸雄。

　　【補校】叔，汲古作奴。依宋、元本。

漸

麟鳳所翔，國無咎殃。賈市十倍，復歸惠里。

　　離爲麟鳳，艮爲國。巽爲賈市，爲利三倍。伏兑數十，故曰十倍。艮爲里[二]。

　　【補校】歸，汲古作臨。依宋、元本。

歸妹

路險道難，水遏我前。進往不利，回車復還。

　　震爲道路，坎險，故曰道難。坎爲水，坎陷，故水遏我前。震爲進，坎險，故不利。震爲車，爲反，故曰復還。○遏，汲古訛過。依宋、元本。

　　【補校】回，元本作迴。依宋本、汲古。

豐

延頸望邑，思歸我室。臺榭不成，未得安息。

　　通渙。艮爲頸，爲望，爲邑。坎爲室，震爲歸，故曰思歸我室。艮爲臺榭，巽隕落，故不成，不得安息也。○我，宋、元本作其。依

〔一〕“北”，稿本作“坎”。
〔二〕“里”，刻本作“室”。據稿本改。

汲古。艮爲我也。

【補校】思，宋、元本作恩。依汲古。榭，元本作樹。依宋本、
汲古。

旅

蒙生株瞿，棘掛我須。小人妬嫉，使恩不遂。

　　通節。震爲蕃鮮，故曰蒙生。震爲木，故曰株。爲草，故曰瞿。
爾雅釋草，大菊蘧麥。注，即瞿麥。藥草也。又韓詩外傳，直曰車
前，瞿曰茉苜。坎爲棘，艮爲須。坎在艮上，若須掛棘上也。艮爲
小，震爲人，坎爲妬嫉，故曰小人妬嫉。○須，汲古作鬚。非。依
宋、元本。蒙，蓋蔓生之屬，施於株瞿之上。

【補校】妬嫉，汲古作嫉妬。依宋、元本。

巽

南至隱域，深潛處匿。聰明閉塞，與死爲伍。

　　互離爲南。巽伏，故曰隱，曰潛，曰匿，曰閉塞。伏坎爲聰，離
爲明。初至四大過死，故曰與死爲伍。

兌

機餌設張，司暴子良。范叔不廉，凶害及身。

　　通艮。坎爲機。震爲餌，爲張，爲暴，爲子。艮爲司，爲良，故
曰司暴子良。左傳，鄭子良之父子孔，爲政也專。國人殺子孔，子
良奔楚。互巽爲蟲，故曰范。范，蟲也。禮內則，爵鷃蜩范是也。
艮爲叔，故曰范叔。坎爲凶害，艮爲身。史記，范雎從須賈使齊，齊
王賜雎金牛酒。歸，以此受折臏之辱。○首句，元本作機設餌張。
依汲古。司，汲古作計。依宋、元本。

【補校】首句，宋、元、汲古各本皆同。此謂作機設餌張者，疑
別有所本，謹紀存備考。

渙

從騎出谷，遊戲苦域。阪高不進，利無所得。

震爲騎，爲出。艮爲谷，爲域。坎爲苦。艮爲阪，爲高。巽爲利，風散，故無得。○谷，宋、元本作門。苦域作空城。均依汲古。

節

西國强梁，爲虎作倀。東吞齊楚，并有其王。

兌西，艮國。震爲健，故爲强梁。强梁，多力也。艮爲虎。坎爲鬼，故曰倀。本草，人死於虎，則爲倀鬼，導虎而行。震爲楚，伏巽爲齊，兌口爲吞，震東，故曰東吞齊楚。震爲王。言西秦併吞六王也。

【補校】齊楚，宋、元本作楚、齊。依汲古。倀，各本皆作狼。按，此蓋疑狼爲倀之訛字。惟未詳所本，謹記以存考。

中孚

登山伐輻，虎在我側。王孫無懼，仁不見賊。

艮山，震登。艮爲伐，爲虎。巽爲輻，故曰登山伐輻。震爲王，艮爲孫，故曰王孫。震爲仁。巽伏，故爲賊。

【補校】伐，宋本、汲古作代。依元本。末句，宋、元本作仁見不賊。依汲古。

小過

六月駸駸，各欲有至。專征束裝，俟時旦明。

兌爲月。震爲反，故曰至。震爲征，爲旦明。艮爲時，艮止，故曰俟時旦明。詩小雅，六月棲棲，戎車既飭。四牡駸駸，載是常服。王于出征，以匡王國。載是常服，即束裝之事，言尹吉甫奉宣王命出征玁狁而治裝也。○首句，依元刊。宋本、汲古作六目。非。

至,依汲古。宋、元本作望。束裝,宋、汲古本作未壯。依元本。第四句,汲古作候待明旦。依宋、元本。俟即待也,故知待爲時之訛字。

【補校】首句,六月,依宋、元本。汲古作六目。驛驛,宋、元、汲古各本皆作睽睽。依宋本益之幷校。又,局本作六月驛驛,亦可從。第三句,宋、元、汲古諸本皆作後來未壯。惟局本作專征未裝,未當爲束之訛字,兹依校。

既濟

道陟多阪,牛馬蜿蟺。車不利載,請求不得。

用半象。重艮,故曰多阪。

【補校】陟,宋、元本、汲古皆作涉。依學津。蜿,汲古作蛇。依宋、元本。利,宋、元本作麗。依汲古。

未濟

一口三舌,相妨無益。羣羊百牂,不爲威强。亡馬失駒,家耗於財。

用半象。重兑,故曰三舌,故曰羣羊。

【補校】牂,宋本、汲古作牪。依元本。財,汲古作時。依宋、元本。

解之第四十

解

駕言出遊，鳥鬭車前，更相捽滅。兵寇旦來，回車亟還，可以無憂。

　　震爲駕，爲言，爲遊，爲車。離爲鳥，艮爲鬭。離正反艮相對，故曰鬭，曰捽。坎隱伏，故曰滅。坎爲寇，震爲旦，故曰兵寇旦來。震爲反，故回車亟還。坎憂，震解，故無憂。○寇旦，汲古作馬旦[一]。依宋、元本。

乾

大都之居，無物不具。抱布貿絲，所求必得。

　　伏坤爲大都，爲萬物，爲布。抱布貿絲。衞風語。

坤

膠著木連，不出牢關，家室相安。

　　此用解象。坎爲膠，爲木，與震木連體，故曰木連。坎爲牢，爲室。重坎，故不出。

　　【補校】著，依宋本、汲古。元本作着。義同。

屯

孟伯食長，懼其畏王。賴四蒙五，抱福歸房。

　　震爲孟伯；爲長，爲口，故曰食長。坎爲畏懼，震爲王。卦數四，坎納戊，數五，故曰賴四蒙五。艮爲抱，爲房，震爲福，故曰抱

───────────

〔一〕"旦"，稿本、刻本誤"旦"，據汲古本改。

福歸房。

蒙

朽輿疲駟，不任銜轡[一]。君子服之，談何容易。

　　震爲車，爲馬。坤敝，故曰朽，曰疲。震口爲銜，艮手爲轡。艮
　爲君子，坤爲服。服，用也。言車馬不良，不易駕馭[二]。

　　【補校】朽，宋、元本作防。依汲古。疲，汲古作瘦。從宋、元
　本。

需

許嫁既婚，利福在身。適惠生桓，爲我魯君。

　　左傳隱元年，宋武公生惠子，惠子生而有文在其手，曰爲魯夫
　人。故歸惠公，生桓公。因手有文，故曰利福在身。坎爲婚。伏坤
　爲身。兌爲魯，乾爲君。

訟

入門大喜，上堂見母。妻子俱在，兄弟饒有。

　　巽爲入，乾爲門，伏震爲喜，故入門大喜。坎爲室，故爲堂。巽
　爲母，伏震，故上堂見母。離爲坎妻。震爲子，爲兄。坎爲弟。○
　有，宋、元本作友。依汲古。

師

推車上山，力不能任。顛蹶蹉跌，傷我中心。

　　坤爲車，震往，故曰推車。震爲陵，故曰上山。坤弱，故不能
　任。坎蹇，故顛蹶蹉跌。坎爲心，爲中。坎破，故傷。

　　　　　　　　　　　　　　　　　　　　　　　　　　　　　　

〔一〕“轡”，稿本、刻本作“佩”。疑音訛。據宋、元、汲古及所見其他各本改。注
　　文同此。
〔二〕“服，用也”至“駕馭”十二字，稿本無。兹依刻本。

比

鷹飛退去，不食其雛。禽尚如此，何況人乎。

　　艮爲鷹，爲飛。坎隱伏，故退去。兌爲食，爲雛，兌伏，故不食其雛。○乎，宋、元本作與。依汲古。

　　【補校】鷹，宋、元本作鴈。依汲古。

小畜

福棄我走，利不可得。幽人利貞，終無怨懟。

　　乾福巽隕，故福棄我走。巽爲利，在外，故利不可得。艮爲幽人〔一〕，爲終。坎怨懟。正伏象雜用。

履

夫妻反目，不能正室。翁云于南，嫗言還北。並后匹嫡，二政亂國。

　　伏坎爲夫，離爲妻，爲目。離上下兩半目相對，坎上下兩半目相背，故曰反目。坎爲室，爲邪曲，故曰不能正室。乾爲父，位南，故曰翁云于南。伏坤爲母，爲北，故曰嫗言還北。坤爲后，爲政，爲國，爲亂。數二，故曰並后，曰匹敵，曰二政。震爲嫡也。○翁，汲古作公。嫗作姬。依宋、元本。林意謂政權不一，國必亂也。

　　【補校】于，汲古作子。匹作正。均依宋、元本。嫗，宋本、汲古作姬。依元本。

泰

陽衰伏匿，陰淫爲賊。賴幸王孫，遂至嘉國。

　　陽在下，故曰伏匿。陰在上，故曰陰淫。坤殺兌折，故曰賊。

〔一〕"艮爲幽人"，稿本作"伏震爲人，坎隱，故曰幽人"。茲依刻本。

震爲王，爲嘉。坤爲國。○賴幸，汲古作幸賴。依宋、元本。嘉，汲古作家。依宋本。

【補校】嘉，宋、元本作喜。依學津及比之坤校。

否

入山求玉，不見和璞。終日至暮，勞無所得。

巽爲入，艮爲山，爲求。乾爲玉，爲璞。楚人卞和得璞玉，故曰和璞。巽伏，故不見。艮爲日，爲終。坤爲暮，爲勞。坤虛，故無得。○山，汲古作水。坤水，亦可從。

【補校】山，依宋、元本。

同人

鳴鸞四牡，駕出行狩。合格有獲，獻公飲酒。

通師。震爲鳴鸞，爲馬。卦數四，故曰四牡。震爲行，爲狩。坎爲獲，爲酒。震爲公。

大有

覆手舉牘，易爲功力。正月元日，平飲致福。

通比。艮爲手，爲舉。牘，木簡也，所以作書。坤爲文，坎爲木，故曰牘。坎爲月，爲中正。離爲日，乾爲元，故曰元日。坎爲平，爲飲。史記魏其侯傳，灌夫與長樂衛尉飲，輕重不得其平。茲曰平飲，則兩人對飲，輕重得平也。○正月，元刊作月正。依汲古。平飲，汲古作承平[一]。依宋、元本。舉牘，汲古作齊牘。依宋、元本。

【補校】正月，宋、元本作月正。

─────────────

〔一〕“承”，刻本訛“永”，據稿本改。

謙

三火起明，雨滅其光。高位疾顛，驕恣誅傷。

詳大有之師。

【補校】起，宋、元本作高。依汲古。滅，元本作減。依宋本、汲古。

豫

裹糗荷糧，與利相逢。高飛有得，君子獲福。

震爲糗糧，艮爲荷。伏巽爲利。艮爲高飛，爲君子。〇得，宋、元本作德。子作大。均依汲古。裹，汲古作衰。非。依宋、元本。

隨

水土相得，萬物蕃殖。膏澤優沃，君子有德。

兌爲水，艮爲土。震爲萬物，爲蕃鮮，故曰蕃殖。兌爲膏澤，爲優沃。艮爲君子。〇德，汲古作得。依宋、元本。

【補校】宋、元本作蠱林。依汲古。

蠱

道理和得，人不相賊。君子往之，樂有利福。

艮爲道。震爲人，爲樂。巽爲利。

【補校】宋、元本作隨林。依汲古。

臨

天孫帝子，與日月處。光榮於世，福禄繁祉。

伏艮爲天，爲孫，震爲帝，爲子，故曰天孫帝子。伏乾爲日，兌爲月。漢書天文志，織女，天帝孫也。伏艮爲星，故曰與日月處。

觀

陪依在位，乘非其器。折足覆餗，毀傷寶玉。

坤順,故曰陪依。艮爲貴,爲位。坤爲車,爲小人。以小人而乘車,故曰非器。又震爲器,震覆,故非器。震爲足,爲辣,爲玉。震覆,故折足。覆辣,故傷玉。○陪依,汲古作部衣。依宋、元本。然部衣或爲布衣之訛。布衣在位,故乘非其器。

【補校】寶,汲古作我。依宋、元本。

噬嗑

鷁飛中退,舉事不遂。且守仁德,猶恐失墜。

左傳,六鷁退飛。宋襄圖霸不成,故曰舉事不遂。艮爲鷁,爲飛。震爲歸,故曰退。艮爲守,震爲仁。坎爲失。○恐,宋、元本作免。依汲古。

【補校】鷁,從宋本、汲古。元本作鴵。同鷁。

賁

經棗正冠,意盈不廉。桀紂迷讒,惑佞傷賢,使國亂煩。

艮爲棗,爲冠,艮手爲正。正冠舉手,有類摘果,故曰不廉。盈,極也。離爲惡人,故曰桀紂。坎爲迷惑。三至上正反震,故曰讒佞。艮爲賢,爲國。離爲亂。○棗,宋、元本作棘。依汲古。正,汲古作整。廉作厭。均依宋、元本。讒惑,宋、汲古本作惑讒。今依元本。

【補校】正,汲古作聖。學津、局本作整。迷,依宋本、汲古。元本作速。煩,汲古作傾。依宋、元本。

剝

申酉退跌,陰懘前作。柯條華枝,復泥不白。

候卦申否,酉觀,戌剝。陽日退[一],故曰跌。陰日增,故曰

〔一〕"陽"下,刻本脫"日"字,據稿本補。

作。艮爲柯條,伏兑爲華。震爲白,震覆,故不白。○靁,汲古作雨。非。依宋、元本。華枝,疑枝葉之訛。

【補校】華,宋本、汲古作花。依元本。花、華同。

復

平正賤使,主服苦事。

震爲主,坤賤而役萬物,故主服苦事[一]。

【補校】主,汲古作至。依宋、元本。

无妄

釣魴河湄,水泛無涯。振衣徒歸,上下昏迷,屬公孫齊[二]。

巽爲魚,艮手爲釣。乾爲河海,乾大,故水無涯。乾爲衣。震爲歸,爲公。互巽爲齊。左傳昭二十五年,公孫于齊。注,諱奔,猶遜讓而去也。孫音遜。○泛,宋、元本作長。衣作手。均依汲古。

【補校】屬,汲古作厲。孫作經。均依宋、元本。

大畜

胎養萌生[三],始見兆形。遭逢雷電,摧角折頸。采蚩山頭,終安不傾。

震爲胎,爲萌芽。艮爲龜,故曰兆形。震爲雷電。艮爲角,爲頸,兑毁,故折角摧頸。震爲草莽,故曰蚩。詩鄘風,言采其蚩。注,蚩,貝母也。艮爲山頭,爲終,爲安。

【補校】雷電,元本作雷雷。采作採。均依宋本、汲古。摧,汲古作椎。依宋、元本。

〔一〕"而役"至"苦事"九字,稿本無。茲依刻本。
〔二〕"孫",刻本作"遜",據稿本改。
〔三〕"萌",刻本作"蒙",據稿本改。

頤

陽春枯槁，夏多水潦。霜雹俱作，傷我禾黍，年歲困苦。

　　震爲春，坤死，故枯槁。坤爲水，互重坤，故曰多水。卦本大離，故曰夏。坤爲霜，爲冰，故曰雹。震爲禾稼。坤爲年歲。〇作，宋、元本作擊。依汲古。

大過

三耳六齒，痛疾不已。齲病蠱缺，墮落其宅。

　　兌爲耳，艮數三，故曰三耳。兌爲齒，乾數六，故曰六齒。伏坤爲疾痛。正反兌，故曰齲。齲，齒缺也。巽爲蟲，故曰蠱。巽隕，故墮落。〇耳，宋、元本作身。依汲古。

　　【補校】缺，汲古作鐵。依宋、元本。

坎

失時無友，嘉耦出走，傹如喪狗。

　　坎爲失，艮爲時，爲友。震爲嘉，爲走。艮爲狗，爲家。二四艮覆，故如喪家之狗。史記孔子世家，儽儽然如喪家之狗。〇時，宋、元本作恃。非。依汲古。傹、儽同。

　　【補校】耦，元本訛禍。汲古作偶。依宋本。偶、耦同。

離

宣重微民，歲樂年息。有國无咎，君子安喜。

　　重離，故曰宣重。宣，明也。言宣重光於民也。微字恐有訛。伏震爲年歲，爲樂，爲息。伏艮爲國，爲君子。

　　【補校】宣，宋、元本作寅。依汲古。息，汲古作豐。有作害。均依宋、元本。

咸

登几上車，駕駟南遊。合從散橫，燕秦以强。

詳屯之否。

【補校】第三句，宋本、汲古作合散從橫。依元本。唯元本橫
作衡。義同。

恒

鳥集茂林，柔順利貞。心樂願得，感戴慈母。

通益。艮爲鳥，正反艮，故曰鳥集。震爲林，正反震，故曰茂
林。坤爲柔順，巽爲利，艮爲貞。坤爲心，爲慈母。艮爲戴。○林，
宋本、汲古本作木。依元本。易林讀林略如凌，以與貞韻。其例甚
多。今晉音仍如此。汲古願得下多鳥鵲食穀，張口受哺二句。今
依宋、元本。

【補校】柔順利貞，汲古在感戴慈母前，作第五句。兹依宋、元
本。

遯

啓蟄始生，萬物美榮。祉禄未成，市賈無贏。

通臨。震爲春，爲生，故曰啓蟄始生。震爲蕃鮮，故曰萬物美
榮。乾爲祉禄，陽消，故未成。巽爲市賈，巽隕，故無贏。○祉禄未
成，局本作福祉來成。來爲未之訛字。依宋、元本。贏，元本作盈。
義同。賈，汲古訛買。依宋、元本。

【補校】祉禄，汲古作福祉。依宋、元本。

大壯

驕胡犬形，造惡作凶。無所能成，還自滅身。

詳明夷之大壯。○犬，汲古訛火〔一〕。依宋、元本。

〔一〕“火”，刻本誤“大”，據稿本改。

晉

異國他土，出良駿馬。去如奔宙，害不能傷。

　　坤爲國土，爲馬。艮爲良。潘岳閒居賦，激矢宙飛。此云奔宙，言馬疾如奔宙也。又箭名飛宙。方言云，箭之三鐮，長尺六者，謂之飛宙。晉互坎爲矢。奔宙，坎象也。

明夷

恪敬競職，心不作慝。君明臣忠，民賴其福。

　　坎爲心，震爲君。坤爲臣，爲民。

　　【補校】競，宋、元本作竟。依汲古。

家人

三女求夫，伺候山隅。不見復關，長思憂歎。

　　詳乾之家人

睽

駕福乘喜，東至嘉國。戴慶南行，離我室居。

　　詳小畜之賁。

　　【補校】戴，元本作載。依宋本、汲古。我，汲古作家。從宋、元本。

蹇

四姦爲殘，齊魯道難。前驅執殳，戒守爲患。

　　左傳僖二十四年，富辰曰，聾昧頑嚚，狄皆有之，四姦具矣。坎爲姦，伏兌數四，故曰四姦。伏兌爲魯，覆巽爲齊[一]。艮爲殳，爲守。坎爲患。○殳，汲古訛役。從宋、元本。

――――――

〔一〕“伏兌”至“爲齊”八字，稿本作“齊魯東方國，疑取離象”。茲依刻本。

【補校】爲患，宋、元、汲古諸本皆作無患。茲依翟本。

損

下擾上煩，蠱政爲患，歲飢無年。

下互震爲擾，上互坤爲亂，故曰擾煩。坤爲政，伏巽爲蠱，故曰蠱政。坤爲患，爲年歲。坤虛，故曰飢。○擾，汲古作憂。依宋、元本。政，宋、元本作蠱。依汲古。

益

雞雄失雛，常畏狐狸。黃池要盟，越國以昌。

巽爲雞，坤文爲雄。艮少，故曰雛。坤死，故失雛。坤爲畏，艮爲狐狸。狐狸食雛，故畏之。坤爲黃，坤水，故曰黃池。正反震，故曰要盟。坤爲國，巽位東南，故曰越國。

夬

堅冰黃鳥，終日悲號。不見白粒，但觀蓬蒿。數驚鷙鳥，爲我心憂。

乾爲堅冰，伏坤爲黃。艮爲鳥，爲終日。兌口爲號，坤憂，故曰悲號。巽爲白，爲粒。巽覆，故不見白粒。坤爲茅茹，故曰蓬蒿。伏艮爲鷙鳥。坤爲心，爲憂。○第二句，汲古作常哀悲愁。白作米。均依宋、元本。第六句，宋、元本作孰爲我憂。依汲古。

姤

玉銑鐵頤，倉庫空虛。市賈無盈，與我爲仇。

詳晉之鼎。○玉銑，元本作玉統。汲古作五銳。依宋本。無，汲古作爲。依宋、元本。

【補校】玉，宋、元本皆作王。依何本、局本。市賈，元本作賈市。依宋本、汲古。

萃

竊名盜位，居非其家。霜隕不實，爲陰所賊。

　　艮爲名位，巽伏，故曰盜名竊位。艮爲居，爲家。盜位，故非其家。坤爲霜。艮爲果蓏，霜殺物，故不實。巽爲賊。○元本多三句，汲古多一句，皆衍文。依宋本删。

升

賊仁傷德，天怒不福。斬刈宗社，失其本域。

　　巽爲賊。震爲仁德，爲怒。伏乾，故曰大怒。坤殺，故曰斬刈。震爲宗。坤爲社，爲失。○宗，汲古作家。依宋、元本。

　　【補校】傷，汲古訛湯。依宋、元本。

困

萬物初生，蟄蟲振起。益壽增福，日受其喜。

　　巽爲草莽，故曰萬物。伏震爲春，故曰初生。巽爲蟲，坎蟄，震起。震福。伏艮爲壽，爲日。○初生，汲古作和生。壽作爵。均作宋、元本。

井〔一〕

和氣所在，物皆不朽。聖賢居位，國無凶咎。

　　【補校】在，汲古作生。依宋、元本。

革

龍遊鳳舞，歲樂民喜。

　　伏震爲龍。坤爲鳳，爲歲，爲民。震爲喜樂。

　　【補校】龍，宋、元本作麟。依汲古。

―――――――

〔一〕井林，稿本、刻本遺脱。兹依各本校訂補録。

鼎

行行窘步，次宿方舍。居安不懼，姬姜何憂。

　　通屯。正反震，故曰行行。艮止，坎陷，故曰窘步。坎爲宿。
艮爲舍，坤方，故曰方舍。艮爲安居。震爲姬，巽爲姜。坎憂震解，
故不憂。○宿，汲古作伯。姜作妾。皆形訛字。依宋、元本。

　　【補校】行行，汲古作鼎行。依宋、元本。

震

水深難遊，霜寒難涉。商伯失利，旅人稽留。

　　互坎爲水，坤亦爲水，四上下重陰，故曰水深。震爲遊，爲涉。
坎爲霜，爲寒。震爲伯，爲商旅。巽伏，故失利。坎陷艮止，故稽
留。

艮

跛倚相隨，日暮牛罷。陵遲後旅，失利亡雌。

　　詳大有之歸妹。

　　【補校】暮，宋本作莫。依元本、汲古。莫即暮。第三句，汲古
作陵原徙傷。似多形訛字。依宋本。元本陵作凌。義同。

漸

**一牛九鎖，更相牽攣。案明如市，不得東西。請讞得報，日
中被刑。**

　　艮爲牛，坎數一，故曰一牛。坎爲桎梏，離數九，故曰九鎖。巽
爲市。離爲明，位東。坎位西。艮止，故不得東西。艮爲請。坎爲
刑，爲中。艮又爲首，否乾首自上落下，中互離，故曰日中被刑。虞
翻刻關公首至得隨，義同。案明者，言案驗明白，赴市被刑。

　　【補校】牛，宋、元本作年。依汲古。鎖，依宋本、汲古。元本

作鑞。同鎖。

歸妹

春桃生花,季女宜家。受福孔多,男爲邦君。

　　詳師之坤。震爲春,爲桃花。兌季。

　　【補校】花,元本作華。依宋本、汲古。花、華同。孔多,依汲古。宋、元本作多年。

豐

雷鼓東行,稼穡凋傷。大夫執政,君贊其明。

　　首句震象。巽爲稼穡,爲隕落,故凋傷。震爲夫,爲君。離爲明。

　　【補校】贊,宋、元本作替。依汲古。

旅

季世多憂,亂國淫遊。殃禍立至,民無以休。

　　艮爲季世。互大坎,故多憂。離爲亂,艮爲國。伏坎爲殃禍,爲民。

　　【補校】多,汲古作君。無作與。均依宋、元本。

巽〔一〕

發軔溫湯,過角宿房。宣時布和,無所不通。

　　通震爲車〔二〕,故曰發軔。互坎爲水,艮火在下,故曰溫湯。艮爲星,故曰角房。而角房皆巽方宿,故曰過角宿房。巽四月卦,正角房二宿當值之時,故曰宣時布和。○湯,汲古作陽。角作雨。均依宋、元本。

─────────────

〔一〕"巽"字,刻本誤"旅",據稿本改。
〔二〕"通",刻本作"伏",茲依稿本。

【補校】湯,汲古作陽。角作雨。均依宋、元本。宣,宋、元、汲
古諸本皆作宜。依訟之蒙及翟本校。

兌

水中大賈,求利食子。商人不至,市空無有。

　　互巽爲賈,爲利,兌爲水,故曰水中大賈。震爲子,兌爲食,伏
艮爲求,故曰求利食子。言食其資息也。震爲商人,震伏,故云不
至。巽爲市,離中虛,故曰市空。○食子,汲古作十千。依宋、元
本。三四句,宋、元本去不字,有上加所字。茲依汲古。

渙

春草萌生,萬物敷榮。陰陽和調,國樂無憂。

　　巽草震春,震爲萌芽。艮國。○調,汲古作暢。依宋、元本。

節

左眇右盲,目視不明。下民多孽,君失其常。

　　震爲左。二五互大離,故曰盲。言目無睛也。兌半離,故曰
眇。眇,小目也。兌右,故曰左眇右盲。眇象,本履卦也。坎爲民,
兌澤,故曰下民。坎爲孽,震爲君。

中孚

悅以內安,不利出門。憂除禍消,公孫何尤。

　　兌爲悅,在內卦,故曰內安。艮爲安也。艮門,震出。巽隕,故
不利。震爲公,艮爲孫。震解,故憂禍消除。○第三句,汲古作憂
禍消除。依宋、元本〔一〕。

〔一〕“依宋、元本”,刻本脫落,據稿本校補。

小過

丹書之信，言不負語。易我驪驥[一]，君子有德。

　　艮爲信[二]。震爲言語，正反震相同，故曰不負。震爲馬，故曰驪驥。下艮爲反震，故曰易。艮爲君子。左傳，裴豹，隸也，著于丹書。注，以丹書其罪。又大戴禮，武王問黃帝、顓頊之道可得聞乎？尚父曰，在丹書。此丹書似用左傳。

　　【補校】丹，汲古作册。依宋、元本。

既濟

上政搔擾[三]，螟蟲並起。害我嘉穀，年歲無稷。

　　半象重巽，故曰螟蟲並起。餘亦用半象。○螟蟲，汲古作蟲螟。依宋、元本。

　　【補校】搔，汲古作搖。年作季。均依宋、元本。

未濟

干旄旌旗[四]，執職在郊。雖有寶玉，無路致之。

　　詳師之隨。此用半象。○職在，汲古作在載。依宋、元本。玉，宋、元本作珠。依汲古。

　　【補校】干，元本作竿。汲古訛于。依元本。

〔一〕“驪驥”，稿本、刻本作“騏驪”，據宋、元、汲古及所見其他各本校改。
〔二〕“信”，刻本作“言”，據稿本校改。
〔三〕“搔”，稿本、刻本作“騷”，疑誤，據宋、元本及其他有關各本改。按汲古作“搖”，似因“搔”之形近致訛，亦可證作“搔”是也。
〔四〕“干”，刻本訛“千”。據稿本改。

焦氏易林注卷十一

損之第四十一

損

路多枳棘,步刺我足。不利旅客,爲心作毒[一]。

　　詳履之遯。

　　【補校】旅,宋、元本作孤。依汲古。

乾

鯉鮪鯽鰕,積福多魚。資所無有,富我邦家。

　　此用損象。坤爲魚,爲積,爲邦家。本卦乾爲福,爲富。○鮪鯽,宋、元本作鮒鮪。積作勣。均依汲古。邦,汲古作窮。依宋、元本。

　　【補校】無有,宋、元本作有無。依汲古。

坤

景星照堂,麟遊鳳翔。仁施大行,頌聲作興。征者無明,失

──────────

〔一〕"作",刻本誤"所",據稿本改。

其寵光。

> 此仍用遇卦象。詳豫之節。
>
> 【補校】征者,汲古作仁序。依宋、元本。

屯

羊腸九縈,相推稍前。止須王孫,乃能上天。

> 詳臨之巽。○上,汲古作至。依宋、元本。
>
> 【補校】乃,依元本。宋本、汲古作廼。同乃。

蒙

四手共身,莫適所閑。更相訪接,動失事便。

> 坤爲身,震卦數四,艮手,故曰四手共身。坤閉,故曰閑。震言艮手,正反艮震,故曰更相訪接,失事便也。○閑,汲古作國,依宋、元本。
>
> 【補校】閑,汲古作國。依宋、元本。訪,宋、元本作放。依汲古。

需

水流趨下,遠至東海。求我所有,買魴與鯉。

> 詳益之无妄。
>
> 【補校】第二句,宋本作逯至東來。元本逯作逮。汲古作逆。兹依局本、翟本及訟之比、益之无妄校。魴,汲古作鱣。依宋、元本。

訟

春栗夏棗[一],山鮮希有。斗千石萬,貴不可販。

〔一〕“夏”,刻本作“秋”,據稿本改。

詳否之漸。○山,元本作少。依汲古。

【補校】山,宋、元本作少。石萬,依宋、元本。汲古作萬石。

師

旦往暮還,相佑與聚,無有凶患。

　　震爲旦,爲行,爲歸。坎爲暮。坤爲聚,爲凶患。

比

大蛇當路,使季畏懼。湯火之災,切近我膚。賴其天幸,歸于室廬。

　　詳屯之井。○室,宋、元本作生。依汲古。近,各本作直。依屯之井校。

小畜

徙足去域,飛入陳國。有所畏避,深藏邃匿。

　　通豫。震爲足。艮爲域,爲飛,爲國。震爲陳,故曰飛入陳國。坎爲畏避,爲藏匿。全用伏象。○徙,宋、元本作徒。依汲古。飛,汲古作亂。依宋、元。

【補校】徙,宋、元本作從。汲古作徒。依宋、元本噬嗑之節校。

履

海爲水宗,聰聖且明。百流歸德,無有叛逆,常饒優足。

　　詳蒙之乾。○第二句,宋本、汲古作聰明且聖。依元本。德,汲古作得。依宋、元本。

泰

夏麥孴虋,霜擊其芒。病君敗國,使年大傷。

　　詳泰之賁。○虋,汲古作麰。病作疚。

【補校】虋、病,依宋、元本。

否

秋隼冬翔，數被嚴霜。雄犬夜鳴，家擾不寧。

　　詳賁之隨。○擾，各本皆作憂。依賁林校。嚴，汲古作履。依宋、元本。

　　【補校】犬，宋、元本訛父。依汲古。

同人

樂仁上德，東鄰慕義，來興吾國。

　　乾爲仁德。離爲東鄰。伏坤爲義，爲國。

　　【補校】義，汲古訛梁。依宋、元本。興，宋、元、汲古諸本皆作安。依翟本及泰之中孚校。

大有

逐憂除殃，污泥生梁，下田爲汪。

　　坎爲憂，爲殃。坎伏，故曰除。坎爲污泥，坤爲梁。爲水，爲下，故曰爲汪。汪，瀦水也。○汪，汲古作江。依宋、元本。逐，汲古作還。非。依宋、元本。

　　【補校】生梁，依宋本。元本作生梁。汲古訛上義。蓋上爲生之形訛，義與同人之梁互訛。

謙

暗昧冥語，轉相迷誤。鬼魅所居，誰知臥處。

　　坎隱，故暗昧。正反震，故語迷誤。坤爲迷，爲鬼。艮爲臥。坤迷坎隱，故不知。

　　【補校】暗，依宋本、汲古。元本作闇。同暗。轉，汲古作傳。依宋、元本。迷，宋本、汲古作誰。從元本。

豫

南歷玉田，東入玉關。登上福堂，飲萬歲漿。

震爲南，爲玉。艮爲田，爲關，爲堂。坤爲萬歲，爲漿。玉關，玉門關。漢書班超傳，但願生入玉門關[一]。玉田疑指和闐，和闐在南疆，出玉。

【補校】田，宋、元、汲古及所見其他各本皆作山。此似疑山爲田之譌字。然未詳所本，今謹記存俟考。

隨

比目四翼，來安我國。福善上堂，與我同牀。

互大離，若兩目相比，故曰比目。比目，魚名。巽爲魚。震爲翼，卦數四，故曰四翼。艮爲國，爲堂，爲牀。

【補校】牀，元本作床。依宋本、汲古。床、牀同。

蠱

乘牛逐驥，日暮不至。路宿多畏，亡其騂雒。

艮牛震馬，故曰乘牛逐驥。艮爲日，兌嚮晦，故曰日暮，曰路宿。艮爲路。納丙，色赤，故曰騂。震青，故曰雒。兌折，故亡。牛行遲，驥行速，乘牛逐驥，斷不能及，故亡其騂雒也。

臨

元吉无咎，安寧不殆。

震爲元。

觀

奮翅鼓翼，翱翔外國。逍遥徙倚，來歸温室。

伏震爲翼，爲飛。坤爲國，艮陽在上，故曰外國。艮爲室，艮火，故曰温室。

〔一〕“玉田”至“出玉”十三字，稿本無。兹依刻本。

噬嗑

河伯娶婦，東山氏女。新婚三日，浮雲洒雨。露我菅茅，萬邦蒙祐。

　　坎爲河，震爲伯，離爲坎婦。震爲娶，爲東。艮爲山，故曰東山氏女。坎爲婚。離日，震數三，故曰三日。坎爲雲雨，爲露。震爲草莽，在坎下，故曰露我菅茅。艮爲邦，震爲萬。史記，西門豹爲鄴令，三老五更爲河伯娶婦。然下云東山氏女，似別有故實。○露，宋、元本作雨。蒙作之。依汲古。茅，汲古作第。非。

　　【補校】露，元本作雨。依宋本、汲古。菅茅，汲古作管第。依宋、元本。

賁

嬰兒求乳，慈母歸子，黃麞悦喜。

　　○依履之同人，刪末句得見甘飽四字。

剥

貧鬼守門，日破我盆。毀罌傷瓶，空虛無子。

　　坤爲鬼，爲貧，爲門。艮爲守，爲日。伏兑爲破。震爲罌瓶，爲子。震覆，故曰破，曰傷，曰無子。坤爲虛。○瓶，元刊作缸。依宋本、汲古。

復

多載重負，捐棄於野[一]。王母誰子，但自勞苦。

　　坤厚，故能多載重負。坤爲野，坤喪，故曰捐棄於野。坤爲母，震爲王，爲子。坤死，故曰王母誰子。言無子也。坤爲勞。○第三

[一] "捐棄"二字，稿本、刻本誤倒。據宋、元、汲古及所見其他各本校改。又，"捐"字稿本作"損"，今依刻本。注文倣此。

句,宋、元本作予無稚子。汲古作手無誰子。依局本。

　　【補校】多,汲古作名。依宋、元本。捐,宋、元、汲古諸本皆作
損。依學津、局本。

无妄

雄狐綏綏,登山崔嵬。昭告顯功,大福允興。

　　詳咸之賁。

大畜

嬰兒孩子,未有知識。彼童而角,亂我政事。

　　艮爲嬰兒,震爲孩子。艮爲角。伏坤爲亂,爲政事。毛詩傳,
童,羊之無角者也。○子,汲古作笑。非。依宋、元本。彼,元本訛
狄。依汲古。角,宋、元、汲古作爭。依巽之節校。大雅,彼童而
角,實虹小子。孩子,本微子及易明夷六五。

　　【補校】孩,汲古作駭。依宋、元本。子,宋、元、汲古諸本皆作
笑。知作所。均依巽之節校。彼,元本作狄。汲古作狡。從宋本。

頤

十丸同投,爲雉所離。獨得逃脱,完全不虧。

　　坤數十,坎爲丸,伏大坎,故曰十丸。坤爲雉。離、罹同,遭也。
震爲逃脱。○離,宋、元本、汲古作維。依局本。逃,宋、元本作跳。
跳、逃通。史記,漢王跳。是其證。不,汲古作所。依宋、元本。

　　【補校】逃,依汲古。

大過

狐濟濡尾,求橘得枳。季姜懷悔,鮑舍魚髡。

　　伏艮爲狐,爲尾,爲求,爲橘,爲枳。巽爲姜,上兑,故曰季姜。
巽爲鮑魚,爲臭。伏坤爲悔,爲淮。上艮爲橘,下震爲反艮而中隔坤

水。攷工記,橘踰淮爲枳。以反艮爲枳,其切當神妙,真不可思議矣。〇臬、臭同。汲古作斃。非。求橘,汲古作來揭。依宋、元本。

【補校】姝,宋、元本作姝。依汲古。

坎

踆足息肩,所忌不難。金城銅郭,以鐵爲關。藩屏周衛,安全無患。

震爲足。艮爲踆,止也。艮爲金銅,爲鐵,爲城郭,爲關,爲藩屏。震爲周,爲衛。艮爲安。〇踆,宋、元本作跰。依汲古。

【補校】藩,從宋本、汲古。元本作蕃。通藩。全,宋、元本作止。依汲古。

離

戴堯扶禹,松喬彭祖。西過王母,道路夷易,無敢難者。

詳訟之家人。〇路,元刊作里。依宋本、汲古。

【補校】松,汲古作從。依宋、元本。

咸

京庾積聚,黍稷以極。行者疾至,可以厭飽。

爾雅,丘絕高曰京。詩小雅,曾孫之庾,如坻如京。傳,京,高丘也。艮爲京庾。互大坎,故曰積聚。巽爲黍稷,伏震爲行。中實,故曰厭飽。厭、饜同,足也。

恒

良夫孔姬,脅悝登臺。柴季不扶,衛輒走逃。

左傳哀十五年,渾良夫與太子蒯聵[一],脅孔悝,使立之。柴,

───────────

〔一〕"聵",稿本、刻本誤"瞶",據阮刻《左傳正義》改。

高柴。季,子路。不扶者,言不扶衞輒也。震爲夫,爲姬,爲孔。伏艮爲臺,爲季。艮手爲扶,艮伏,故不扶〔一〕。震爲衞,爲逃。○夫,宋本訛天。依元本、汲古。孔,汲古作䒠。脅悝作負理。均依宋、元本。柴,宋、元本作樂。或又作樂,謂爲樂寧,亦孔氏家臣。汲古又作昆。均非。依局本。孔姬,孔悝母。

【補校】衞,宋、元本作樂。依汲古。

遯

天之所予〔二〕,福禄常在,不憂危殆。

乾爲福禄。

大壯

行觸天剛,馬死車傷。身無寥賴,困窮乏糧。

參同契,天罡據西。注,天罡即北斗。家人之漸曰,魁罡所當,初爲敗殃。故曰馬死車傷。伏艮爲星,故曰天罡。震爲馬,爲車。伏坤爲身,爲窮乏。震爲糧。○剛,汲古作綱。依宋、元本。剛、罡同。寥,宋、元本作慅。依汲古。

【補校】剛,宋本、汲古作綱。依元本。

晉

鉛刀切玉,堅不可得。盡我筋力,胝𦜩爲疾。

艮爲刀,坤柔,故曰鉛刀。艮爲堅多節,故曰胝𦜩。坎爲疾。玉或爲艮堅象。○𦜩,汲古作胼。依宋、元本。𦜩,繭俗字。胝𦜩,言皮肉皺裂也。

〔一〕“扶”,刻本訛“拔”,據稿本改。
〔二〕“予”,稿本、刻本作“與”。疑音訛。據宋、元、汲古及所見其他各本改。檢小畜之遯正作“予”,可資參考。

【補校】切,宋、元本作攻。依汲古。

明夷

穆違百里,使孟奮武。將軍帥戰,敗於殷口。

　　詳蹇之離。坤爲百里。震爲孟,爲武,爲口。○違,汲古作逢。
帥作師。均依宋、元本。

　　【補校】帥,宋、元、汲古諸本皆作師。依局本及隨之復校。

家人

有人追亡,鳥言所匿,不日而得。

　　通解。震爲亡,爲追,爲人,爲言。離爲鳥。坎隱,故曰匿。離
爲日。此必有故事。如公冶長解鳥言之類,而今不能攷。○鳥,汲
古作爲。依宋、元本。日而,宋、元本作旅日。依汲古。

睽

府藏之富,王以振貸。捕魚河海,罟網多得。

　　此全用遇卦損象。坤爲府藏,爲多,故曰富。震爲王,爲振。
振、賑同,而古皆作振。坤爲魚,爲河海。離爲網罟,互大離,故曰
多得。○罟,宋、元作笱。笱之訛字。依汲古。

　　【補校】振,宋、元本作賑。依汲古。振、賑通。網,宋、元本作
罔。依汲古。罔、網同。

蹇

鴻飛遵陸,公歸不復,伯氏客宿。

　　艮爲鴻,爲陸。震爲公,爲歸。震覆,故不復。豳風詩九罭篇,
鴻飛遵陸,公歸不復。公謂周公。

解

鳧過稻廬,甘樂鱗鮋。雖驚不去,田畯懷憂。

此仍用遇卦損象。震爲鼀,爲稻,爲樂。艮爲廬。坤爲魚,故曰鱗鰡。震爲驚,艮止,故不去。坤爲田畯,農官也。艮爲官。坤爲憂。○鱗鰡,汲古作豻麴。依宋、元本。

【補校】鱗鰡,宋、元本作廣鰡。似當依同人之升作䗁鰡。謹記以備考。又,廬,汲古作蘆。依宋、元本。

益

雨師娶婦,黄巖季女。成禮既婚,相呼南去。膏澤田里,年豐大喜。

詳恒之晉。○南去,宋、元本作面南。汲古作而南。依恒之晉校[一]。澤,元本作潤。依宋本、汲古。田里,依恒之晉校。各本作應時。

【補校】女,宋、元、汲古諸本皆作子。兹依恒之晉汲古本校。

夬

蓄積有餘[二],糞土不居。美哉輪奐,出有高車。

乾實,故曰積。坤爲糞土,坤伏,故曰不居。伏大艮爲宫室,故曰輪奐,曰高。坤爲大輿。○糞,宋、元訛冀。依汲古。禮檀弓下,美哉,輪焉。美哉!奐焉。言高大也。

姤

重門擊柝,介士守護。終有他道,雖驚不懼。

此仍用遇卦損象。損二至上正反兩艮相對,故曰重門。震爲柝。艮爲擊,爲介。介,甲也。爲守護,爲終,爲道路。震爲驚,坤爲懼。

〔一〕“恒之晉”,稿本、刻本誤作“師之恒”,據各本林辭改。
〔二〕“蓄積”二字,稿本、刻本誤倒,據宋、元、汲古及所見其他各本校正。按兑之睽亦作“蓄積”,適可參。

【補校】元本作重門擊柝，陵昧武守，雖驚不懼三句。依宋本、汲古。惟元本又謂一云作四句，則與宋、元本同。

萃

大都王市，稠人多寶。公孫宜賈，資貨萬倍。

　　坤爲大都，巽爲市。伏震爲人，爲寶，坤爲多，故曰稠人多寶。震爲公，艮爲孫，巽爲賈，故曰公孫宜賈。坤爲資貨，爲萬，巽爲倍，故曰萬倍。○資貨，宋、元作其貸。依汲古。

升

秋隼冬翔，數被嚴霜。甲兵充庭，萬物不生。

　　詳賁之隨。○宋、元本多雄父夜鳴，民擾以驚八字。依汲古。
　　【補校】宋、元本所多八字，首二字宋本作雄犬，元本作雄父。又，充庭，宋、元本作當庭。汲古作庭堂。依局本、翟本。

困

招禍致凶，來螫我邦。痛在手足，不得安息。

　　通賁。坎爲禍，爲痛，爲螫。艮爲邦，爲手。震爲足。正反震，故不得息。

井

秦失其鹿，疾走先得。勇夫慕義，君子率服。

　　兌西，故曰秦。伏震爲鹿。坎爲失，爲疾。震爲走，爲勇夫。艮爲君子。○疾走，汲古作高足。依宋、元本。率，宋、元本作變。依汲古，

革

山陵四塞，遏我徑路。欲前不得，復還故處[一]。

〔一〕"前"，刻本作"還"，"還"作"我"。均據稿本改。詳同人之革，可證稿本是也。

已詳同人之革。

鼎

一指食肉，口無所得，舌饞於腹。

　　　詳頤之離。○一，當作以。饞，宋、元本作嚵。

　　　【補校】饞，從元本、汲古。宋本作嚵。通饞。

震

晨夜驚駭，不知所止。皇母相佑，卒得安處。

　　　震爲晨，互坎爲夜。艮爲止，坎隱，故不知。伏巽爲母，震爲
　　王，故曰皇母[一]。互艮爲安。

　　　【補校】佑，元本作祐。依宋本、汲古。祐、佑同。

艮

豺狼所言，語無成全。誤我白馬，使乾口來。

　　　艮爲豺狼。互震爲言語，正反震，故曰誤。震爲馬，爲白，爲
　　口。互大離，故曰乾口。○誤，汲古作設。非。依宋、元本。

　　　【補校】豺，汲古作擒。依宋、元本。

漸

呼精靈來，魄生無憂。疾病瘳愈，解我患愁。

　　　通歸妹。震爲呼；爲帝，故曰精靈。兌爲月。震生，震樂，而納
　　庚，初三月出庚，故曰魄生無憂。坎爲疾病，爲憂。震解，故病愈而
　　不愁也。○愈，宋、元本作瘉。依汲古。

　　　【補校】瘳愈，宋本作愈瘳。元本作瘉瘳。依汲古。

歸妹

牧羊逐兔，使魚捕鼠。任非其人，廢日無功，不免辛苦。

―――――――――――
〔一〕“皇”，刻本誤“王”，據稿本改。

兑羊震兔。伏巽爲魚,坎爲鼠。互離爲日。坎勞,故曰辛苦。羊逐兔,魚捕鼠,皆失所使[一],猶任人不當而無功也。○捕鼠,宋、元本作相捕,非。依汲古。廢日,汲古作卒歲。依宋、元本。

【補校】廢日,宋本、汲古作卒歲。依元本。

豐

堂祥上樓,與福俱居。帝姬冶好,國安無憂。

堂祥,疑與徜徉同。伏艮爲堂,爲樓,爲居,爲國,爲安。震爲帝,爲姬,兑爲冶好。互坎爲憂,震解,故無。○第三句,宋、元本作席地妃治。依汲古。

【補校】第三句,汲古作帝姬治好。此蓋以治爲冶之訛字,林義始通。按,翟本依宋、元作席地妃治,並引牟庭云,妃當作如。其説似亦可通,兹録以備考。

旅

禹召諸神,會稽南山。執玉萬國,天下康安。

通節。震爲王,坎勞,故曰禹。震爲神,坎眾,故曰諸神。艮爲山,震南,故曰會稽南山。震爲玉,艮爲執,爲國。坎眾,故曰萬國。艮爲天,爲安。○神,宋、元本作臣,非。依汲古。張衡賦,嘉羣神之執玉兮,疾防風之食言。是自漢皆作羣神。神猶后也。

【補校】神,元本作臣。依宋本、汲古。

巽

太姒文母,仍生聖子。昌發受命,爲天下主。

〔一〕"失"下,刻本脱"所"字,據稿本補。

太姒，文王妃，生武王發。文母爲太任。詩，思齊大任，文王之母是也。大任生昌，太姒生發，故曰仍生。大雅，大任有身，生此文王。又曰，纘女維莘，長子維行，篤生武王。林所本也。巽爲母，互離，故曰文母。伏震爲子，坎爲聖。巽爲命。伏震爲主，伏艮爲天。故曰爲天下主。

【補校】仍，宋、元本作乃。依汲古。

兌

兩置同室，兔無誰告。與狂相觸，蒙我以惡。

互離爲置，兌卦數二，故曰兩置。伏坎爲室。震爲兔，震伏，故兔無。伏震爲狂，三至上正反震相對，故曰與狂相觸。説文，室，實也。言置原有兔，因觸兔逸，反疑我也〔一〕。○以，汲古作與。非。依宋、元本〔二〕。

渙

桃雀竊脂，巢於小枝。動搖不安，爲風所吹。心寒悚惕，常憂殆危。

已詳噬嗑之渙。

【補校】第五句，宋、元本作寒恐悚慄。依汲古。

節

陽春長日，萬物華實，樂有利福。

震爲春，爲長。互大離，故曰長日。震爲萬物，爲華。艮爲果蓏，故曰實。震爲樂，爲福，伏巽爲利。

【補校】宋、元、汲古本皆云一作四句：春陽盛長，萬物成實。

〔一〕"説文"至"我也"十八字，稿本無。兹依刻本。
〔二〕"以"至"依宋、元本"，刻本無。據稿本補。

福利所鍾，忻忻過日。惟元本盛長作成長，成實作華實。

中孚

鄰不我顧，而望玉女。身疾瘖癩，誰肯媚者。

> 震爲鄰，艮爲顧，二四艮反，故不我顧。艮爲我，爲望。震爲玉，兌爲女，爲媚，故曰玉女。艮爲身而多節，故曰瘖癩。○我顧，汲古作顧我。依宋、元本。言不反省。

小過

涸旱不雨，澤竭無流。魚鱉乾口，皇天不憂。

> 艮爲火，故曰涸旱。兌爲雨澤，艮止，故不流。巽爲魚，艮爲鱉。兌爲口，艮火在下，故曰乾口。震爲帝，爲皇，艮爲天。震樂，故不憂。言災重如此，而天不恤。

既濟

狼虎之鄉，日爭凶訟。受性貪饕，不能容縱。

> 半象重艮，故曰狼虎，曰鄉。坎上下口相背，故訟。離爲日。又取損象，於爭訟尤切。

未濟

陰注陽疾，水離其室。舟楫大作，傷害黍稷。民饑於食，亦病心腹。

> 三陰皆在內，故曰注。注，灌也。陽皆在外，故疾。雜卦，未濟男之窮也。與此旨同。離、罹同。坎爲水，爲室。半震爲舟，坎爲楫。重震重坎，故曰大作。震爲黍稷。坎爲病，爲心，離爲腹。

> 【補校】注，汲古作住。依宋、元本。陽，元本作寒。依宋本、汲古。饑，宋、元本作飢。茲從汲古。

益之第四十二

益

文王四乳，仁愛篤厚。子畜十男，無有夭折。

> 詳頤之節。

> 【補校】夭折，宋、元本作折夭。依汲古。

乾

下堂出門，東至九山。逢福值喜，得其安閒。

> 此用遇卦益象。艮爲堂，坤爲下，爲門，震出。震東，數九，故曰九山。震爲福喜。艮爲山，爲安。○至，汲古作西。依宋、元本。

> 【補校】至，汲古作西。依宋、元本。閒，宋、元本作閑。依汲古。閑、閒同。

坤

城上有烏，自名破家。招呼鴆毒，爲國災患。

> 詳坤之蒙。○鴆，汲古作醜。依宋、元本。

> 【補校】災患，宋、元本作患災。依汲古。

屯

伯虎仲熊，德義淵泓。使敷五教，陰陽順序。

> 詳泰之隨。○泓，宋、元本作聞。依汲古。敷、教，汲古作布、穀。依宋、元本。

> 【補校】元本下多行溢多悔，利無所得二句。茲依宋本、汲古。

蒙

飲酒醉酗,跳起爭鬭。伯傷仲僵,東家治喪。

〇依比之鼎校。酗,宋、元本作酣。且多手足紛拏四字。

【補校】酗,汲古作卧。依比之鼎校。按,宋、元本第二句下多手足紛拏四字。元本末句下又多伯仲俱損,因以治喪八字。均依汲古删。

需

四目相視,稍近同軌。日昳之後,見吾伯姊。

互離爲目,兌數四,故曰四目。昳,日昃也。坎西,離與坎連,日向西,故曰日昳。兌爲伯姊,本大過也。〇軌,宋、元本作機。依汲古。姊,汲古作姨。依宋、元本。

【補校】軌,宋本作機。元本作机。汲古作執。依局本、瞿本及中孚之履校。

訟

隨時逐便,不失利門。多獲得福,富於封君。

伏震爲時,爲逐。乾爲門,巽爲利,故曰利門。乾爲福,爲富,爲君。〇多,汲古作靈。依宋、元本。

師

隴西冀北,多見駿馬。去如猋颶,害不能傷。

坎爲西,坤爲北。震爲馬,坤坎亦爲馬,故曰多見駿馬。坤爲風,故曰猋颶。猋音標,回風也。坎爲害,爲傷。震解,故不傷。

【補校】猋,宋、元、汲古皆作焱。依局本。颶,汲古作飀。依宋、元本。

比

白龍黑虎,起伏俱怒。蚩尤敗走,死於魚首。

詳蒙之坎。○汲古第三句多期戰盤空四字。依宋、元本删。

小畜

鴻飛戾天,避害紫淵。雖有鋒門,不能危身。

　　通豫。巽爲鴻[一],在乾上,故曰戾天。坤爲淵,爲害,坎隱
伏,故曰避害紫淵。離色紫也。鋒門,丁晏云,藝文志有逢門射法
二篇。師古曰,即逢蒙。艮爲鋒,坤爲門。坎爲矢,震爲射,故曰鋒
門。坤爲身。詩大雅,鳶飛戾天。注,戾,至也。

履

平國不君,夏氏作亂。烏號竊發,靈公隕命。

　　詳臨之晉。○君,汲古訛均。非。依元本。

　　【補校】君,依宋、元本。

泰

江漢上遊,政逆民憂。陰伐其陽,雄受其殃。

　　坤爲水,故曰江漢。在上,故曰上遊。坤爲政,爲逆,爲民,爲
憂。陰上陽下,故曰陰伐其陽,雄受其殃。○受其,汲古作者受。
依元本。

　　【補校】受其,依宋、元本。遊,元本作游。依宋本、汲古。游、
遊同。

否

東家殺牛,聞臭腥臊。神怒不顧,命衰絕周。亳社災燒,宋
公夷誅。

　　詳噬嗑之巽。命衰絕周者,言殷命將絕於周也。

────────

〔一〕“巽”,稿本作“震”。

【補校】牛，汲古作猪。衰絶周，作絶衰國。災作火。均依宋、元本。末句，宋、元本作妄夷誅愁。依汲古。

同人

西誅不服，恃强負力。倍道趨敵，師徒敗覆。

丁云似指項梁。卦伏師。師坎爲西，坤爲誅。震健，故恃强負力。震爲大塗，巽爲倍，故曰倍道趨敵。坤爲師徒，爲敗。○徒，汲古作走。非。

【補校】强，從宋本、汲古。元本作彊。同强。趨，宋本、汲古作趍。依元本。趍即趨之俗體。徒，宋、元、汲古諸本皆作走。依翟本及需之屯校。

大有

一婦六夫，亂擾不治。張亡季疾，莫適爲公。政道壅塞，周君失邦。

此用益象。上巽爲婦，下震爲夫。震數三，互艮亦爲夫，亦數三，故一婦六夫。坤爲亂。震爲張，艮爲季，坤爲亡，坎爲疾，故曰張亡季疾。震爲公，初至五正反震，故曰莫適爲公。坤爲政，艮爲道。艮止，故壅塞。震爲君，爲周，坤爲邦，坤喪，故周君失邦。○疾，汲古作莊。亡作王[一]。依宋、元本。後思王者强健，莊者嚴肅。張王季莊，頗與下句莫適爲公意合，而韻又協。或汲古是也。

【補校】亂擾，汲古作擾亂。壅塞作塞壅。均依宋、元本。又，亡，宋、元、汲古諸本皆作王。檢萃之損張王子季，亦作王。此謂作亡者，未詳何本。謹記以備考。

謙

配合相迎，利之四鄉。昏以爲期，明星煌煌。欣喜奭懌，所

〔一〕"亡作王"三字，及下文"後思"至"是也"三十三字，稿本無。兹依刻本。

言得當。

坎爲配合。坤爲鄉,震卦數四,故曰四鄉。坎爲昏。艮爲明,爲星。震爲喜,爲言。奭,盛也。○奭懌,宋、元本作爽澤。依汲古。鄉,汲古作潰。依宋、元本。

豫

猿墮高木,不蹉手足。握金懷玉,還歸其室。

詳蒙之臨。

【補校】墮,汲古作墜。依宋、元本。

隨

卷領遁世,仁德不害。三聖攸同,周國茂興。

詳需之震。○領,汲古作舌。攸,元刊作欣。依宋本。

【補校】領,依宋、元本、汲古。局本作舌。攸,依宋本、汲古。

蠱

去患脱厄,安無怵惕。上福喜堂,見我懽悦。

互大坎爲患,爲厄,爲怵惕。震爲福喜,一陽上升,故去患脱厄而無懼也。艮爲堂,爲我。兑見。○患,汲古作危。懽作喜。均依宋、元本〔一〕。

【補校】悦,元本作兑。依宋本、汲古。

臨

帶季兒良,時利權兵。將師合戰,敵不能當,趙魏以强。

通遁。艮爲季,巽爲帶,故曰帶季。帶季,即帶佗。震爲兒,爲良,故曰兒良。藝文志有兒良一篇,列兵家。過秦論,帶佗、兒良,

〔一〕"宋、元本",稿本、刻本誤作"汲古",據《焦氏易林》宋、元本改。

並稱兵家,故曰權兵。艮爲時,巽爲利。坤爲師。震爲戰,爲趙,爲強。○時利,宋、元本作明知[一]。依汲古。

觀

鵠思其雄,欲隨鳳東。順理羽翼,出次須日。中留北邑,復反其室。

> 詳明夷之益。○次須日、中,汲古作自日中、須。依宋、元本。

【補校】羽,汲古作兩。依宋、元本。

噬嗑

耳如驚鹿,不能定足。室家分散,各走匿竄。

> 互坎爲耳。震爲驚,爲鹿,爲足。艮爲室家。坎爲匿。○匿竄與散韻。汲古作鼠匿。非。依宋、元本。耳,汲古訛且。

【補校】耳,依宋、元本。

賁

甲乙丙丁,俱歸我庭。三丑六子,入門見母。

> 震東方甲乙,離南丙丁。艮爲庭,爲我,震爲歸,故曰俱歸我庭。艮居丑,數三,故曰三丑。坎居子,數六,故曰六子。艮爲門,伏巽爲母,離爲見。○歸,宋、元本作位。依汲古。

剝

躡華顛,觀浮雲。風不搖,雨不薄。心安吉,無患咎。

> 艮爲山,爲顛,伏兌爲西,故曰華顛。坤爲雲,爲風。兌爲雨,兌伏,故云不薄。坤爲心,爲患。艮安,故無。○此皆三字句。元本刪不搖,作四字句。非。依宋本、汲古。又,薄,元本作博。患作

〔一〕"知",稿本、刻本誤"智",據宋、元本改。

匪。亦非。

【補校】薄,依宋本、汲古。吉,元本作匪。依宋本、汲古。無患咎,元本作無咎患。汲古作患無咎。依宋本。

復

德施流行,利之四鄉。雨師灑道,風伯逐殃。巡狩封禪,以告成功。

震爲德,爲行。卦數四,坤爲鄉,故曰四鄉。坤爲師,爲水,故曰雨師。坤爲風,震爲伯,故曰風伯。獨斷云,雨師,畢星;風伯,箕星也。古者天下太平,天子必巡狩四方,封太山,禪梁父。震爲言,故曰以告成功[一]。

无妄

水流趨下,遂成東海。求我所有,買鱣與鯉。

詳損之需。

【補校】趨,宋、元本作趂。依汲古。趂即趨之俗字。

大畜

和氣相薄,膏潤津澤,生我嘉穀。

兑爲和,爲潤澤。震爲生,爲穀。

頤

憂驚以除,禍不成災,安全以來。

坤憂,震驚。艮安,正反艮,故曰憂驚以除,禍不成災。互坤爲災禍[二]。

〔一〕“古者”至“成功”廿八字,稿本無。兹依刻本。
〔二〕“故曰”至“災禍”十五字,稿本作“故无災禍,坤爲災禍也”。兹依刻本。

大過

堅冰黃鳥，常哀悲愁。不見白粒，但覩藜蒿。數驚鷔鳥，爲我心憂。

> 詳乾之噬嗑。○白，汲古作甘。依宋、元本。異爲白也。末句，宋、元本作飄爲我憂。依汲古。
>
> 【補校】藜，元本作蔾。依宋本、汲古。蔾、藜音義同。

坎

翕翕鞠鞠，隕墜崩顚。滅其令名，身命不全。

> 詳泰之謙。○下二句，宋、元本作滅其命身。依汲古。隕，各本皆作實。依否之離校。
>
> 【補校】鞠鞠，汲古作鞠鞠。依宋、元本。身命，汲古作長命。依學津、局本。

離

因禍受福，喜盈其室。

> 通坎。互艮爲室，震爲喜。○室，汲古作身。依宋、元本。
>
> 【補校】受，宋、元本作致。依汲古。

咸

陸居千里，不見河海，無有魚市。

> 坤爲陸，爲千里。爲河海，坤伏，故不見。巽爲魚，爲市，乾無，故曰無有魚市。○陸，宋、元本作佳[一]。依汲古。

恒

鹿得美草，鳴呼其友。九族和睦，不憂饑乏。

〔一〕"佳"下，稿本有"非"字。

詳同人之蹇〔一〕。

【補校】乏，宋本作之。依元本、汲古。

遯

出門得黨，不逢禍殃。入户自若，不見矛戟〔二〕。

乾爲門户，艮爲黨。坤爲禍殃，坤伏，故不逢。艮爲矛戟。巽爲入。爲伏，故不見矛戟。黨，助也。論語，君子不黨。注，相助爲非曰黨〔三〕。

【補校】黨，宋、元、汲古諸本皆作堂。惟局本注云，[illegible]作黨。兹依校。又，若，汲古作苦。依宋、元本。

大壯

罍尊重席，命我嘉客。福祐久長，不見禍殃。

震爲尊罍，爲席。兑卦數二，故曰重席。震爲嘉，爲客，爲長。乾爲福祐。坤爲禍殃，坤伏，故不見。○禍，汲古作咎。依宋、元本。罍，汲古作累。依宋、元本。

晉

鴻雁俱飛，北就魚池。鱣鮪鰋鯉，衆多饒有。一笱獲兩，利得過倍。

詳比之觀。○鮪，汲古作鮎。依宋、元本校。第四句，宋、元本作多饒所有。汲古作衆鳥饒有。皆非。依比之觀校。笱，汲古作鳴。依宋、元本。利得，宋、元本作利之。汲古作得之。皆非。仍依比之觀校。

〔一〕"詳同人之蹇"，稿本、刻本誤作"詳益之恒"。據諸本林辭改。
〔二〕"矛"，稿本訛"予"。兹依刻本。注文同。
〔三〕"黨，助也"至"曰黨"十六字，稿本無。兹依刻本。

【補校】鴻雁,宋、元本作鳴鴻。依汲古。鮪鱮,汲古作鱮黠。依宋、元本。

明夷

當風奮翼,與鳥飛北。入我家國,見吾慶室。

坤爲風,震爲翼。離爲鳥。坤爲北,爲家國。坎爲室,震喜,故曰慶室。

【補校】家,宋、元本作佳。依汲古。

家人

麒麟鳳凰,善政得祥。陰陽和調,國無災殃。

詳大有之旅。

【補校】得,元本作德。依宋本、汲古。得、德古通。

睽

逐狐東山,水遏我前。深不可涉,失其後便。

詳大畜之震。

【補校】遏,汲古作過。依宋、元本。

蹇

丑戌亥子,饑饉所生。陰爲暴客,水絕我食。

下艮先天居戌,後天居丑,坎居亥子。丑、戌、亥、子,皆在北方,北方屬水。史記貨殖傳,水毀木飢。故曰饑饉所生,曰陰爲暴客。北方坎水,故曰水絕我食。○所,宋、元本作前。爲作陽。均依汲古。

【補校】饑,宋、元本作飢。依汲古。飢通饑。

解

狐狸雄兔,畏人逃去。分走竄匿,不知所處。

詳睽之大有。○人，汲古作我。

【補校】人，從宋、元本。所處，汲古作處所。依宋、元本。

損

桀跖惡人，使德不通。炎旱爲殃，年穀大傷。

坤爲惡，故曰桀。伏巽爲盜，故曰跖。正反艮，故不通。震爲使也。艮爲火，故炎旱。震爲年穀，兑毀，故傷。○德，汲古作得。非。依宋、元本。

【補校】桀，汲古作傑。依宋、元本。

夬

兔乳在室，行來雀食。虎攫我子，長號不已。

此用遇卦益象。震爲兔。艮爲室，爲雀，爲虎。艮手，故曰攫。震爲子，爲長號。正反震，故曰不已。○在，汲古作立。非。依宋、元本。來，元本作求。攫訛懼。均依宋本、汲古。

【補校】攫，宋、元本訛懼。依汲古。

姤

土階明堂，禮讓益興。雄雌相得，使我無疾。

通復。坤爲土階〔一〕，爲禮。震爲興。一陽臨五陰，故曰雄雌相得。坤爲我，爲疾。震解，故無。

【補校】雌，宋、元本作二。我作民。均依汲古。

萃

送金出門，并失玉丸。往來井上，破甕壞盆。

坤爲門，互艮爲金。震爲玉，互大坎爲丸。震伏，故失玉丸。

〔一〕"土"，刻本訛"上"，據稿本改。

兌爲井，三至上正反兌，故曰往來井上。上，疑爲井。以重文作匕，故
訛爲上也。震爲甕，爲盆。震覆，故曰破。兌毀故也。往來井井，謂
三至上正反兌也。井初至四亦正反兌，由此證井象往來井井，亦由
正反兌。焦氏説之甚明也。○丸，汲古作兔。依宋、元本。

升

諷德誦功，美周盛隆。加其旦輔，光濟沖人。

震爲德，爲功。爲言，故曰諷誦。震爲周，爲旦，爲沖人。言周
公旦輔成王，以成周德。○光，汲古作夬。依宋、元本。

困

盜竊滅身，二母不親。王后無黨，毀其寶靈。

互巽爲盜，艮爲身。艮伏，故滅身。巽爲母，正反巽相背，故曰
二母，故曰不親。震爲王，爲寶。震伏，故毀。兌爲毀也。

【補校】二，依汲古。宋、元本作貳。即二。

井

六月騤騤，各欲有至。專征束裝，俟時旦明。

詳蹇之小過。○旦明，汲古作明旦。非。明與裝韻。依宋、元
本。惟首句各本皆作六目睽睽。非。因下云專征，故知用六月出
師詩也。時，各本作待[一]。均依小過校。

【補校】首句，宋本作六目騤騤。元本、汲古作六目睽睽。依
局本。專征，宋、元本作專止。汲古作專正。依局本。束，宋、元、
汲古各本皆作未。當爲束之形訛字。惟未獲確據，謹記存備考。

革

雀行求粒，誤入網罢。賴仁君子，復説歸室。

〔一〕"待"下，稿本有"非"字，無"均"字。兹依刻本。

離爲雀,爲網。巽爲粒。伏震爲仁,爲脱,爲歸。艮爲君子,爲室。○網,宋、元本作罟。説作脱。均依汲古。説,古皆通脱。易林用古字多。

鼎

仁德孔明,患禍不傷。期誓不至,室人銜恤。

通屯。震爲仁德,爲孔,艮爲明,故曰仁德孔明。坤爲患禍。艮爲室,震爲人,故曰室人。震爲銜,坤憂,故曰銜恤。

震

黿厭江海,陸行不止。自令枯槁,失其都市,雖憂无咎。

詳泰之節。○末句,汲古作憂悔咎生。非。依宋、元本。

艮

孤獨特處[一],莫依爲輔,心勞志苦。

坎爲孤,艮爲獨。坎爲心,爲勞。○汲古心上多正字,心下多允濟神三字,作四句。依宋、元本。

漸

伯仲言留,叔子云去。雖去无咎,主母大喜。

通歸妹。震爲伯,坎爲仲,艮爲叔。艮止,故留。震往,故去。巽爲母,震爲主,爲喜,故曰主母大喜。○雖,汲古訛誰。依宋、元本。雖去,宋、元本作雖自。汲古作誰云。依局本。

【補校】雖去,汲古、局本皆作誰云。惟翟本作雖云,注引牟庭説,謂云當作去。兹依校。

歸妹

初憂不安,後得笑懽,雖懼無患。

〔一〕“孤”,刻本訛“狐”,據稿本校改。

互坎爲憂。震爲笑,在外卦,故曰後。

豐

好戰亡國,師不以律。稱上隕墜,齊侯狠戾,被其災祟。

　　震爲戰。坤爲國,爲師。坎爲律。坤坎皆伏不見,故曰亡國,曰師不以律。巽爲齊,震爲諸侯,爲狠。離爲災。似指頃公。○被其,宋、元本作其被。依汲古。稱上二字疑有訛。

　　【補校】隕,依元本。宋本、汲古作殞。通隕。

旅

鹿在澤陂,豹傷其麛,泣血獨哀。

　　通節。震爲鹿,兌爲澤陂。艮爲豹,震爲麛。麛,鹿子也。兌折,故傷。坎爲血,爲獨。爲憂,故曰哀。○在,汲古作生。依宋、元本。泣,汲古作淬。依宋、元本。

巽

天地閉塞,仁智隱伏。商旅不行,利潤難得。

　　初至四大過,故曰天地閉塞。震爲仁,坎爲智。皆伏不見,故曰隱伏。震爲商旅,震伏,故不行。巽爲利。○閉,汲古作鈐。依宋、元本。

兌

福德之士,歡悅日喜。夷吾相桓,三歸爲臣,賞流子孫。

　　通艮。互震爲福德,爲士,爲喜。本卦互離,故曰日喜。震爲桓。爲歸,數三,故曰三歸。艮爲臣,爲孫。夷吾,管仲字。論語,管氏有三歸。三歸,臺名。

　　【補校】歡,從宋本、汲古。元本作懽。同歡。

渙

上無飛鳥,下無走獸。擾亂未治,民勞於事。

互艮爲鳥，上巽爲伏，故曰上無飛鳥。艮爲獸，下坎隱伏，故曰下無走獸。震爲走也。風散，故擾亂。坎爲民，爲勞。○擾亂，宋、元本作亂擾。依汲古。

【補校】下無，宋、元本作下乏。依汲古。

節

握斗運樞，順天無憂，與樂並居。

詳謙之觀。○汲古多所行造德四字。依宋、元本。汲古作小過林。

【補校】握，宋、元本作據。依汲古。

中孚

戴盆望天，不見星辰。顧小失大，福逃牆外。

艮爲戴，震爲盆，艮爲覆。震若戴盆於首，故不見天與星辰也。艮爲天，爲星。上巽爲伏，亦不見也。艮爲顧，爲小，震爲大。艮爲牆，伏小過震在艮外，故曰福逃牆外。○盆，宋、元本作瓶。牆作廬。依汲古。

小過

月削日衰，工女下機。宇宙滅明，不見三光。

兌爲月，艮爲日，艮手爲削。巽爲工，爲女，互坎爲機。風散艮止，故曰工女下機。艮爲天，爲宇宙。坎黑，故滅明，故不見三光。艮爲光，數三。○汲古作節林。

【補校】女，汲古作夫。依宋、元本。

既濟

操戟刺魚，被髮立憂。虎脫我衣，狼取我袍，亡馬失財。

此用益象。艮爲戟。巽爲魚，爲髮。艮爲虎狼。震爲衣，爲馬。〇衣，汲古作輿。依宋、元本。

未濟

兩人俱醉，相與悖戾。心乖不同，爭訟匈匈。

此仍用益象。坤迷，故曰醉。震爲人，坤數二，故曰兩人。坤爲悖戾，爲心。初至五正反震，故曰心乖，曰爭訟。

夬之第四十三

夬

戴堯扶禹,松喬彭祖。西遇王母,道路夷易,無敢難者。

詳訟之家人。〇松,汲古作從。非。

【補校】松,依宋、元本。遇,宋、元本作過。路作里。均依汲古。

乾

狼戾美謀,無言不殊。允厭帝心,悦以獲祐。

此用遇卦夬象。伏艮爲狼。兑爲言,乾亦爲言,而兑言與乾言相背,故曰殊。乾爲帝,爲祐。伏坤爲心,兑爲悦。

【補校】祐,依元本。宋本、汲古作佑。同祐。

坤

歲暮華落,陽入陰室。萬物伏匿,絶不可得。

候卦坤居亥,故曰歲暮。遇卦夬爲華。後天乾本居亥,陽爲陰所牝,故坤上六曰龍戰于野。戰即交也,故曰陽入陰室。其義詳焦氏易詁中。坤爲萬物,坤藏,故曰伏匿。

【補校】華,宋本、汲古作花。依元本。華、花同。

屯

雞鳴失時,君騷相憂。犬吠不休,行者稽留。

伏巽爲雞,震爲鳴,艮爲時,坎爲失。失時者,言至雞鳴而尚未治事,故下曰騷憂。震爲君,爲相,坤爲憂。艮爲犬。震爲吠,爲行。艮止,故稽留。〇相,汲古作於。依宋、元本。

蒙

梟鷺遊涇，君子以寧。履德不愆，福祿來成。

　　　　艮爲梟鷺，坎水故曰涇。艮爲君子。震爲德，爲福。艮爲成。
梟鷺，大雅篇名。首句及第四句皆詩語。

　　　　【補校】德，汲古作任。依宋、元本。

需

魃爲災虐，風吹雲卻〔一〕。欲上不得，復歸其宅。

　　　　通晉。坎爲鬼，離爲惡人，故曰魃。坎爲災，爲雲。坤爲風，艮
止，故不能上。艮爲宅。○首句，宋、元本作薄爲藩蔽，勁風吹卻。
汲古同，惟藩蔽作蕃皮。茲依小畜之中孚校。

訟

東行破車，步入危家。衡門垂倒〔二〕，無以爲主。賣袍續食，
糟糠不飽。

　　　　通明夷。震爲東行，爲車，爲步。坎爲破，爲室，故曰危家。
艮爲門，坎平，故曰衡門。艮覆，故曰垂倒。震爲主，爲袍，爲食。
爲商，故曰賣。震爲糟糠，坤虛故不飽。○行，汲古作人。依宋、
元本。

師

青牛白咽，呼我俱田〔三〕。歷山之下，可以多耕。歲稔時節，
民人安寧。

〔一〕“卻”，稿本、刻本作“郤”，依小畜之中孚校改。注文同。
〔二〕“垂倒”二字，稿本、刻本倒置，據宋、元、汲古及所見其他各本改。注文做
　　此。
〔三〕“田”，刻本訛“因”，據稿本改。

詳觀林。

【補校】稔時，汲古作精之。依宋、元本。

比

異國殊俗，情不相得。金木爲仇，百賊擅殺。

坤爲國，爲俗。重坤，故曰異國殊俗。坤爲心志，故曰情。艮爲金，坎爲木，爲仇。金尅木，故相仇。坎爲賊，坤爲百，爲殺，故曰百賊擅殺。○殺，汲古作穀。依宋、元本。

小畜

陰陽精液，膏熟脱拆。胎卵成魄，肇生頭目，日有大喜。

通豫。乾陽坤陰。坎爲精液，爲膏。巽下斷，故曰拆。震爲胎，爲卵，坤爲魄，故曰胎卵成魄[一]。艮爲頭。離爲目，爲日。震爲喜。○脱，宋、元本作晚[二]。依汲古。胎，汲古作治。喜作吉。均依宋、元本。晉語，其魄兆乎民矣。注，魄，形也。成魄者，言由精液而成胎卵之形，頭目以次生也[三]。

【補校】拆，汲古作折。卵作卯。均依宋、元本。又，膏、魄，宋、元、汲古及所見其他各本皆作高，作鬼。疑皆爲形訛字[四]。然未獲所據，謹録存備考。

履

饑蟲作害，偏多亂纏，緒不可得。

離虚，故饑。巽爲蟲，故曰饑蟲。巽爲纏，爲緒。離爲亂，故難

〔一〕 “魄”下，稿本有“魄，形也”。兹依刻本。
〔二〕 “晚”，稿本、刻本誤“免”，據宋、元本改。
〔三〕 “晉語”至“生也”三十一字，稿本無。兹依刻本。
〔四〕 按翟本亦疑“膏”、“鬼”二字訛，謂“膏”當作“果”，“鬼”當作“兒”。可備一説。

得緒。〇蟲，宋、元本作蠱。姑依汲古。疑蠱之訛。二三句，汲古作多亂纏綿，不可得秋。依宋、元本。

【補校】饑，宋、元本作飢。茲依汲古。飢、饑通。

泰

青蛉如雲，爲兵導先。民人冤急，不知東西。

伏巽爲蟲，爲青蛉。坤爲雲。爲衆，故爲兵。震爲民人，爲急。坤憂，故曰冤急。震東兌西，體連，故不知東西。〇東西，宋、元本作西東。依汲古。青蛉，宋、元本作清泠[一]。依臨之夬校。按，清泠，淵名。見山海經、莊子。茲曰如雲，則非淵也。疑清泠爲蜻蛉之訛[二]，抑或古字通用。吕氏春秋，有人好蜻蛉者，每朝至海上，蜻蛉從遊者數萬[三]。又漢志，越巂郡有青蛉縣，青蛉水。而水經注作蜻蛉。是青蛉與蜻蛉通用，故依臨之夬校。此似有故實，俟攷。

【補校】青蛉，宋本、汲古作清泠。元本作清泠。冤，汲古作寬。依宋、元本。

否

班馬旋師，以息勞疲。役夫嘉喜，入户見妻。

詳觀之既濟。

【補校】疲，從宋本、汲古。元本作罷。通疲。

同人

坐爭立訟，紛紛匈匈。卒成禍亂，災及家公。

詳大過之坎[四]。

〔一〕“泠”，刻本訛“泠”，據稿本改。下句同。又，“宋、元”，稿本作“各”。依刻本。
〔二〕“泠”，刻本誤“泠”，“蜻”誤“青”，均據稿本改。下句“蜻”字同。
〔三〕“遊”下，稿本有“至”字。
〔四〕“坎”，稿本、刻本誤“離”，據各本林辭校改。

【補校】匃匃,汲古作詢詢。災詷靈。均依宋、元本。

大有

鹿食美草,逍遙求飽。趨走山間,過期乃還,肥澤且厭。

通比。艮爲鹿,坤爲草。坎實,故飽。艮爲求,爲山。爲時,故曰期。坎爲肥澤。厭,足也。○第三句,宋、元本作日暮後門。依汲古。

謙

圌鼠野雉,意常欲去。拘制籠檻,不得搖動。

詳需之隨。

【補校】雉,宋、元本作雛。從汲古。常,汲古作尚。依宋、元本。

豫

日趨月步,周遍次舍。歷險致遠,無有難處。

艮日坎月。震爲步趨,爲周。艮爲次舍。坎險震出,故無難處。

【補校】首句,宋、元本作月趍日步。依汲古。

隨

天孫帝子,與日月處。光榮於世,福禄祉祉。

詳解之臨。○祉祉,依宋、元本。汲古作祺祉。

蠱

晨風文翰,大舉就温。昧過我邑,羿無所得。

詳小畜之革。文翰,鳥名,見逸周書〔一〕。

〔一〕"見",稿本、刻本下脱"逸"字,據《漢魏叢書》本《逸周書・王會篇》校補。又,大過之豫尚注亦有"逸"字,可參閲。

【補校】昧，汲古作時。依宋、元本。

臨

旦生夕死，名曰嬰鬼，不可得祀。

○祀，宋、元本作視。汲古作潛視。依小畜之升校。

【補校】鬼，汲古作兒。依宋、元本。

觀

疾貧望幸，使伯南販。開牢擇羊，多得大羘。

詳訟之遯。

【補校】幸，宋、元本作仕。依汲古。羘，宋本、汲古作牂。從元本。

噬嗑

長城驪山，生民大殘。涉叔發難，唐叔爲患。

艮爲城，爲山；震爲長，爲馬，故曰長城驪山。坎爲民，爲殘破，故曰生民大殘。艮爲叔。涉，陳勝字；叔，吳廣字。坎爲患。言秦役民築長城、驪山，民不堪命。陳、吳因以爲亂，而唐叔興起也。漢爲唐堯後。劉向高祖頌云，漢帝本系，出自唐帝。又隨之剥云，唐季發憤，禽滅子嬰。皆指漢高。牟庭謂唐爲廣，是不知涉叔爲二人，並不知唐季即劉季，故謬誤若斯也。○涉叔，汲古作涉并。依宋、元本〔一〕。

【補校】民，宋、元本作我。依汲古。

賁

娶於姜吕，駕迎新婦。少齊在門，夫子歡喜。

〔一〕此下刻本多"牟庭云唐叔應作廣叔，非"十字，據稿本删。按，稿本此十字已標删除號，刻本誤屬入也。

詳否之渙。

剝

隨時草木，灌枝葉起。扶疏條桃，長大盛美，華沃鑠舒。

　　艮爲時，爲木。坤爲草。○草木，宋、元本作春草。依汲古。
灌枝，宋、元本作舊枝。汲古作灌時。今枝依宋、元本，灌依汲古。
第五句亦有訛字。

　　【補校】盛美，宋、元本作美盛。依汲古。舒，汲古作疎。依
宋、元本。

復

姬姜既歡，二姓爲婚。霜降合好，西施在前。

　　震爲姬，伏巽爲姜。坤爲姓，數二，故曰二姓爲婚。坤爲霜。
荀子，霜降婚嫁，冰泮殺止。西施，吳王妃。陽息至二成兌爲西，故
曰在前。○既，汲古作悅。依宋、元本。

　　【補校】歡，元本作懽。依宋本、汲古。懽、歡同。

无妄

戴笠獨宿，晝不見日。勤苦無代，長勞悲思。

　　艮爲戴，爲笠。巽伏，故曰宿。巽寡，故獨宿。乾爲晝，爲日。
巽伏，故不見日。伏坤爲勞，爲悲思。○苦、代，汲古作勞、妄。依
宋、元本。

大畜

始加元服，二十繫室。新婚既樂，伯季有得。

　　古者年二十行冠禮，艮爲冠，故曰元服。乾爲始，故曰始加。
兌數二，又數十，艮爲室，伏巽爲繩，故曰二十繫室。易繫，釋文云，
繫，系也，續也。二十繫室者，言繼續將有室家也，故下曰新婚。或

曰古男子三十而娶。然證以孔子、伯魚之年,亦不拘也。震爲嫁,
故曰婚。爲樂,爲伯。艮爲季。○得,汲古作德。依宋、元本。

【補校】加,汲古作如。依宋、元本。

頤

二至靈臺,文所止遊。雲物備具,長樂無憂。

　　震爲冬至,震之反則夏至矣,故曰二至。靈臺,艮爲臺。坤爲
文,艮止震遊,故曰文所止遊。坤爲雲,爲物,爲憂。震樂,故不憂。
左傳,至日登臺,望雲物。○具,宋、元本作故。依汲古。文謂文
王。詩大雅,經始靈臺,經之營之。又曰,王在靈囿。

大過

久陰霖雨,塗行泥潦。商人休止,市空無寶。

　　伏坤爲陰,爲水。互大坎,故曰霖雨。伏震爲大塗,坤爲泥潦。
震爲商人,艮止,故休。巽爲市,坤虛,故曰市空。震爲玉,爲寶。
震伏,故曰無寶。○休止,宋、元本作依山〔一〕。依汲古。寶,各本
皆作有。依革之睽校。

坎

**城壞壓境,數爲齊病。侵伐不休,君臣擾亂〔二〕。上下屈竭,
士民乏財。**

　　互艮爲城,坎破,故曰城壞。艮爲境。伏巽爲齊,坎爲病,上下
坎,故曰數爲齊病。震爲侵伐,正反震,故曰不休。震君艮臣,正反
艮震,故曰擾亂,曰上下屈竭。巽爲利,巽伏,故乏財。震爲士也。
林意似指吳伐齊事。○乏,宋、元本作無。依汲古。

─────────────

〔一〕“依”,刻本訛“休”,據稿本改。
〔二〕“亂”,稿本作“憂”。茲依刻本。注文同。

【補校】亂，各本皆作憂。此作亂字，未詳何據。馬生新欽疑依屯之師擾亂並作校。

離

南國盛茂，黍稷醴酒。可以饗養，樂我嘉友。

　　通坎。艮爲國，離南，故曰南國。震爲盛茂，爲黍稷。坎爲酒。兌口，故曰饗養。艮爲友，震爲樂。○友，依宋、元本。汲古作祐。

咸

憂在心腹，內崩爲疾。禍起蕭牆，意如制國。

　　通損。坤爲憂，爲心腹，爲內，爲疾。兌爲毀折[一]，與坤連體，故曰憂在心腹，內崩爲疾。坤爲禍，爲牆，震爲草莽，故曰蕭牆。坤爲心意，爲國。意如，魯三家季平子名也。論語，吾恐季氏之憂，不在顓臾，而在蕭牆之內也。制國，言專政。

恒

朽根刖樹，華葉落去。卒逢大猋，隨風僵仆。

　　巽木下斷，故曰朽根，故曰刖樹。兌華震葉，巽隕，故曰落去。初至四正反巽，故曰猋。猋，回風也。巽隕落，故僵仆。○大猋，宋、元本作火焱。非。依汲古。

　　【補校】大猋，汲古作大焱。依局本。華，宋本、汲古作花。依元本。花、華同。僵仆，汲古作疆什。依宋、元本。

遯

樹表爲壇，相與期言。午中不會，寵榮棄廢。

　　史記田穰苴傳，苴與莊賈期旦日日中會，先期至軍，立表下漏，

────────────

〔一〕“毀”下，刻本脫“折”字。據稿本補。

以待莊賈。日午不至,殺之。艮爲壇。爲時,爲言,故曰期言。艮
爲日,納丙,故曰日午。乾爲寵榮,陰消陽,故曰寵榮廢棄。○榮,
宋、元本作名。依汲古。期,汲古作笑。非。依宋、元本。

【補校】廢,汲古作袯。依宋、元本。

大壯

四足俱走,奴疲在後。兩戰不勝,敗於東楚。

震卦數四,故曰四足。艮爲奴僕,艮伏,故曰在後。震爲戰,兌
卦數二,故曰兩戰。震爲東,爲楚。兌毀,故敗。○兩,宋、元本作
德。非。依汲古。

【補校】奴,汲古作駑。在作任。均依宋、元本。疲,依宋本、
汲古。元本作罷。通疲。

晉

執彎西朝,回還故處。麥秀傷心,叔父有憂。

通需。兌爲西,艮手爲執,爲拘。彎所以拘拂馬,疑艮象也。
坤爲麥,爲心。艮爲叔,乾爲父,坤憂。言箕子朝周,過殷墟[一],
作麥秀之歌。箕子爲紂叔父。○西,汲古作在。依宋、元本。有,
宋本、汲古作無。依元本。

明夷

夜長日短,陰爲陽賊。萬物空枯,藏於北陸。

震爲長,坤坎皆爲夜,故曰夜長。離日,居坎,故曰短。陽皆
在陰下,坎爲盜[二],故曰陰爲陽賊。言陰賊陽也。坤爲萬物,爲
空虛,離爲枯。坤藏坎北,故曰藏於北陸。○首句,宋、元本作長

〔一〕"過",刻本訛"遇",據稿本改。
〔二〕"盜",稿本作"賊"。兹依刻本。

夜短日〔一〕。依汲古。

家人

鳲鳩七子,均而不殆。長大成就,棄而合好。

　　離爲鳩。伏震爲子,數七,故曰七子。巽爲長大,坎爲合。○
鳲,各本訛鳴。非。殆音以,與子韻。鳲鳩,曹風篇名。鳲鳩在桑,
其子七兮。淑人君子,其儀一兮。

　　【補校】鳲,宋本、汲古作鳴。依元本。而合,汲古作合如。依
朱、元本。

睽

三羊上山,馳至大原〔二〕。黃龍負舟,遂到夷陽,究其玉囊。

　　兌爲羊,離卦數三,故曰三羊。伏艮爲山。餘象未詳。○遂,
汲古作逐。

　　【補校】遂,從宋、元本。陽,宋、元本作傷。從汲古。究,汲古
作宛。依宋、元本。

蹇

首足易處,頭尾顛倒。公爲雌嫗,亂其蠶織。

　　此用夬象。乾爲首在下,伏震爲足,覆在上,故曰首足易處。
乾爲頭在下,伏艮爲尾在上,故曰首尾顛倒。乾爲公。上兌,故曰
雌嫗。巽爲蠶,爲織。巽覆,故曰亂其蠶織。

　　【補校】首,宋、元本作手。依汲古。

〔一〕"作"上,刻本脱"宋、元本"三字,據稿本補。
〔二〕"大",稿本、刻本作"太",據宋、元、汲古及所見其他各本改。按,尚注蓋讀
　　"大"爲"太",二字音義固通。

解

登高望家，役事未休。王事靡鹽，不得逍遙。

　　　詳鼎之困。

　　　【補校】事，宋、元本作政。依汲古。

損

畏昏不行，候旦待明。燎獵受福，老賴其慶。

　　　兌爲昧，坤爲畏，爲昏。震爲行，坤爲閉，故曰畏昏不行。艮爲明，
　　震爲旦，艮止，故曰候旦待明。震爲獵，艮爲火，故曰燎獵。坤爲老。
　　震爲福慶。太公年八十遇文王田獵，後封於齊，故曰老賴其慶。

　　　【補校】旦待，宋、元本作待旦。依汲古。

益

孤獨特處，莫依爲輔，心勞志苦。

　　　詳益之艮。

　　　【補校】爲，宋、元、汲古各本皆作無。依翟本及益之艮校。

姤

山石朽破，消崩墮墜。上下離心，君受其祟。

　　　乾爲山，爲石。下斷，故朽破、墜墮。乾爲上，巽爲下。坤爲
　　心，坤伏，故離心。乾爲君。陰消陽，故君受其祟。〇墮墜，汲古作
　　墜墮。不協。依宋、元本。祟、墜皆去聲。

萃

文母聖子，無疆壽考，爲天下主。

　　　坤爲文，爲母。伏乾爲聖，震爲子，故曰文母聖子。艮爲壽。
　　坤爲天下，伏震爲主。〇宋、元本多人受其福四字。依汲古。

升

倔傀無儀，前後相違。言如鱉咳，語不可知。

坤爲儀。兌剛鹵，故爲倔傀。倔傀，倔强貌。兌見巽伏，故曰前後相違。震爲言，爲咳，伏艮爲鱉。初至四正反兌，故語不可知。詩，無非無儀，惟酒食是議〔一〕。

【補校】無儀，宋、元本作加俄。汲古作如儀。按，此作無儀者，蓋依詩小雅斯干無非無儀校，於義宜通。今謹紀以存考。

困

五龍俱起，强者敗走。露我苗稼，年歲大有。

巽卦數五，伏震爲龍，故曰五龍。兌爲剛强，兌毀，故曰敗走。巽爲苗稼，兌爲雨澤，故曰露我苗稼。伏震爲年歲。○敗，宋、元本作敢。依汲古。

【補校】起，宋、元本作超。依汲古。

井

虡除善疑，難爲攻醫。驥疲鹽車，困於銜箠。

詳艮之夬。伏艮爲虡除〔二〕，坎爲疑。震爲驥，爲車。兌爲鹵，故曰鹽車。坎勞，故疲困。兌爲銜，震爲箠。○虡，宋、元本作虎。汲古作雷。依艮之夬校。攻，宋本、汲古作功。元本作政。政者，攻形之訛。功者，攻音之訛。亦依艮之夬校。攻，治也。難，汲古作雖。依宋、元本。

【補校】疑，宋、元、汲古諸本皆作猛。依翟本及艮之夬校。困，汲古作出。依宋、元本。

〔一〕“詩”至“是議”十字，稿本無。兹依刻本。
〔二〕“虡”，刻本作“遽”。兹依本林辭及下文校。按此林“虡”字，稿本皆作“遽”，蓋付刻時依艮之夬均改作“虡”，唯此句似偶遺，今一並校訂之。

革

江南多蝮，螫我手足。冤煩詰屈，痛徹心腹。

通蒙。坎爲江，爲螫，爲蝮。震爲南，爲足。艮爲手。坎爲冤煩，爲詰屈，爲痛，爲心。坤爲腹。○我，宋、元本作於。

【補校】我，依汲古。

鼎

心無所據，射鹿不得。多言少實，語無成事。

通屯。坎爲心。震爲射，爲鹿。正反震，故曰多言。坤虛，故少實。○所，汲古作可。依宋、元本。無成，宋、元本作成無。依汲古。

震

君明臣賢，鳴求其友。顯德之士，可以履土。

震爲君。互艮爲臣，爲明，爲友，爲求。震爲鳴，爲德。艮爲顯，故曰顯德。震爲士，爲履。坎爲土。○土，宋、元作事。依汲古。

【補校】土，汲古作立。依學津、局本。鳴，汲古作民。其作具。均依宋、元本。又，士，各本皆作政。賁之節作徒。此作士，疑別有所據。馬生新欽謂當依遯之革福德之士校。

艮

安上宜官，一日九遷。踰羣越等，牧養常山。

詳履之節。○上，汲古作土〔一〕。羣越作越羣。均依宋、元本。養，宋、元作在。依汲古。

漸

峻詞解謝，除去垢汙。驚之成患，嬰去酷殘。

〔一〕“土”，刻本訛“士”。據稿本改。

艮山,故曰峻。峻詞,猶嚴詞也。坎爲垢汙。伏震爲驚,坎爲
患。○峻,汲古作保[一]。汙作活。嫛作屢。均依宋、元本。去
酷,宋、元本作氏醳。依汲古。嫛蓋攖之假借字。

【補校】峻,宋、元本作俊。按各本未見作峻者,抑形近訛爲
俊,今謹存疑俟考。

歸妹

翁狂嫗盲,相牽北行。欲歸高邑,迷惑不得。

震爲翁,爲狂。伏巽爲嫗,兌半離,故曰嫗盲。伏艮爲牽,互坎
故北行。震爲行,爲歸。艮爲高邑。坎疑,故曰迷惑不得。言不得
至高邑也[二]。

【補校】翁,汲古作不。盲作肓。不作公。均依宋、元本。

豐

醉臥道傍,迷旦失明,不全我生。

通渙。巽進退不果,故曰醉。震爲道傍,爲旦。艮爲明,坎隱,
故曰失明。坎破,故曰不全我生。震爲生。○旦,汲古訛且。全訛
合。均依宋、元本。

旅

北登鬼丘,駕龍東遊。王叔御后,文武何憂。

通節。坎爲北,爲鬼,艮丘,故曰北登鬼丘。震爲龍,位東,故
曰駕龍東遊。震爲王[三],艮爲叔,故曰王叔。王良善御[四],故不
憂。離爲文,伏震爲武。○叔,汲古作母。依宋、元本。

〔一〕"保",刻本誤"汙",據稿本改。
〔二〕"得"下,刻本脱"至"字,據稿本補。
〔三〕刻本"震"下脱"爲"字,據稿本校補。
〔四〕刻本"良"訛"艮",據稿本校改。

巽

恬淡無患，遊戲道門。與神往來，長樂以安。

巽爲伏，故曰恬淡。坎伏，故無患。伏震爲遊戲，艮爲道，爲門。震爲神，巽究成震，故曰與神往來。震爲樂。○往來，汲古作來往。樂，汲古作出。均依宋、元本。

兌

以緇易絲，抱布自媒。棄禮急情，卒罹憂悔。

詳蒙之困。○憂悔，汲古作悔憂。依宋、元本。緇，元本作婚[一]。依宋本、汲古。急情，汲古作怠惰。依宋、元本。

【補校】憂悔，宋本、汲古作悔憂。依元本。絲，元本作系。依宋本、汲古。

渙

被服衣冠，遊戲道門。以禮相終，身無災患。

震爲衣。艮爲冠，爲道，爲門，爲終，爲身。坎爲災患，震解，故無。○衣，宋、元本作大。災作殃。皆依汲古。

節

大麓魚池，陸爲海涯。君子失行，小人相携。

中爻艮爲山麓，伏巽爲魚，兌爲池，故曰大麓魚池。兌爲海，艮爲陸，艮兌連體，故曰陸爲海涯。艮爲君子，艮止故失行。震爲人，兌小，故曰小人。艮手爲携，正反艮，故曰相携。○大，汲古作天。池作地。依宋、元本。

【補校】携，汲古作擕。茲依宋、元本。携即擕。

〔一〕刻本"婚"誤"緇"，據稿本校改。

中孚

淵泉溢出，爲我邑祟。道路不通，孩子心憒。

　　　兌爲淵泉，互震出，故曰淵泉溢出。艮爲我，爲邑，兌毀，故曰爲我邑祟。震爲道路，艮止，故不通。震爲孩子，坎爲心。卦中虛無心，故曰孩子心憒。集韻，憒，亂也。孩子與箕子音同。易林以震爲孩子，是讀明夷六五箕子之明夷爲孩子之明夷也。○我邑，汲古作邑之。依宋、元本。憒，元本作慣[一]。依宋本、汲古。

小過

十里望烟，散渙四方，形體滅亡。可入深淵，終不見君。

　　　詳豫之觀。○方，汲古作分。依宋、元本。

　　　【補校】烟，元本作煙。玆依宋本、汲古。煙、烟同。方，宋、元本、汲古皆作分。依學津、局本。

既濟

傳言相誤，非干徑路。鳴鼓逐狼，不知迹處。

　　　詳乾之无妄。○干，毛作奸。宋、元作奸。依无妄校。徑，汲古訛經。誤作談。依宋、元本。

未濟

東失大珠，西行棄襦。時多不利，使我後起。

　　　多用半象。漢書，終軍至關，棄襦於地。注，襦，關驗也。按易既濟、漢書皆作繻。繻、襦通用。周禮羅氏及弓人，前鄭注兩引易，既作襦又作繻。是通用也。

―――――――――

〔一〕“慣”，稿本、刻本誤“貫”，據元刊本校改。

姤之第四十四

姤

河伯大呼,津不可渡。往復爾故,乃無大悔。

　　　詳屯之大有。

　　　【補校】爾,汲古作示。依宋、元本。

乾

蒙被恩德,長大成就。柔順利貞,君臣合好。

　　　此用姤象。上乾爲恩德,爲大。下巽爲柔順〔一〕。姤象傳,天地相遇。天地即君臣,故曰君臣合好。

　　　【補校】利貞,元本作貞利。依宋本、汲古。

坤

東山西山,各自止安。心雖相望,竟不同堂。

　　　詳漸之屯。○第三句,汲古本作雖欲登望。依宋、元本。竟,宋、元本作意。依汲古。

屯

登山上谷,與虎相觸〔二〕。猾爲功曹,班叔奔北,脫之嘉國。

　　　詳蹇之艮〔三〕。

　　　【補校】國,汲古訛同。依宋、元本。

〔一〕"柔"下,刻本脱"順"字,據稿本補。

〔二〕"觸",稿本、刻本誤"觴",據宋、元、汲古及所見其他各本改。按蹇之艮正作"觸",亦可參攷。

〔三〕"蹇",稿本、刻本誤"解",據諸本林辭校改。

蒙

蹎跌未起,失利後市,不得鹿子。

坎蹇,故跌。巽爲利市,巽伏,故失利後市。震爲鹿子,坤喪,故不得。○宋、元本無末句。依汲古。

【補校】跌,宋、元本作跋。依汲古。

需

結珠懷履,卑斯似鬼,爲君奴婢。

通晉。震爲珠、履,震覆,故曰結珠懷履。言不見也。艮爲奴婢,爲斯役。坤爲鬼。○似,汲古作以。依宋、元本[一]。

【補校】卑,汲古作卓。鬼作思。均依宋、元本。似,宋、元、汲古各本皆作以。按,以讀若似,據通假校之或亦可通。惟未獲別本例證,謹紀以備考。

訟

雞鳴失時,民僑勞苦。厖吠有威,行者留止。

通明夷。巽爲雞,爲鳴。震爲時辰,坎失,故失時。坤爲民,與震連,故曰僑。僑,旅寓也。震爲商旅,坎爲勞。震爲厖。厖,多毛犬也。震多毛,故爲厖。震爲威。坎陷,故留止。○三四句[二],汲古作犬吠不休,留止作稽留。依宋、元本。此似說鄭風女曰雞鳴詩意,故曰勞苦。非齊雞鳴詩也。召南無使尨也吠。茲作厖。說文,厖,多毛犬。毛傳,尨,狗也。是焦與毛義同,而字微異。

師

陳嬀敬仲,示兆興姜。乃適營丘,八世大昌。

〔一〕“依宋、元本”,刻本誤作“依汲古”,據稿本改。
〔二〕“四”下,稿本、刻本無“句”字。謹依語意補足。

詳屯之噬嗑。○第二三句,汲古作北興齊姜[一],營丘立適。依宋、元本。

【補校】適,宋、元本作寓。依比之豫校。

比

鹿畏人匿,俱入深谷。短命不長,爲虎所得,死於牙腹。

震爲鹿,震覆,坎爲隱,爲畏,故曰鹿畏人匿。艮爲谷,初至五形長,故曰深谷。艮爲虎,坤爲死,故曰短命。坤爲腹,伏兌爲牙,故曰死於牙腹。

小畜

言無約結,不成券契。殷叔季姬,公孫爭之。强入委禽,不悦於心,乃適子南。

詳頤之革。○姬,宋、元本作女。依汲古。事在昭元年。

【補校】券契,宋、元本作契券。依汲古。

履

鼓瑟歌舞,懽遺於酒。龍喜張口,大喜在後。

通謙。震爲鼓,爲瑟,爲歌舞,爲歡喜。坎爲酒。震爲龍,爲口,爲後。○遺,汲古作悦。依宋、元本。

【補校】大喜,汲古作大悦。依宋、元本。

泰

凶憂災殃,日益章明。禍不可救,三郤夷傷[二]。

詳需之復。○章明與殃傷韻。汲古作明章,以期韻協。豈知

─────────────

〔一〕“北”,稿本、刻本誤“兆”,據汲古本改。
〔二〕“郤”,刻本訛作“卻”,據稿本改。

明、殃,古亦協。故依宋、元本。

　　【補校】三郤,汲古作王郤。依宋、元本。

否

水流趨下,遂至東海。求我所有,買鱣與鯉。

　　詳益之无妄。○至,汲古作成。非。

　　【補校】至,宋、元、汲古各本皆作成。依翟本及損之需校。
買,汲古作貿。依宋、元本。

同人

陰爲陽賊,君不能克。舉動失常,利無所得。

　　通師。上下五陰,坎爲盜,故曰陰爲陽賊。震爲君,陽寡,故不
能勝陰。巽爲利,坤虛,故無得。○克,汲古訛充。動作運[一]。
均依宋、元本。

　　【補校】克,宋、元本作尅。依學津。克、尅通。

大有

離牀失案,龜喪其願。都市無會,叔季懷恨。

　　通比。艮爲案,爲牀,爲龜。坤喪,故曰離,曰失,曰喪。坎爲
心,故曰願。坤爲都市,艮爲叔季。坎憂,故曰懷恨。

謙

壅遏隄防,水不得行。火盛陽光,陰霓伏藏,走歸其鄉。

　　詳比之大畜。○火,汲古訛大。依宋、元本。艮爲火也。盛,
各本皆作慎。音訛字。依比之大畜校。

　　【補校】壅,元本作雍。霓作蜺。依宋本、汲古。陽光,汲古作

〔一〕“運”,刻本誤“連”,據稿本改。按“運”,“動”之古字。

陽先。走歸作先歸。均依宋、元本。

豫

蹙屈復伸，東乘浮雲，貴寵毋前。

坎蹇，故曰蹙屈。震爲伸，爲東。坤爲雲，艮爲貴。毋前者，言莫過也。○東，宋、元本訛本。依汲古。又按三國志關張傳，亮知羽護前。護前，猶好勝貴寵。毋前者，言既貴寵，宜退讓也[一]。

【補校】毋，宋、元本、汲古皆作母。依學津、翟本。按翟本注云，母、毋古通用。

隨

實沈參伐，以義斷割。次陸服刑，成我霸功。

艮爲星辰，故曰實沈，曰參伐。攷工記，熊旗六斿，以象伐也。注，伐屬白虎宿，與參連體而六星。漢書天文志，太白曰西方秋，金義也。以義斷割，謂太白主兵殺也。次陸服刑者，謂鮑叔迎管仲至堂阜，仲持斧請罪也[二]。第三句恐有訛字[三]。○伐，宋、元本作罰。依汲古。局本改墟[四]。非。刑，依汲古。謂管仲也。宋、元本作薪。非。

【補校】伐，宋本作虛。元本作罰。

蠱

金泉黃寶，宜與我市。娶嫁有息，利得過母。

〔一〕 "又按"至"讓也"三十一字，稿本無。茲依刻本。
〔二〕 "仲持斧請罪也"，刻本作："而脫其桎梏，仲持斧紲纓請罪也。"按稿本此處頗有勾改，並夾一小字條云："隨注改，仲持斧請罪也。"蓋書刊行後又作修訂。
〔三〕 "第三句恐有訛字"，刻本脫，據稿本補。
〔四〕 "改"，刻本作"作"，據稿本校。又，稿本、刻本"墟"作"虛"。據局本改。

艮爲金，震爲寶，爲玄黃，兌爲泉，故曰金泉黃寶。巽爲市。震爲歸，故曰娶嫁。震爲子，故曰息。息，生也。巽爲母，爲利。言以寶泉權子母，息過母也。〇得，汲古作後。依宋、元本。

臨

禹召諸神，會稽南山。執玉萬國，天下康安。

詳損之旅。〇康安，依損之旅校。各本皆作康寧。

【補校】康安，宋、元本作康寧。汲古作安寧。又，神，宋、元本作侯。依汲古。

觀

三蟲作蠱，踐跡無與。勝母盜泉，君子不處。

左傳，三蟲爲蠱。巽爲蟲，艮數三，故曰三蟲爲蠱。蠱，壞也。震爲跡，震覆，故無跡。巽爲母，爲盜。坤水，故曰盜泉。家語，孔子忍渴於盜泉。里名勝母，曾子回車。故曰不處。艮爲君子。

噬嗑

華葉隕落，公歸嫗宅。夷子失民，潔己不食。

伏兌爲華，震爲葉。巽爲隕落，爲嫗。震爲公，爲歸，艮爲宅，故曰公歸嫗宅。坎爲平，故曰夷。坎爲民，爲失。巽爲白，故曰潔。言伯夷讓國，不食周粟也。〇隕，宋、元作墮。己作白。均依汲古。嫗，汲古作樞。依宋、元本。

【補校】華，依元本、汲古。宋本作花。同華。子，汲古作卒。依宋、元本。

賁

履機懼毀，身王子廢。終得所欲，無有凶害。

互震爲履，坎爲機。震在坎上，故曰履機。而坎爲破，爲懼，故曰懼毀。艮爲身，震爲子。上卦震覆，故曰子廢。艮爲終。坎爲欲，爲害。

剝

道理和得，仁不相賊。君子攸往，樂有利福。

　　　　艮爲道。○樂，汲古作我。依宋、元本。

　　　　【補校】得，宋、元本作德。依汲古。得、德古通。

復

合匏同牢，姬姜並居。

　　　　震爲匏，爲牢。匏，合卺杯。牢，史記平準書，官與牢盆。注，樂彥云，牢，盆名。昏禮，同牢而食。震爲姬，伏巽爲姜，震巽皆在初，故曰姬姜並居。禮記昏義，男迎婦以入，共牢而食，合卺而酳。○汲古多壽考長久四字。依宋、元本。

　　　　【補校】汲古多壽考長乂四字。學津、局本乂作久。

无妄

關雎淑女〔一〕，賢妃聖偶。宜家壽母，福祿長久。

　　　　艮爲鳥，故曰關雎。乾爲善，巽女，故曰淑女，曰賢妃，曰聖偶。乾爲聖也。艮爲家，爲壽。巽爲母，故曰壽母。乾爲福祿，爲久。此說關雎詩意，與毛同。

　　　　【補校】雎，宋、元本、汲古皆訛睢。依學津、翟本。第二句，元本作賢賢妃偶。依宋本、汲古。

大畜

雛驥脫乳，不知子處。旋踵悲鳴，痛傷我心。

―――――――

〔一〕“雎”，刻本誤“睢”，據稿本改。注文同。

乾爲馬，艮爲乳，在外，故曰雛犢脱乳。震爲子，三上正反震[一]，故不知。震爲踵，正反震，故曰旋踵。震爲鳴，伏坤，故曰悲，曰心痛。○雛，宋、元本作騅。脱作晚。踵作動。均依汲古。

頤

知嚴絶理，陰孽謀主。十日不食，困於申亥。

坤爲陰。數十，上艮爲日，故曰十日。震爲食，坤閉，故不食。坤居申，艮居亥，艮爲拘[二]，故困於申亥。○知嚴，宋、元作智崟。依汲古。主，宋本作生。依元本、汲古。左傳昭十三年，楚靈王縊于芊尹申亥氏。申亥以其女殉而葬之。

【補校】主，汲古作王。依元本。

大過

監諸攻玉，無不穿鑿。龍體具舉，魯班爲輔。麟鳳成形，德象君子。

通頤。丁云，淮南子，玉待礛諸而成器。注，礛諸，攻玉之石。艮爲石，震爲玉，艮手，故曰攻玉，曰穿鑿。震爲龍，震反在上，故曰具舉。兑爲魯，巽爲工，故曰魯班。魯班，即公輸般[三]，巧匠也。坤文爲麟鳳，爲形。艮爲君子。君子之德温如玉，故玉象君子。○諸本皆無三四句[四]，君子下多三仁翼事，所求必喜八字，與上文不類。兹依艮之明夷校。

【補校】監，汲古作鑿。穿作宜。德作得。均依宋、元本。又，宋、元本君子下多三仁翼事，所求必喜八字。汲古仁作人。

〔一〕“三上正反震”，稿本作“伏巽爲伏，伏”。兹依刻本。
〔二〕“艮爲拘”，稿本作“正反艮”。兹依刻本。
〔三〕“輪”，刻本訛“輪”，據稿本改。
〔四〕“三四”，稿本、刻本誤作“二三”，據宋、元、汲古諸本改。

坎

昧暮乘車,以至伯家。踰梁渡河,濟脱無他。

　　坎爲昧暮。互震爲車,爲伯。艮爲家,爲梁。坎爲河。

離

吾有黍稷,委積外場。有角服箱,運致我藏,富於嘉糧。

　　互巽爲黍稷。伏艮爲場,爲角。角謂牛,言有牛服箱而運也。
伏震爲車箱,爲富,爲糧。巽伏,故曰藏。〇稷,宋、元本作梁[一]。
角訛用。嘉訛喜。均依汲古。

　　【補校】致,元本缺字。依宋本、汲古。

咸

喜笑且語,不能掩口。官爵並至,慶賀盈户。

　　兌悦,故喜笑。兌口,故語。艮爲官爵。乾爲户,爲盈。〇户,
汲古作門。依宋、元本。兌口在上,故不掩。

恒

霧露雪霜[二],日暗不明。陰孽爲疾,年穀大傷。

　　伏坤爲霧,爲雪霜,兌爲雨露。乾爲日,兌爲昧,故曰日暗不
明。伏坤爲陰,爲疾。震爲年穀,兌折故傷。〇爲,宋、元本作生。
依汲古。

遯

伯去我東,髮如飛蓬。寤寐長欺,展轉空牀。内懷悵恨,摧
我肝腸。

〔一〕"粱",稿本、刻本誤"粟",據宋、元本改。
〔二〕"雪霜"二字,刻本誤倒,據稿本校正。

通臨。見前。○第二句，宋、元作髮擾如蓬。依汲古。摧我，汲古作心摧。依宋、元本。

大壯

亡羊補牢，張氏失牛。駛駟奔走，鴻盜我魚。

兌爲羊，兌折，故亡羊。伏艮爲牢。牢，説文，牛閑也。艮手，故曰補。震爲張，艮爲牛，艮伏，故張氏失牛。震爲馬，爲走，爲鴻。伏巽爲盜，爲魚。○宋、元本補牢下，作毋損於憂。祇二句。今依汲古。

晉

販鼠賣黽，利少無謀，難以得家。

此用遇卦姤象。下巽爲利市，故曰販賣。巽爲伏，故亦爲鼠；爲蟲，故爲黽。二者皆小物，故曰利少。顧云，販鼠賣朴者〔一〕，戰國策，周人謂玉未理者爲璞，鄭人謂鼠未臘者爲朴〔二〕。鄭人懷朴至周，曰欲買璞乎〔三〕？出之乃鼠。○按，宋本作賣朴，元本作賣卜，汲古作賣黽。黽，古文蛙字。顧千里等皆主張作朴。然以韻言，黽與家協。賣黽，又與上販鼠等事類。以象言，姤下巽，巽伏，亦可爲鼠。巽爲蟲，故爲黽。蛙善鳴，巽同聲相應，尤切。疑汲古作賣黽是，故從之。

【補校】賣黽，宋、元本皆作賣卜。按翟本注，黃云卜當作朴。此即黃丕烈焦氏易林校後序引顧廣圻説。

明夷

西戎爲疾，幽君去室。陳子發難，項伯成就。

〔一〕“顧”，稿本、刻本作“丁”。按丁晏《易林釋文》有“賣卜”之説。顧氏廣圻則言“賣朴”之事，詳黃丕烈《焦氏易林校後序》。疑尚先生將顧氏記作丁氏，謹爲校改。
〔二〕“臘”，刻本誤“臈”，據稿本改。
〔三〕“買”，刻本訛“賣”，據稿本改。

坎爲西,坤爲戎,爲疾,故曰西戎爲疾。坎爲幽,震爲君,坎爲
室。言幽王因犬戎失國也。震爲陳,爲子。陳涉首起反秦。震爲
伯,坎爲項。言陳涉首發難,項氏因以興。又,鴻門會,項伯護高
祖,亦通。

【補校】疾,汲古作秩。就作亂。均依宋、元本。

家人

秋風生哀,華落心悲。公室多難,羊舌氏衰。

巽爲風,坎西,故曰秋風。坎憂,故曰哀。震爲華,震伏不見,
巽隕落,故曰華落。坎爲室,爲難。伏震爲公,故曰公室。兌爲羊,
爲舌。兌覆,故曰衰。○心,宋、元本作生。依汲古。公室,指晉。
羊舌氏,晉大夫。至昭二十八年,叔向子楊食我爲六卿所滅。

【補校】華,從元本。宋本、汲古作花。同華。羊舌,汲古作蒙
古。依宋、元本。

睽

持福厭患,去除大殘。日長夜盡,喜世蒙恩。

重離,故曰日長。○大,宋、元本作天。非。依汲古。喜,汲古
作嘉。依宋、元本。

蹇

新受大喜,福履重來。樂且日富,足用豐財。

此用遇卦姤象。姤通復。震爲喜,爲福履。坤爲重,故曰重
來。震爲樂。坤爲多,爲財,故曰豐財。○履,宋、元本作復。足用
作是惟。皆非。依汲古。

【補校】受,宋、元本作授。依汲古。

解

前頓却躓,左跌右逆。登高安梯,復反來歸。

重坎，故曰頓，曰躓，曰跌。震左，坎西爲右。震爲登，爲高，卦似梯形。震爲歸。却，退後也。言前後左右皆不可，祇有梯高而反耳。

損

夢飯不飽，酒未入口。嬰女雖好，媒雁不許。

震爲粟米，故曰飯。坤迷，故曰夢。夢飯，虛也。坤爲虛，故不飽。兌爲口，坤爲水，亦爲酒。坤閉，故不入口。兌少爲嬰女，兌爲媚，故女好。震爲嫁，上卦震覆不能嫁，故媒雁不許。兌爲口舌，爲巫。媒，亦以口舌爲用者也。故兌亦爲媒。禮昏義，壻親迎，奠雁於廟。不成昏，即不奠雁，故曰媒雁不許。○雁，依宋、元本。汲古作應。非。艮爲雁，漸卦以艮爲鴻。鴻、雁，一也。

【補校】未，汲古作來。雖作難。均依宋、元本。

益

大都王市，稱人多寶。公孫宜賈，資貨萬倍。

坤爲大都，震爲王，巽爲市。震爲人，爲寶，坤多，故曰稱人多寶。艮爲孫，震爲公，爲商賈。坤爲資財。巽爲倍，坤多，故曰萬倍。○賈，汲古作買。貨作禍。依宋、元本。

夬

兩人俱醉，相與悖戾〔一〕。心乖不同，訟爭匈匈。

乾爲人，兌卦數二，故曰兩人。巽爲心，上卦巽覆，故曰心乖。乾爲言，兌言與乾言相背，故曰訟爭。易夬九四聞言不信，林所本也。

〔一〕“悖”，稿本、刻本作“背”，疑音訛。據宋、元、汲古及所見其他各本改。按，履之蒙宋、元本正作“悖”，可資參考。

【補校】匈匈，汲古作恟恟。依宋、元本。訟争，宋、元、汲古各本皆作争訟。依履之蒙汲古本校。

萃

身無頭足，超蹠空乖。不能遠之，中道廢休，失利後時。

坤爲身。艮亦爲頭，艮伏兑見，上缺，故曰無頭。震爲足，震伏，故無足。無足則不能超越。坤爲乖，爲虚，故曰超蹠空乖。艮爲道，艮止，故休。之，往也。言不能遠之，中道而廢也。巽爲利，艮爲時，兑折，故失利後時。○廢，汲古作疲。時作市。均依宋、元本。

【補校】空，汲古作庶。之、中二字誤倒。均依宋、元本。

升

三人俱行，六目光明。道逢淑女，與我驥子。

震數三，故曰三人行。三人則六目，伏艮爲目，爲明。震爲善，兑女，故曰淑女。震爲大塗，故曰道。震爲馬，爲子，故曰驥子。○目，汲古作日。依宋、元本。

困

進仕爲官，不若復田，獲壽保年。

通賁。艮爲仕，爲官。震爲復，艮爲田，艮止，故復田。艮爲壽，震爲年。○仕，汲古作士。非。依宋、元本〔一〕。復，反也。言仕宦在外，不如歸耕樂〔二〕。

井

先易後否，失我所市。騷蘇自苦，思吾故事。

下巽爲利，故曰先易。上坎爲陷，故曰後否。巽爲市，坎失，故

〔一〕"依宋、元本"，稿本、刻本誤作"依汲古"，據宋、元、汲古諸本改。
〔二〕"復，反也"至"耕樂"十三字，稿本無。兹依刻本。

曰失市。坎爲勞,故曰苦。坎爲憂,故曰思。坤爲事,坤變坎,故曰思吾故事。易曰震蘇蘇,驚懼不安之貌。騷蘇自苦,言騷擾勞苦也。皆坎象。○事,宋、元本作土〔一〕。非。依汲古。

革

蘇秦發言,韓魏無患。張子馳説,燕齊以安。

巽爲薪,爲蘇,兌西爲秦,爲言,故曰蘇秦發言。伏坤爲國,故曰韓魏。伏震爲張,爲子,爲言,故曰張子馳説。上兌爲燕,巽爲齊。張子,張儀也。張儀連横,蘇秦合從,遊説六國。

【補校】秦,宋、元本作氏。依汲古。

鼎

武庫軍府,甲兵所聚。非里邑居,不可舍止。

詳師之蹇。此以伏震爲武,坤爲軍府。艮爲甲兵。

【補校】止,汲古訛山。依宋、元本。

震

二桃三口,莫適所與。爲孺子牛,田氏生咎。

晏子春秋,田開疆、公孫接、古冶子勇而無禮,晏子饋之二桃,使計功而食。三人二桃,田開疆、公孫接各言功持桃,古冶後言。二人慚,自殺。古冶亦自殺。所謂二桃殺三士也。艮爲桃,伏兌卦數二,故曰二桃。震爲口,數三,故曰三口。震爲孺子,艮爲牛。按左傳,爾忘君之爲孺子牛乎？注,孺子,荼也。景公常銜繩爲牛,荼牽之而折其齒。後田恒殺荼,故曰生咎。艮爲田也。○二桃,宋、元本作一身。汲古作三桃。丁晏云,唐韻正口字,注引作二桃。依丁校。生,宋、元本作主。依汲古。

〔一〕“土”,稿本、刻本誤“士”,據宋、元本改。

【補校】田,汲古作西。依宋、元本。

艮

西山東山,各自止安。心雖相望,竟不同堂。

詳姤之坤。艮山,震東坎西,故曰東山西山。又,震爲東,震反爲艮,則西也。艮止,故安。坎爲心,艮爲望。三上正反艮,故曰相望。艮爲堂。〇第三句,汲古作雖相登望。依宋、元本。第四句,宋、元本作竟未上堂。依汲古。

【補校】卦名艮字,元本訛良。依宋本、汲古。

漸

不改柯葉,和氣沖適。君子所在,安無怵惕。

坎爲和,艮爲君子。〇沖,宋、元本作中。依汲古。此似用歸妹象。震爲柯葉,兌爲沖和。

歸妹

將戌繫亥,陽藏不起。君子散亂,太山危殆。

兌居酉,下戌,故曰將戌。坎居子,上亥,故曰繫亥。言戌在兌下,若爲酉所將;坎在亥下,若繫於亥也。陽皆居陰下,故曰藏。艮爲君子,爲山。上卦艮覆,故曰散亂,曰危殆。〇山,汲古作上。依宋、元本。亥協,音喜。殆,音以。皆古韻。

【補校】繫,宋、元本作擊。依汲古。

豐

天官列宿,五神舍室。宮闕完堅,君安其居。

伏艮爲天,爲官,爲星宿。震爲神,巽卦數五,故曰五神。伏艮爲宮室,爲完堅。震爲君。五神,五星也。

旅

左手把水,右手把火。如光與鬼,不可得從。

通節。震爲左，艮手坎水，故曰左手把水。兑爲右，艮火，故曰右手把火。艮爲光，坎爲鬼。光、鬼，皆虚物，故不可從。震爲從。○從，汲古作徙。依宋、元本。

【補校】第二句，汲古無。依宋、元本。

巽

逐狐東山，水遏我前。深不可涉，失利後便。

詳大畜之震。

兑

水潰魚室，來灌吾邑。衝没我家，與狗俱游。

巽爲魚，伏坎爲水，爲室。伏艮爲邑，爲家〔一〕，爲狗。家與狗皆在水上，故曰俱游。○没，汲古作破。依宋、元本。

涣

山險難登，澗中多石。車馳轊擊，重載傷軸。擔負善躓，跌踒右足。

詳乾之謙。

節

槽空無實，豚彘不食。庶民屈竭，離其居室。

艮爲槽，震虚，故不實。巽爲豕，艮止，故豚彘不食。坎衆，故曰庶民。坎爲屈，爲室。○槽，宋、元本作糟。依汲古。

【補校】槽，元本作糟。依宋本、汲古。

中孚

執熱爛手，火爲災咎。公孫無賴，敗我王室。

〔一〕“爲家”二字，刻本無。據稿本補。

艮爲執,艮火故曰熱,巽爲爛,故曰執熱爛手。詩大雅,誰能執熱,誓不以濯。震爲公。艮爲孫,爲室。震爲王,兌毀,故敗王室。○火,汲古訛大。依宋、元本。王室,宋、元訛玉寶。依汲古。

【補校】無,依宋本、汲古。元本作毋。

小過

三虎上山,更相噬嚙。心志不親,如仇與怨。

艮爲虎,數三,故曰三虎上山。兌口,故噬嚙。正覆兌相對,故曰更相噬嚙。巽爲心志,正反巽,故不親,而如仇怨也。○與,汲古作如。依宋、元本。

既濟

西家嫁子,借鄰送女。嘉我淑姬,賓主俱喜。

坎爲西。餘多用半象。震爲嫁,爲主。○嫁子,汲古作嫁女。依宋、元本。

未濟

克身潔己,逢禹巡狩。錫我玄圭〔一〕,拜受福祉。

用半象。詳屯之大畜。○克,元本作尅。依宋本、汲古。

〔一〕"圭",稿本、刻本作"龜",疑音訛,據宋、元、汲古及所見其他各本改。按屯之大畜亦作"圭",可資參攷。餘詳萃之屯"補校"。

焦氏易林注卷十二

萃之第四十五

萃

蒙慶受福,有所獲得。不利出域,病人困棘。

　　伏震爲福慶。艮止,故有獲,故不利出域。艮爲域。互大坎爲
病,爲棘。○域,汲古作城。病、棘,作疾、極。依宋、元本。

　　【補校】域,宋、元、汲古諸本皆作城。依翟本及既濟之大有
校。

乾

碩鼠四足,飛不上屋。顏氏淑德,未有爵禄。

　　説文,鼫鼠五技,能飛不能上屋。此用萃象。艮爲鼠。伏震爲
足,卦數四,故曰四足。艮爲飛,爲屋,爲顏,爲爵。○淑,汲古作
淵。依宋、元本。

　　【補校】淑,宋、元、汲古諸本皆作淵。依翟本及困之需校。

坤

新受大喜,福履重職,樂且日富。

兌爲悦，正反兌，故喜樂。坤爲重。坤多，故曰富。仍用萃象。

【補校】履，汲古作優。依宋、元本。

屯

克身潔己，逢禹巡狩。錫我玄龜，拜受福祉。

坤爲身，坎水，故曰潔。震爲王，故曰禹。艮爲龜，震爲玄，故曰玄龜。書洪範，天乃錫禹洪範九疇。注，天與禹，洛出書，神龜負文而出，列於背，有數至九〔一〕，禹因而第之以成九疇。故曰錫我玄龜，拜受福祉。艮爲拜，震爲祉。○克，宋、元本作尅。潔作整。依汲古。

【補校】龜，宋本、汲古作圭。元本作珪。兹作龜者，似據尚書洪範注謂神龜負文之語改。然仍疑作龜爲音訛，似作圭者是，詳屯之大畜可知。按元本舊注，書禹貢云，禹錫玄圭，告厥成功。言水土既平，禹以玄圭爲贄，而告成功于舜也。水色黑，故圭以玄云。其説蓋可通。

蒙

置筐失筥，輪破無輔。家伯爲政，病我下土。

震爲筐筥。坎爲失，爲輪，爲破，爲家。震爲伯。詩小雅十月篇，家伯冢宰，助幽王爲虐者也。坎爲病，坤爲下土。小雅，無棄爾輔。注，輔以佐車。

需

機言不發，頑不能達。齊魯爲仇，亡我葵丘。

此用萃象。兌爲言，三至上正反兌，故曰機言。坤閉，故不發。艮止，故頑不能達。巽齊兌魯相背，故曰爲仇。艮爲丘，兌爲華，故

〔一〕"至"下，稿本有"於"字。

曰葵丘。

訟

亡錐失斧，公輸無輔。抱其彝器，適君子處。

　　　坎爲錐，坎失，故曰亡錐。兌爲斧，兌覆，故曰失斧。巽爲工，故曰公輸。兌爲輔，兌折，故無輔。伏震爲彝器。萃艮爲抱，爲君子。言微子抱彝器適周也。兼用萃象。

師

家在海隅，橈短深流。伯氏難行，無木以趨。

　　　詳蠱之蒙。

　　　【補校】橈，汲古作撓。趨作超。均依宋、元本。木，宋、元本作目。依汲古。

比

德施流行，利之四鄉。雨師灑道，風伯逐殃。巡狩封禪，以告成功。

　　　詳益之復。

小畜

筐傾筥覆，喪我公粒。簡伯無禮，太師正食。

　　　通豫。震爲筐筥，二至四震覆，故曰傾覆。震爲公，爲粒，爲竹簡，爲伯。故實未詳。○粒，汲古作置。依宋、元本。

　　　【補校】喪，汲古作畏。依宋、元本。

履

泥滓汙辱，棄捐溝瀆。爲衆所笑，終不顯録。

　　　通謙。坤水坎水，故曰泥滓汙辱。坤死，故曰棄捐。互坎，故曰溝瀆。坎衆，震笑。艮爲顯，在下，故不顯。

【補校】捐，汲古作損。依宋、元本。

泰

獼猴兔足，腥臊少肉。漏卮盛酒，利無所有。

震爲獼猴，爲兔，爲足。伏巽爲腥臊。兌爲骸骨，故少肉。震爲卮，伏巽下斷，故曰漏卮。兌爲酒，與震連，故曰漏卮盛酒。巽爲利，巽伏，故無利。○有，宋、元本作得。非。依汲古。

【補校】足，宋、元、汲古各本皆作走。惟翟本注云，當如剝之恒等辭作羊頭兔足。茲依校足字。又，盛，宋、元本作承。有作得。均依汲古。

否

鹿畏人藏，俱入深谷。命短不長，爲虎所得，死於牙腹。

詳姤之比。

同人

南山芝蘭，君子所有。東家淑女，生我玉寶。

乾爲山，位南，故曰南山。巽爲芝蘭，乾爲君子。離爲東家，巽爲女，乾善，故曰東家淑女。乾爲玉，爲寶。○芝蘭，宋、元本作蘭芝。依汲古。

【補校】寶，汲古作室。依宋、元本。

大有

左指右揮，邪佞侈靡。執節無良，靈君以亡。

通比。離東故曰左，坎西故曰右。艮爲指揮。乾言，兌亦爲言，而與乾背，故曰邪佞。離爲文，故曰侈靡。艮爲執，爲節。乾爲君，坤死，故曰靈君以亡。似指楚靈王。

【補校】佞，汲古作望。依宋、元本。

謙

鬱映不明,爲陰所傷。衆霧羣聚,共奪日光。

　　艮爲明,坎隱,故鬱映不明。映,日食色也。坤陰在上,故曰爲
陰所傷。坤爲衆,爲霧,故曰衆霧羣聚。艮爲日,坎黑,地黑,故日
光被奪也。○鬱映,汲古作爵秩。陰作臣。霧作陰。依噬嗑之
艮校。

　　【補校】鬱映,宋、元本作鬱快。陰作濕。

豫

穿鼻繫株,爲虎所拘。王母祝禱,禍不成災,突然脫來。

　　互艮爲鼻,坎爲穿,故曰穿鼻。伏巽爲繫,爲木,故曰繫株。艮
爲虎,艮止,故爲虎所拘。坤爲母,震爲王,爲言,故曰王母祝禱。
坎爲禍災,震出在外,故脫去禍災也。○禱,元本作福。依宋本、
汲古。

　　【補校】株,宋、元本作棘。依汲古。脫,汲古作自。依宋、元
本。

隨

貧鬼守門,日破我盆。毀罌傷缸,空虛無子。

　　詳臨之兌。

　　【補校】罌,汲古作鼠。缸作綏。依宋、元本。

蠱

襄王叔帶,鄭人是賴。莊公卿士,王母憂苦。

　　互震爲王,艮爲叔,巽爲帶。震爲莊,爲公。巽爲母。互大坎
爲鄭,爲憂苦。按左傳僖二十四年,大叔帶以狄師伐周。襄王奔
鄭。大叔居溫。鄭伯與鄭大夫每日省視官、具于氾,而後聽私政。

叔帶亦依附鄭人。故曰襄王叔帶，鄭人是賴。王母，似指隗氏。○
叔，元本訛束。依宋本、汲古。苦，汲古作喜。依宋、元本。王，宋、
元本作皇。依汲古。

【補校】叔，元本、汲古訛束。依宋本。

臨

昭君死國，諸夏蒙德。異類既同，宗我王室。

　　震爲君，坤爲文，故曰昭君。坤爲死，爲國。昭君死國，言昭王
南征不返也。坤爲衆，故曰諸夏。震爲德也。坤爲類，伏艮爲室。
震爲宗，爲王。○死，汲古作守。依宋、元本。宗，汲古作崇。依宋、
元本。

觀

冬藪枯腐，常風於道。蒙被塵埃，左右勞苦。

　　坤爲冬，爲藪。爾雅釋地，藪，大澤也。藪至冬日，蘆葦皆枯
死，故曰冬藪枯腐。巽爲枯腐，爲風。艮爲道路。常風於道，言枯
腐之物，常爲風吹至道也。坤爲塵埃。伏震爲左，兌爲右。○枯，
汲古作朽。依宋、元本。常，汲古作當。依宋、元本。

噬嗑

六爻既立，神明喜告。文定吉祥，康叔受福。

　　坎數六。爻，交也。坎乾交坤，故曰六爻既立。左傳，六體不
易。亦以六爲坎。震爲神，爲喜告。離爲明，爲文。詩，文定厥祥。
震爲康，艮爲叔。○喜，汲古作所。依宋、元本。

賁

泣涕長訣，我心不悦。遠送衛野，歸寧无咎。

　　坎爲泣涕，爲心，爲憂，故不悦。震爲衛。艮爲野，爲寧。震爲

歸。詩衛風，遠送于野，泣涕如雨。莊姜送戴嬀歸國之詩。○悅，宋、元本作快。咎作子。均依汲古。

剥

三宿無主，南行勞苦。東里失利，喪其珍寶。

　　坤爲宿，正互三坤，故曰三宿。震爲主，震覆，故無主。坤爲勞苦。乾爲行，位南，故曰南行。乾爲金玉，故曰珍寶。乾伏，故喪其珍寶。坤爲里，東象或取納乙。

復

大斧破木，讒佞敗國[一]。東關梁五，禍及三子。晉人亂危，懷公出走。

　　詳頤之臨。兌爲斧，兌形長，故曰大斧。○梁五，宋本作東間梁王[二]。汲古作良工。依元本。危，汲古訛邑。依宋、元本。

　　【補校】關，宋、元本作間。依汲古。梁，汲古作良。依宋、元本。五，宋、元本作王。汲古作工。依翟本及頤之臨校。

无妄

乘風上天，爲時服軒。周旋萬里，無有患難。

　　巽爲風，乾爲天。艮爲時。震爲軒，爲周旋。乾爲萬里。

　　【補校】卦名无妄，汲古訛中孚。依宋、元本。

大畜

大樹百根，北與山連。文君作人，受福萬年。

　　震爲木，乾大，故曰大樹。乾爲百。艮山，伏坤爲北，故曰北與山連。坤爲文，乾君，故曰文君。震爲人，爲福。乾爲萬年。言文

〔一〕“敗”，刻本訛“破”，據稿本改。
〔二〕“梁”，稿本、刻本誤“良”，據宋本改。

王作人也。○北，汲古作比。人作義。均依宋、元。

頤

陽伏在下，陰制祐福。生不逢時，潛龍隱處。

　　　陽在初，故曰伏在下。坤爲陰。震爲福祐，爲生。艮爲時，坤
閉，故不逢時。震爲龍。乾初九曰潛龍勿用，故曰隱處。

大過

亂頭多憂，搔虱生愁。膳夫仲允，使我無聊。

　　　乾爲頭，伏坤爲亂，爲憂。巽爲虱，伏艮爲搔。伏震爲夫，爲
餌，故曰膳夫。互大坎爲仲，乾爲信，故曰仲允。伏坤爲我。詩小
雅十月篇，仲允膳夫。注，皆用后嬖，進助幽王亂國者。○搔，丁云
宜依御覽作蚤。按，蚤不生頭上，不可從。聊，元本作憂。以與愁
韻。豈知聊、愁古同韻，易林每如此。故依宋本、汲古。

　　　【補校】允，宋、元本作尹。汲古作年。依局本。按學津、翟本
注皆云尹當作允，亦可從。又，聊，宋、元、汲古諸本皆同。兹謂元
本作憂者，疑偶誤，或別有所本，謹記存備考。

坎

江河淮海，天之都市。商人受福，國家富有。

　　　詳謙之小畜。

離

泰山幽谷，鳳凰遊宿。禮義有序，可以求福。

　　　通坎。互艮爲山，震東，故曰泰山。艮爲谷，與坎連，故曰幽
谷。離爲文，爲鳳凰。坎爲宿。離爲夏，爲禮。兌爲秋，爲義。艮
求，震福。

　　　【補校】泰，元本作太。序作叙。依宋本、汲古。太、泰，叙、序

皆同。禮義,宋、元本作威儀。求作來。均依汲古。

咸

山水暴怒,壞梁折柱。稽難行旅,留連愁苦。

　　　　詳咸之豫。〇山水,汲古作水山。依宋、元本。

　　　　【補校】壞,汲古作懷。依宋、元本。

恒

阿衡服箱,太一載行[一]。巡時歷舍,所之吉昌。

　　　　詳恒之復。

　　　　【補校】巡,汲古作延。依宋、元本。

遯

三宿無主,南行勞苦。東里失利,喪其珍寶。

　　　　詳本林剝。

大壯

生無父母,出門不喜。買菽失粟,亡我大利。

　　　　震爲生,乾數无,坤伏兌折,故生無父母[二]。乾爲門户,震
　　　　出,震喜。父母毀折,故不喜。震爲菽豆。巽爲粟,爲利。巽伏,故
　　　　失粟,故無利。〇菽,汲古、元本作椒。依宋本。利,宋、元本作乘。
　　　　依汲古。

　　　　【補校】菽,汲古作椒。依宋、元本。

晉

安坐玉堂,聽樂行觴。飲福萬歲,曰壽無疆。

〔一〕"太",稿本、刻本作"大",據宋、元、汲古及所見其他各本改。按,"大"同
　　"太"。

〔二〕"生",稿本作"曰"。

詳鼎之升。○歲，汲古作鍾。壽作受。依宋、元本。

【補校】曰，宋、元、汲古諸本皆作日。壽作受。均依翟本及鼎之升校。

明夷

登危入厄，四時變易。春霜夏雪，物皆凋落。

震爲登，伏巽爲入，坎危坤厄。震爲春，離爲夏，坎爲冬，坤爲秋，故曰四時變易。震又爲時，卦數四也。坤爲霜，與震連，故曰春霜。坎爲雪，與離連，故曰夏雪。坤爲死，故物皆凋落。○夏，宋、元本作變。非。依汲古。

家人

衣穴履穿，無以禦寒。細小貧竇，不能自存。

震爲衣履。震伏，巽下斷，故曰穴，曰穿。坎爲寒。離虛，故曰貧竇。○穴，汲古作空。依宋、元本。

【補校】存，汲古訛好。依宋、元本。

睽

目不可合，憂來搔足。怵惕恐懼，去其邦域。

睽，說文，兩目不相聽也。不相聽，故目不可合。坎爲憂，爲恐懼。艮爲邦域，艮伏，故去其邦域。

【補校】怵，從汲古。宋、元本作悚。義同。

蹇

齎貝贖狸，不聽我詞。繫於虎須，牽不得來。

艮爲貝，爲狸，爲虎，爲須，爲牽。離爲有言，故不聽我詞。坎陷艮止，故牽不得來。

【補校】須，宋、元、汲古各本皆作鬚。依翟本。按，須即鬚之本字。

解

伯夷叔齊，貞廉之師。以德防患，憂禍不存，聲芳後時。

　　　詳泰之乾。

　　　【補校】聲芳，汲古作芳聲。依宋、元本。

損

張王子季，爭財相制。商君頑囂，不知所由。

　　　震爲張，爲王，艮爲季。坤爲財，正反艮，故曰爭財相制。震爲
　　君，爲商旅，故曰商君。兌魯，故曰頑囂。正反震，故不知所由。○
　　由、囂爲韻。宋、元本作申。依汲古。

益

長城既立，四夷賓服。交和結好，昭君是福。

　　　艮爲城，巽爲長，故曰長城。坤爲夷，震卦數四，故曰四夷。震
　　爲賓客，故曰賓服。震喜，正反震，故曰交和結好。震爲君，坤爲
　　文，艮爲明，故曰昭君。顧寧人謂，昭君爲王嬙。豈知萃之臨曰，昭
　　君守國。鼎之噬嗑曰，昭君喪居。皆因卦有坤、離之象。固非指王
　　嬙也。

　　　【補校】是，宋、元本作受。依汲古。

夬

千歡萬悦，舉事爲決。獲受嘉慶，動作有得。

　　　兌爲歡悦，爲決。乾爲千萬。

　　　【補校】歡，元本作懽。依宋本、汲古。懽、歡同。得，汲古作
　　福。依宋、元本。

姤

種一得十，日益有息。仁政獲民，四國睦親。

姤伏復，一陽下生，坤數十，故曰種一得十，復陽日息。震爲仁。坤爲政，爲國，爲民。震卦數四，故曰四國。復，出入无疾，故睦親。○睦親，汲古作親睦。依宋、元本。

升

安子富有，東國不殃。齊鄭和親，顯比以喜。

坤爲安，爲富有，震爲子，故曰安子富有。坤爲國，爲殃。震爲東，震解，故曰東國不殃。巽爲齊，坤爲鄭。説文，鄭[一]，地町町然平也。故坤形象之。兑悦，故和親。坤爲比，震爲喜。○以，宋、元本作不。依汲古。安子事未詳[二]。

【補校】以，宋、元、汲古各本皆同。兹云元本作不，疑檢閲偶誤，或別有所本。謹記存俟考。

困

九里十山，道仰峻難。牛馬不前，復反來還。

通賁。震數九，兑數十，艮爲里，爲山，故曰九里十山。艮爲道，艮高，故曰峻難。離爲牛，震爲馬。艮止，故不前。震反，故曰還。

井

鳩杖扶老，衣食百口。曾孫壽考，凶惡不起。

風俗通，高祖戰敗，匿叢薄間，鳩鳴其上，因得脱。後作鳩杖以賜老者。離爲鳩。巽爲杖，伏艮爲扶，爲壽，故曰扶老。兑爲食，爲口。上下卦正反皆有口形，故曰百口。又伏震爲百也。艮爲曾孫，爲壽考。○曾孫，宋、元本作增添。依汲古。

〔一〕"説文，鄭"，稿本作"鄭，説文云"。
〔二〕"以"至"未詳"十四字，稿本無。兹依刻本。

革

霧露雪霜,日暗不明。陰孽爲疾,年穀大傷。

　　　詳姤之恒。

鼎

迷行數卻,不知東西。陰強暴逆,道里不通。

　　　通屯。坤爲迷,爲退,故數卻,故不知東西。震爲東,兌爲西也。坤爲陰,爲逆。震爲大塗,坎陷,故不通。〇里,宋、元、汲古皆作理。依局本。

　　　【補校】卻,宋、元本、汲古皆作邪。依學津、局本。

震

登高上山,見王自言。信理我冤,得職蒙恩。

　　　震爲登,艮爲山,故曰登高上山。震爲伸,爲王,爲言。坎爲冤,震解,故曰伸理我冤。艮爲官職。

艮

三世爲德,天祚以國。封建少昊,魯侯之福。

　　　艮爲世,納丙,故曰三世。艮爲天,爲國。互震爲德。艮爲封建。震爲帝,故曰少昊。伏兌爲魯,震爲諸侯,爲福。魯國爲少昊之墟。言周公佐文王、武王、成王,有功於三世,故得建國於少昊之虛也。

漸

喬木無息,漢女難得。橘柚請佩,反手難悔。

　　　詩周南,南有喬木,不可休息。漢有游女,不可求思。列仙傳,江妃二女〔一〕,鄭交甫悦之。下請其橘柚之佩,遂解佩與交甫。交

──────────

〔一〕“妃”,刻本訛作“氾”,據稿本改。

甫受而懷之。去數十步，佩亡，二女亦不見。黄丕烈云，韓詩內傳
亦載此事，所謂聘之以橘柚也。然則此事相傳甚古，詩詞是否指
此，誠不敢定。然焦、韓二家，則皆與列仙傳同也。巽爲木，爲高，
故曰喬木。震爲息，震伏，故曰無息。坎水巽女，故曰漢女。艮爲
橘柚，爲手，爲佩。伏震爲反艮，故曰反手難悔。言一釋手即無
也。○喬，元本作橋。依宋本、汲古。橘柚，汲古訛禱神。難悔作
離汝。均依宋、元本。

歸妹

東鄰西家，來即我謀。中告吉誠，使君安寧。

> 離爲東鄰。坎爲西鄰，爲謀，爲中，爲誠。震爲告，爲君。伏艮
> 爲安寧。

豐

褰衣出戶，心欲北走。王孫母驚，使我長生。

> 通渙。艮爲褰，爲戶；震爲衣，爲出走，故曰褰衣出戶。坎爲
> 心，爲北，故曰心欲北走。震爲王。艮爲孫，爲我。震爲生，爲驚。
> 巽長，故曰長生。○北，汲古作奔。依宋、元本。

旅

三日不飲，遠水無酒。晝夜焦喉，使我爲咎。

> 離日，艮數三，故曰三日。兑口爲飲，艮止，故曰不飲。坎爲
> 水，爲酒，坎伏在山上，故曰遠水無酒。離爲晝，坎爲夜，兑爲喉。
> 上離火，下艮火，故焦喉。○使我，宋、元本作傷鬼。依汲古。

巽

衆口銷金，愬言不驗。腐臭敗兔，入市不售。

> 初四正反兑，故曰衆口。乾爲金，一陰下生銷陽，故曰銷金。

正反兌，故曰愆言。愆者，差也，爽也。巽爲臭腐。伏震爲兔，巽爛，故曰敗兔。巽爲入，爲市。

兌

姬冠應門[一]，與伯爭言。東家失狗，意我不存。爭亂忘因，絕其所歡。

　　伏艮。互震爲姬，爲伯。艮爲門，三至上正反震，故曰應門，曰爭言。震爲東。艮爲狗，艮伏，故曰失狗。坎爲意，艮爲我。意我不存者，意我有無也，不謂無存，謂有。〇我，汲古作在。忘因作無息。其作吾。均依宋、元本。姬，疑爲雞之音訛字。巽爲雞，易林亦以兌爲雞。史記孔子弟子列傳，子路好勇，冠雞冠。惟汲古作嫗，似又與伯對文。茲姑從宋、元本[二]。

　　【補校】歡，元本作懽。依宋本、汲古。懽、歡同。

渙

祚加明德，興我周國。公劉文母，福流子孫。

　　艮爲明。震爲周，爲德，爲公。伏離爲文，巽爲母。公劉，周祖。文母，大任也。詩，思齊太任，文王之母。震爲福，爲子，艮爲孫。〇興，汲古作與。依宋、元本。

　　【補校】興，宋本、汲古作與。依元本。

節

針頭刺手，百病瘳愈。抑按捫灸，死人復起。

　　坎爲針，爲刺；艮爲手，爲頭，故曰針頭刺手。坎爲病，震爲百。震解，故瘳愈。艮爲按捫，艮火故曰灸。震爲人，爲起，坎爲死，故

曰死人復起。

中孚

元龜象齒，大賂爲寶。稽疑當否，衰微復起。

　　　艮爲龜，爲象。震長，故曰元龜。兑爲齒，震爲寶。龜可卜，故
曰稽疑。正反艮，故曰當否。巽隕落，故曰衰微。震爲起。詩魯
頌，元龜象齒，大賂南金[一]。

小過

故室舊廬，消散無餘。不如新創，可以樂居。

　　　上二句，説上卦震。震爲覆艮，艮爲室，爲廬。艮覆，故曰消
散。下二句，説下艮。艮手爲創，爲居形，儼然新屋。震喜，故曰樂
居。

既濟

老狐多熊，行爲蠱怪。驚我王母，終無咎悔。

　　　多用半象。○汲古本怪下多爲魅爲妖四字。依宋、元本。
　　　【補校】王，宋、元本作主。依汲古。

未濟

愛子多材[二]，起迹空虚。避害如神，水不能濡。

　　　多用半象。
　　　【補校】材，元本作才。迹作跡。依宋本、汲古。才、材通。迹
即跡。

〔一〕“詩魯”至“南金”十一字，稿本無。兹依刻本。
〔二〕“材”，刻本訛“財”，據稿本改。

升之第四十六

升

禹鑿龍門，通利水源。東注滄海，人民得安。

  詳乾之豫。○源，宋、元本作泉。末句作民得安全。均依汲古。

乾

白鹿鳴呦，呼其老小。喜彼茂卓，樂我君子。

  此用遇卦升象。震爲白，爲鹿，爲鳴呼。坤老兌小。震爲喜
樂，爲茂草。伏艮爲君子。○小，汲古作少。依宋、元本。

坤

百里南行，雖微復明。去虞適秦，爲穆國卿。

  百里奚仕虞，後適秦，相秦穆公。坤爲百里。遇卦升，震爲南
行，爲驪虞。兌爲秦，坤爲國。○復，宋、元本作得。依汲古。

屯

王孫宜家，張名益有。龍子善行，西得大壽。

  震爲王。艮爲孫，爲家，爲名。震爲張，故曰張名。言張大其
名也。震爲龍子。艮爲壽，坎居西，故曰西得大壽。

  【補校】首句，宋、元本作王宜孫喜。依汲古。

蒙

畫龍頭頸，文章不成。甘言善語，譎詞無名。

  詳家人之賁。○三四句[一]，宋、元本作所求不得，失利後時。

〔一〕"三四句"，稿本、刻本誤作"二三句"。據宋、元、汲古諸本改。

今依汲古。

需

商子無良,相怨一方。引鬭交争,咎以自當。

　　商鞅變法,人民怨恨。此用遇卦升象。震爲商旅,爲子。坤惡,故曰無良。坤爲怨,爲方。兑爲剛魯,故争鬭。正反兑,故曰交争。咎以自當者,言商鞅亡至客舍,无驗,舍人曰,商君之法,舍人無驗者坐之。而自當其咎也。○鬭,宋、元本作剛。依汲古。

　　【補校】以自,宋、元本作自以。依汲古。

訟

衰老困極,無齒不食。痔病痛瘵,就長夜室。

　　乾爲老,坎爲困。兑爲齒,兑覆,故曰無齒,故曰不食。痔,說文,後病也。三至五巽[一],巽下腐,有類於痔漏。痛,創也。瘵,癆病也。坎爲勞,爲夜,爲室。○痛,宋、元本作痛。依汲古。末句,依坤之隨校。各本皆作就陰爲室。就長夜室,言死也[二]。

師

鳶生會稽,稍巨能飛。翱翔桂林,爲衆鳥雄。

　　震爲鳶,爲生。坤聚,故曰會稽。震爲飛,爲桂林,爲鳥。坤爲衆,故曰衆鳥。○鳶,汲古作鴛。依宋、元本。

比

安平不傾,載福長生,君子以寧。

　　坎爲平。艮爲安,爲君子。

〔一〕“三”,刻本訛“二”。據稿本改。
〔二〕“就長夜”至“死也”七字,稿本無。兹依刻本。

小畜

牛驥同槽,郭氏以亡。國破爲墟,君奔走逃。

　　詳小畜之晉。

　　【補校】墟,元本作虛。依宋本、汲古。虛同墟。

履

日中明德,盛興兩國。仁聖會遇,君受其福,臣多榮禄。

　　離爲日,爲明。伏坤爲國,坤數二,故曰兩國。乾爲仁聖,爲君。伏艮爲臣。

　　【補校】第二句,汲古作兩國盛興。依宋、元本。

泰

公劉之居,太王所業。可以長生,拜受福爵。

　　乾君,故曰公劉,曰太王。震爲長生。伏艮爲拜,爲爵。公劉,周祖。言公劉遷邠,太王因以興起也〔一〕。

　　【補校】太,汲古作大。依宋、元本。大同太。

否

時凋歲霜,君子疾病。宋女無辜,鄭受其殃。

　　艮爲時,巽隕落,故曰時凋。坤爲歲,爲霜,爲疾病。艮爲君子。爲宋,與坤連體,故曰宋女。說文,宋,以木架屋也。故艮形象之。坤爲鄭。鄭,地町町然平也。坤形象之。坤爲殃,故曰鄭受其殃。按左傳桓十一年,宋雍氏女於鄭莊公,曰姞,生厲公。雍氏宗,有寵於宋莊公,故誘祭仲而執之,曰不立突,將死。亦執厲公而求賂。自是鄭公子更相立,亂屢起,故曰鄭受其殃。然此自雍氏禍

―――――――――

〔一〕"公劉"至"起也"十六字,稿本無。兹依刻本。

鄭，宋女何辜哉？○霜，汲古作寂。依宋、元本。宋，宋、元本訛宗。依汲古。

同人

濟河踰阸，脱母怵惕。四叔爲衛，使惠不廢。

　　九家及荀爽皆以乾爲河，伏坎爲阸。坤爲母，坤伏，故曰脱母。乾爲惕[一]，故怵惕。脱母，字恐有訛。○叔，汲古作序。依宋、元本。四叔，或指四皓輔惠帝事。

大有

缺破不完，殘瘵側偏。公孫幽遏，跛倚後門。

　　兑爲缺破。伏坎爲勞，爲瘵，爲幽遏，爲跛倚。乾爲門。事未詳。○跛，元本作跂。依宋本、汲古。瘵，汲古訛際。依宋、元本。

謙

延頸遠望，眜爲目病。不見叔姬，使伯心憂[二]。

　　艮爲頸，爲望。伏乾，故曰遠望。艮爲目，坎棘入居目中，故曰眜爲目病。眜，説文，物入目中也。正坎象也。艮爲叔，震爲姬。坎隱，故不見。震爲伯，坎爲心憂。○眜，宋本、汲古作眛。依元本。

　　【補校】眜，元本作眛。依學津、翟本及坤之无妄校。心憂，宋、元本作憂心。依汲古。

豫

上無飛鳥，下無走獸。擾亂未清，民勞於事。

　　震爲鳥，爲飛，在上。艮爲獸，在下。中互坎隱，故曰無。震爲

〔一〕“乾爲惕”，稿本作“坎爲憂”。兹依刻本。
〔二〕“伯”，刻本作“我”。據稿本改。

擾,坤爲亂。坎黑[一],故曰未清。坎爲勞,坤爲民,爲事。

隨

久陰霖雨,塗行泥潦。商人休止,市空無寶。

　　詳夬之大過。○商,汲古作民。依宋、元本。市,元本訛布。依宋本、汲古。寶,各本作有。依革之睽校。

蠱

盲者目張,跛倚起行。瞻望日月,與主相迎。

　　互人離,故曰盲。言目无睛也。震爲足,兑折,故足跛。艮爲瞻望,爲日,兑爲月,故曰瞻望日月。震爲主,三至上正反震,故曰與主相迎。○目張,宋、元本作張目。主作王。均依汲古。

臨

據斗運樞,高步六虛。權既在手,寰宇可驅。國大無憂,與樂並居。

　　通遯。艮爲星,爲手,故曰据斗運樞。巽爲高,本卦震爲步。坤爲虛,乾數六,故曰六虛。繫辭,變動不居,周流六虛。虞翻云,六虛,六位也。巽爲權,艮爲手。坤爲寰宇,爲國,爲憂。震解,故無憂。○汲古樞下作順天無憂,與樂並居,萬代歡慶[二]。依宋、元本。

觀

稼穡不偏,重適不傾。巧言賊忠,傷我申生。

　　巽爲稼穡。伏震爲適子,坤爲重。坤厚載物,故不傾。巽爲賊。伏震爲言,兑爲言,乾亦爲言。言多,故曰巧言賊忠。震爲生,兑毁,故傷我申生。○適,宋、元本作過。非。依汲古。申生,晉太子,爲驪姬讒死。

噬嗑

金城鐵郭,上下同力。政平民親,寇不敢賊。

　　　　艮爲城郭,爲金鐵。艮上震下,坎爲平,故上下同力。坎爲衆,爲民,又爲寇賊。○親,汲古作歡。依宋、元本。

賁

日鏡不明,冬災大傷。盜華失實,十年消亡。

　　　　離日爲鏡,坎黑,故不明。坎爲冬,爲災,爲盜。震爲華,故曰盜華。言不時也。春秋十二月書桃李華是也。艮爲果實,坎失,故曰失實。震爲年,伏兑數十,故曰十年。○日,宋、元本作目。依汲古。

　　　　【補校】華,宋本、汲古作花。依元本。花、華同。

剝

鰥寡孤獨,命禄苦薄。入室無妻,武子悲哀。

　　　　艮鰥坤寡。艮爲室。兑爲艮妻,兑伏,故曰無妻。震爲武,爲子。震覆,故悲哀。坤爲悲也。武子,崔杼。杼娶棠姜,占得困六三,入其室,不見其妻。見左傳。

復

飲酒醉酗,跳起爭鬭。伯傷叔僵,東家治喪。

　　　　詳益之蒙。○酗,各本皆作飽。非。依益之蒙校。

　　　　【補校】傷,宋、元本作喪。依汲古。

无妄

介紹微子,使君不殆。二國合歡,燕齊以安。

震爲子，艮小，故曰微子。正反震，故曰介紹。禮聘儀，介紹而傳命。又戰國策，請爲紹介。注，相佐助也。震爲君。艮爲國，正反艮相對，故曰合。正反震相對，故曰合歡。艮爲燕，爲安。巽爲齊。殆音以，與子韻。

【補校】紹，汲古作召。依宋、元本。歡，元本作懽。依宋本、汲古。懽、歡同。

大畜

牽牛繫尾，詘折幾死。彫世無仁，不知所比。

通萃。艮爲牛，艮手爲牽，艮爲尾，巽爲繫。前牽後繫，故詘折幾死[一]。兌爲折，坤爲死。爲世，爲敝，故曰彫世。論語，歲寒然後知松柏之後彫。彫，殘也，零落也。○牛，汲古作頸。依宋、元本。彫，元本作雕。依宋本、汲古。然恐仍訛。

【補校】比，宋、元本作在。依汲古。

頤

東龍冤毒，不知所觸。南北困窮，王子危急。

震爲龍，爲東，坤爲毒。艮爲角，爲觸。正反艮，故曰不知所觸。震爲南，坤爲北，爲困窮。震爲王，爲子，坤爲危。○冤，汲古作究。非。依宋、元本。王子似指王子帶，後爲晉文所殺。

【補校】毒，宋、元本作獨。依汲古。

大過

疾貧王孫，北陸無輝。禄命苦薄，兩守孤門。

通頤。坤爲疾，爲貧；震爲王，艮爲孫，故曰疾貧王孫。坤爲北，故曰北陸。坤黑，故無輝。巽爲命，乾爲禄，故曰禄命。坤爲苦

〔一〕“詘”，刻本訛“紬”，據稿本改。按，“紬”通“詘”。

薄。兌卦數二，故曰兩。乾爲門，巽爲寡，故曰孤門。○輝，宋、元本作禪。守作事。均依汲古。陸，汲古作極。依宋、元本。

坎

公孫駕驪，載遊東齊。延陵説産，遺季紵衣。

　　震爲公，艮爲孫。震馬，故曰駕驪。震爲東，伏巽爲齊。艮爲陵〔一〕，重艮，故曰延陵。又，艮爲季子也。震爲悦，爲紵衣。事詳乾之益。○驪，宋、元本訛醨。汲古作車。依局本。

　　【補校】驪，元本訛醨。依宋本、局本。按元本舊注云，醨當作驪。亦可從。又，説，汲古作故。依宋、元本。紵，元本作苧。依宋本、汲古。苧、紵音義同。

離

王良善御，伯樂知馬。文王東獵，獲嘉賢士。開福祐周，發旦興起。

　　震爲王，艮爲良。震爲馬，爲伯，爲樂，爲王，爲福，爲周，爲士，爲旦。離爲文，震爲東，爲獵。全用伏象。○第四句，宋、元作獲喜聖事。周、發旦，作賢、周發。均依汲古。下四句，言文王因獵，獲姜尚，輔文、武、成王業。發，武王名；旦，周公名。

　　【補校】旦，汲古作且。依局本。祐，宋本、汲古作佑。依元本。佑、祐同。

咸

日月不居，重耳趨舍。遊齊入秦，晉國是霸。

　　艮乾皆爲日，兌爲月。不居者，不息也。兌爲耳，伏坤爲重，故曰重耳。艮爲舍。巽爲齊。兌爲秦，巽入，故曰入秦。艮爲國。伏

〔一〕"陵"，刻本誤"魯"，據稿本改。

震爲晉,爲霸。

【補校】趂,宋本作趍。依元本、汲古。趂即趨之俗字。齊,
宋、元、汲古各本皆作燕。按,重耳無遊燕之事,故翟本引牟庭云,
燕當作楚。兹蓋依巽齊之象,訂爲齊字,於義乃通。

恒

假文翰翼,隨風偕北。至虞夏國,與舜相得。年歲大樂,邑
無盜賊。

震爲羽翰,伏坤,故曰文翰。文翰,鳥也。逸周書[一],蜀人以
文翰。文翰者,似皋雞。巽風坤北,故曰隨風偕北。伏坤爲國。震
爲帝,故曰舜。坤爲年歲,爲邑。巽爲盜賊,乾無也。○偕,汲古訛
背。得訛傳。依宋、元本。

【補校】與舜,宋、元本作興愛。依汲古。

遯

南行北走,延頸望食。舉止失利,累我子孫。

乾爲南,爲行;伏坤爲北,震爲走,故曰南行北走。艮爲頸,
爲望,伏兑爲食。巽爲利,艮止,故失利。艮爲我,爲孫,伏震爲
子。○北走,宋、元本作無遯。望作後。均依汲古。止,汲古作
口。依宋、元本。第四句,宋本作累爲子孫。元本作累爲我孫。
依汲古。

大壯

開市作喜,建造利事。平準貨寶,海内殷富。

震喜。伏巽爲市,爲利。震爲玉,乾亦爲金玉,故曰貨寶。

〔一〕“周”上,稿本、刻本無“逸”字。按下文引“文翰”事,出《逸周書·王會篇》。謹
　　依校補。

乾爲富，爲海。平準者，史記索隱云，大司農有平準令丞，貴則糶之，賤則買之。平賦以相準，輸于京師。○市，宋、元本作元。依汲古。

晉

三犬俱走，鬭於谷口。白者不勝，死於阪下。

　　　艮數三，故曰三犬。艮爲谷。震爲白。震覆，故死於阪下。艮爲阪，坤爲死也。○阪，宋、元本作坂。依汲古。

　　　【補校】者，宋、元本作鬻。依汲古。阪，宋本、汲古作坂。依元本。

明夷

驕胡犬形，造惡作凶。無所能成，還自滅身。

　　　坤爲胡，覆艮爲犬，而與坤連體，故曰驕胡犬形。坤爲凶惡。爲喪亡，故無成。坤爲身，坤死，故曰滅身。○犬形，宋、元本作大彤。依汲古。

　　　【補校】犬形，元本作大彤。汲古作火形。依宋本。

家人

拜跪贊詞[一]，無益於尤。大夫頑囂，使我心憂。

　　　新序，晉中行寅將亡，召其太祝，而欲加罪焉。曰，子爲我祝，而使我亡國，何也？曰，子不務德，而厚斂於民，則民怨。一人祝之，一國詛之，國亡不亦宜乎？

　　　【補校】心，宋、元本作生。依汲古。

睽

辰次降婁，王駕巡狩。廣佑施惠，萬國咸喜。

―――――――――――

〔一〕"拜跪"二字，刻本誤倒，據稿本校正。

詳小畜之大畜。

【補校】次,宋、元本作以。依汲古。佑,元本作祐。依宋本、汲古。祐、佑同。第二句,汲古作王嘉狩巡。依宋、元本。又,汲古下多子孫榮品,長安不殆二句。兹從宋、元本删。

蹇

牽褕上樓,與福俱遊。勞躬治國[二],安樂無憂。

此林或用升象。兑爲褕,坤爲樓。他林或言樓,皆坤象。互震爲福,爲遊。坤爲躬,爲國。坤役萬物,故勞。坤爲憂,震樂,故無憂。○褕,汲古作瑜。依宋、元本。遊,宋、元作居。依汲古。

解

白鳥銜餌,鳴呼其子。旋枝張翅,來從其母。

詳晉之震。○旋枝,宋、元本作挾施。汲古作投杖。依晉之震校。

損

盲瞽獨宿,莫與共食。老窮於人,病在心腹。

互大離,若目之无睛,故曰盲瞽。坤爲寡,爲宿,故曰獨宿。兑爲食,獨則无與共也。坤爲老,爲窮,爲病,爲心,爲腹。於,依也。震爲人。言窮老依人也。○瞽,汲古作聾。依宋、元本。

益

登木出淵,稍上升天。明德孔聖,白日載榮。

震爲木,爲登;坤爲淵,故曰出淵。艮爲天,與震對,故曰稍上升天。艮爲明,震爲孔,爲德。伏乾爲聖,故曰孔聖。艮爲日,震爲

〔二〕"勞躬"二字,稿本、刻本倒,據宋、元、汲古及所見其他各本校正。

白,爲榮。震車,故曰載榮。○載榮下,汲古多寵禄再榮四字[一]。依宋、元本删。

【補校】榮,汲古作熒。依宋、元本。

夬

彭離濟東,遷廢上庸。狠戾無節,失其寵功。

元刊注,彭越後赦遷蜀。上庸,蜀地[二]。按,武帝元鼎元年,濟東王彭離有罪,廢徙上庸。似指此事。○廢,汲古作之。狠作狼。均依宋本。

【補校】廢,依宋、元本。狠,元本作佷。義同。

姤

讚揚上舞,神明正氣。禹拜受福,君施我德。

伏震爲言,故曰讚揚。震爲舞,爲神。爲君,故曰禹。又爲福,爲德。古臣謁君,須贊名拜舞。艮爲首,艮覆,首至地,故曰禹拜受福。○正,宋、元作生。禹拜作拜禹。施作使。均依汲古。惟汲古多居則厚禄四字。依宋、元本删。

【補校】揚,宋、元本、汲古皆作陽。依學津。按,翟本引牟庭云,當作揚。亦可從。施,汲古作使。依宋、元本。

萃

從首至足,部分爲六。室家離散,逐南乞食。

通大畜。乾爲首,艮爲肩背,震爲足。乾數六。言首、肩、胸、腹、股、足共六部也。艮爲室家,三上正反艮,故曰離散。乾南震逐,兑食艮求,故曰逐南乞食。三四句,似指伍子胥事。

〔一〕"榮",稿本、刻本誤"熒",據汲古本改。
〔二〕"地",刻本作"也",據稿本改。

困

民迷失道，亂我統紀。空使乾華，實無所有。

　　通賁。坎爲衆，爲民。坎隱，故迷而失道。震爲道。正反震，故曰亂我統紀。震爲華，離火下熇，故曰乾華。艮爲實，華萎，故無實。○華，宋、元本訛革。依汲古。實，汲古訛賓。依宋、元本。又，汲古末有先憂後樂四字。依宋、元本。

　　【補校】實，宋本、汲古訛賓。依元本。

井

刻畫爲飾，嫫母無益。毛嬙西施，求事必得。

　　通噬嗑。艮手爲刻畫。離爲惡人，故曰嫫母。震爲毛羽，坎爲西，而兑爲媚好，故曰毛嬙西施。皆古美人名。艮爲求。首二句，言嫫母本醜，雖飾無益。○第二句，依宋、元本增。汲古無。

　　【補校】益，宋、元本作鹽。兹似以鹽爲益之形訛字。馬生新欽疑依睽之節無益於輔校。

革〔一〕

日居月諸，遇暗不明。長夜喪中，絕其紀綱。

　　【補校】首句，宋、元本作居諸日月。依汲古。遇，元本作御。依宋本、汲古。中，汲古作用。依宋、元本。

鼎

衣裳顛倒，爲王來呼。成就東周，封受大侯。

　　詩齊風，顛倒衣裳，顛之倒之，自公召之。毛謂，刺無節。林意似指吕伋父子爲卿，王朝在公情狀。鼎通屯。震爲衣裳，正反震，

〔一〕此林稿本、刻本皆脱落。謹以宋、元、汲古諸本參訂校録，並增“補校”。

故顛倒衣裳。震爲呼，爲王。震爲東，爲諸侯。坤爲國。○周，汲古作國。依宋、元本。侯，宋、元本作休。非。依汲古。

【補校】周，宋、元本作國。依汲古。

震

當變立權，擿解患難[一]**。渙然冰釋，六國以寧。**

伏巽爲權。互坎爲患難。震爲解，故曰渙然冰釋。坎爲冰也。艮爲國，坎數六，故曰六國。艮安，故寧。此指蘇秦説六國合從事。

艮

西戎獫鬻，病於我國。杖策之岐，以保乾德。

互坎爲西，艮爲狗，故曰犬戎獫鬻。坎爲病，艮爲國。坎爲杖策，爲西，艮山，故曰杖策之岐。艮居西北乾地，故曰以保乾德。顧千里云，扶陝之岐，當作杖策之岐。尚書大傳，遂杖策而去，過梁山，邑岐山。陳樸園齊詩攷引，亦作杖策。故從之。○第三句，宋、元本作扶陝之岐。汲古作扶陽之正。依顧、陳校。又，汲古多終無患惑四字。宋、元無。

漸

南行逐羊，予利喜亡。陰孽爲病，復返其邦。

伏震爲羊，爲南，爲行，爲子。巽爲利。坎爲陰孽，爲病。艮爲邦。○予，疑爲好之形譌字。汲古作子，猶存其半。

【補校】予，依宋、元本。返，元本作反。依宋本、汲古。反、返同。

歸妹

遊戲仁德，日益有福。凶言不至，妖孽滅息。

〔一〕"擿"，稿本、刻本作"摘"，據宋、元、汲古各本改。"擿"同"摘"。

震爲仁德,爲遊戲,爲福。離日,故曰日益有福。震爲言。坎爲凶,爲妖孽。

豐

春日新婚,就陽日温。嘉樂萬歲,獲福大椿。

震春離日,故曰陽,曰温。震爲嘉樂,爲萬歲,爲大椿。莊子,上古有大椿,以八千歲爲春秋。○嘉,宋、元本作喜。大椿作有年。均依汲古。

【補校】日,宋、元本作曰。依汲古。

旅

陰升陽伏,鬼哭其室。相飾不食,安巢如棘。

通節。陽皆在陰下,故曰陰升陽伏。坎爲鬼,艮爲室。震爲笑,震之反則哭也。震爲玄黄,故曰飾。正反震,故曰相飾。兑爲食,艮止,故不食。艮爲巢,坎爲棘,艮坎連,故曰安巢如棘。○鬼哭,宋、元本作舜失。依汲古。

巽

臣尊主卑,權威日衰。侵奪無光,三家逐公。

通震。震爲主,陰爲臣,陽下陰上,故曰臣尊主卑。震爲威,巽爲權。互離爲日,巽隕,故曰日衰。震爲侵,艮手爲奪;互坎,故曰無光。艮爲家,數三,故曰三家。震爲公,爲逐,故曰三家逐公。三家,孟孫、叔孫、季孫,合謀逐昭公也。

【補校】權威,宋、元本作威權。依汲古。

兑

反言爲賊,戎女生患。亂吾家國,父子相賊。

互巽爲賊。三至上正反兑,爲反言。兑爲女,兑西,故曰戎女。

禹貢,西戎即敍。伏艮爲家國,離爲亂。伏震爲父,爲子。正反震相背,中隔坎,故曰相賊。此指晉驪姬讒申生,獻公殺申生事,故曰戎女,曰父子相賊。

【補校】家國,汲古作國家。依宋、元本。爲賊,依汲古。宋、元本作爲殘。按,以韻言,首句作爲殘乃與患協,似更勝。故翟本注云,爲賊之賊當作殘。

渙

迎福開戶,喜隨我後。康伯愷悌,治民以禮。

震爲開,艮爲戶。震爲喜,爲後,爲伯。坎爲民。按史記,衛康叔卒,子康伯立。注,康伯,名王孫牟。左傳所稱王孫牟父是也。按左傳,牟父與伯禽、呂伋並事康王,必有賢德,特其事今皆亡耳。○隨,汲古作逐。後作后。均依宋、元本。

節

日就月將,昭明有功。靈臺觀賞,膠鼓作人。

艮日兌月。艮爲昭明,爲靈臺。震爲鼓,坎水,故曰膠鼓。震爲作,爲人。廣韻,膠,太學也。禮王制,養國老於東膠。正字通,東膠,周學名。即東序也。○觀,宋、元本作歡。依汲古。人,汲古作仁。依宋、元本。觀賞,謂遊覽。鼓,宜爲庠。

中孚

百草嘉卉,萌芽將出。昆蟲扶戶,陽明得所。

震爲百草,爲嘉卉,爲萌芽。巽爲昆蟲,與艮連,故曰扶戶。此以震爲荄兹,與趙賓讀同。

小過

天所佑助,萬國日有。福至禍去,壽命長久。

艮爲天。爲國,爲日,震福,故曰萬國日有。艮爲壽,爲長久,巽爲命。○第二句,汲古无。第四句,汲古作君主何憂。均依宋、元本。

【補校】佑,依宋本、汲古。元本作祐。同佑。

既濟

窮夫失居,唯守弊廬。初憂中懼,惟日兢兢,無悔無虞。

通未濟。未濟男之窮,故曰窮夫失居。多用半象。○惟,宋本、汲古作終。依元本。弊,汲古作舊。依宋、元本。

【補校】唯守,宋、元本作惟守。依汲古。兢兢,宋本作兢兢。汲古作競競。依元本。

未濟

買玉得石,失其所欲。荷蕢擊磬,隱世無聲。

震爲玉,爲蕢,爲磬,爲聲。艮石。皆半象。論語,子擊磬於衛,有荷蕢者曰,有心哉,擊磬乎! 按,荷蕢,隱士。

【補校】世,汲古作耳。依宋、元本。

困之第四十七

困

席多針刺,不可以卧。動而有悔,言行俱過。

坎爲針刺。下坎,互大坎,故多針刺。伏賁。賁下互坎,上互震,震爲席,與坎連,故席多針刺。艮爲卧,三至上正反艮,故不可卧。亦正反震,故言行俱過也〔一〕。

【補校】汲古多爲身作累四字,作第三句。與上下文不類。兹依宋、元本删。

乾

烏鵲食穀,張口受哺。蒙被恩德,長大成就。柔順利貞,君臣合好。

詳履之咸。

坤

六鷁退飛,爲襄敗祥。陳師合戰,左股夷傷。遂以薨崩,霸功不成。

詳蹇之蠱。此與上乾,皆用遇卦困象。

【補校】鷁,汲古作鶂。依宋、元本。按,鶂、鷁音義同。穀梁傳即作鶂。左,依汲古。宋、元本作右。

屯

匍匐出走,驚惶悼恐。白虎生孫,蓐收在後,居中无咎。

〔一〕"伏賁"至"過也"四十三字,稿本作"伏正反震,故言行俱過"。兹依刻本。

震走坎塞，故匍匐出走。震驚坎懼，故曰悼恐。互艮爲虎，震白，故曰白虎。震爲生，艮爲孫。伏兌爲秋，故曰蓐收。月令，孟秋之月，其帝少昊，其神蓐收。國語，史嚚曰，天之刑神也。震爲後，坎爲中。○生，宋、元本作王。依汲古。

蒙

庇廬不明，使孔德妨。女孽亂國，虐政傷仁。

艮爲廬，坤坎皆爲黑，故不明。震爲孔。言齊人餽女樂，妨害孔子，不安其位也。坤爲女，爲孽，爲國，爲亂，爲虐政。○孔，汲古作禮。依宋、元本。

需

碩鼠四足〔一〕，不能上屋。顏氏淑德，未有爵禄。

詳萃之乾。

【補校】碩，宋、元本作石。疑䶅字之半。依汲古。

訟

襄送季女，至於蕩道。齊子旦夕，留連久處。

詳屯之大過。○末句〔二〕，元本作久留連處。依宋本。

【補校】末句，依宋本、汲古。

師

麋鹿逐牧，飽歸其居。還反次舍，樂得自如。

詳屯之比。○反，汲古作於。依宋、元本。

〔一〕“碩”，稿本、刻本作“䶅”，據汲古、學津、局本改。按，萃之乾作“碩”字，亦可參校。
〔二〕“末句”，稿本、刻本無，蓋省文。今依上下文意補足，使易讀也。

比

望尚阿衡，太宰周公。藩屏輔弼，福祿來同。

　　詳坤之鼎。○三四句，宋、元本作藩屏湯武[一]，立爲侯王。
依汲古。惟汲古屏訛居。

小畜

開廓宏緒，王迹所基。報以八子，功德俟時。

　　定四年，武王母弟八人，周公爲太宰。巽爲緒。伏震爲開，爲
王，爲迹，爲子。伏坤，卦數八，故曰八子。艮爲時，艮止，故俟
時。○基，汲古作居。報以八子，作振以公子。均依宋、元本。

　　【補校】宏，宋、元本作洪。德作得。均依汲古。洪、宏義同。
得、德古通。

履

八會大都，饒富有餘。安民利國，可以長居。

　　巽數八。坤爲大都，爲饒富，爲民，爲國。巽爲利，爲長。○
八，汲古作入。依宋、元本。言八方會於大都也。

　　【補校】八，依宋、元本、汲古。惟宋本、汲古舊注云，當作入。

泰

陰雲四方，日在中央。人雖昏霧，我獨昭明。

　　坤爲雲，爲方，震卦數四，故曰陰雲四方。乾爲日。震爲人，坤
爲霧。乾爲大明。言震人居坤霧之中，雖昏黶，無礙於乾之明也。

否

魁爲災虐，風吹雲卻。欲上不得，復歸其宅。

〔一〕“藩屏”二字，稿本、刻本誤倒，據宋、元本校正。

坤爲鬼，爲惡，爲災，故曰魃爲災虐。坤雲巽風，而巽爲退，故
曰風吹雲卻。艮止，故不得上。○第二句，汲古作大風吹卻。非。
依宋、元本。魃，各本皆訛爲薄。兹依小畜之中孚校。詩大雅，旱
魃爲虐。毛傳，魃，旱神也。

同人

昭昭略略，非忠信客。言多反覆，以黑爲白。

　　離明，故曰昭昭。昭昭略略，似當時方言，形容不忠之象貌[一]。
巽爲客。乾爲信，爲言。離正反兑口相對，爲有言，故曰言多反覆。
巽爲白。乾天爲玄，爲黑。○多，宋、元本作語。依汲古。

大有

三女爲姦，俱遊高園。背室夜行，與伯笑言。禍反及身，冤
無所禱。

　　此用困象。互離，卦數三，故曰三女。坎爲姦。伏艮爲高園。
坎爲室，爲夜，艮爲背，故曰背室夜行。伏震爲行。兑爲笑言[二]。
坎爲禍，艮爲身。艮者，震之反，故曰禍反及身。坎爲冤，震爲禱。
又多用困伏象。○反及，宋、元本作及乃。無所作死誰。均依汲
古。園，汲古作國。依宋、元本。

　　【補校】遊，元本作游。依宋本、汲古。游、遊通。

謙

涉尸留鬼，大斧所視。文昌司過，簡公亂死。

　　坤爲尸，爲鬼。涉，疑爲移或徙之訛，言尸去而鬼留也。伏兑
爲斧，離爲視。坤爲文。震爲竹簡，爲公。坤爲亂，爲死。晉書天

〔一〕"形容不忠之象貌"，稿本作"形容不忠信之貌"，兹從刻本。
〔二〕"兑"下，刻本脱"爲"字，據稿本補。

文志，文昌六星，四曰司禄〔一〕、司隷，五曰司命。簡公爲陳成子所弒，見論語。

豫

大足長股，利出行道。囷倉充盈，疏齒善市。宜錢富家，事得萬倍。

震爲大足。伏巽爲長，爲股，爲利。震爲大塗，爲行，故曰利出行道。艮爲囷倉，坤多，故曰充盈。伏兌爲齒，震形兌而長，故曰疏齒。伏巽爲市，坤爲財貨，故曰宜錢富家〔二〕。艮爲家。伏巽爲倍，坤多，故曰萬倍。按，大足、長股、疏齒，蓋皆夷狄名。淮南墜形訓，有跂踵民。大荒北經曰，跂踵國，在拘纓東，其爲人大兩足，亦曰大踵。大踵，即大足。長股，亦西方戎名。詳比之蹇。疏齒，疑即淮南所謂鑿齒民，在海外東南方。善市，即善賈也。○第五句，汲古作宜以錢富。囷倉訛困合。均依宋、元本。

【補校】疏，元本作疎。依宋本、汲古。疎、疏通。

隨

筐筥錡釜，可活百里。伊氏鼎俎，大福所起。

震爲筐筥錡釜。艮爲里，震爲百，爲生，故曰可活百里。史記，晉滅虞，以百里奚爲秦繆夫人媵。呂氏春秋，百里奚飯牛於秦。蓋其職賤，所司皆筐筥錡釜之事，反因以得活而相秦也。伊尹以鼎爼干湯。震爲鼎俎，爲伊吾。伊，歌聲也。○可，汲古作河。依宋、元本。百里，宋、元本作百口。汲古作百呂。依局本。

蠱

升高登虛，欲有望候。駕之北邑，與喜相扶。

〔一〕“四曰司禄”，刻本誤作“四日司農”，據稿本改。

〔二〕“家”，刻本誤“有”，據稿本改。

巽爲高。艮爲墟，爲望。震爲登，爲南。震反爲艮，則北矣。艮爲邑，故曰駕之北邑。震爲喜，艮爲扶。正反艮，故曰相扶。

臨

用彼嘉賓，政平且均。螟蟲不作，民得安寧。

伏巽爲螟蟲。震爲嘉賓。坤爲政，爲平均。

觀

桃夭少華，婚悦宜家。君子樂胥，長利止居。

巽爲桃。兑爲華，爲少，故曰少華。兑爲悦。詩周南，桃之夭夭，灼灼其華。之子于歸，宜其室家。艮爲家，爲君子。伏震爲樂。巽爲利，艮爲居。長利止居，言女嫁得所也。○華，宋、元本作葉。依汲古。三五伏兑〔一〕。

【補校】悦，元本作説。依宋本、汲古。説即悦。

噬嗑

東行失旅，不知所處〔二〕。西歸無配，莫與笑語。

震爲東，爲行旅。互坎，故失旅，故不知所處。坎位西，坎孤，故無配，故無笑語。○配，宋、元本作妃。依汲古。

賁

玩好亂目，巧聲迷耳。賊敗貞良，君受其殃。

坎耳離目。坎隱伏，故曰迷耳。離亂，故曰亂目。震爲聲，正反震，故曰巧聲。坎爲賊，艮爲貞良。震爲君。○殃，宋、元本作咎。依汲古。

〔一〕“三五伏兑”，稿本無。兹依刻本。
〔二〕“所”，稿本、刻本誤“何”，據宋、元、汲古各本校改。注文倣此。

剝

明德孔嘉，萬歲無虧。駕龍巡狩，王得安所。

　　艮爲明。坤虛爲孔，爲萬歲。伏乾爲龍，爲王，爲行，故曰駕龍巡狩。○安所，汲古作所安。依宋、元本。

復

同本異葉，安仁尚德。東鄰慕義，來與古國。

　　震木，故曰本，曰葉。坤爲安。震爲仁德，爲東，爲鄰。坤爲義，爲國。○古，從汲古[一]。宋、元本作吾。按，綿緜詩，古公亶父。傳，古公，猶先公。兹曰古國，義與毛異。

　　【補校】安，宋、元本作樂。依汲古。尚，元本作上。依宋本、汲古。上、尚通。

无妄

戴山崔嵬，日高無頹。君王我德，賜以嘉國。

　　乾爲山，艮爲戴，在乾下，故曰戴山崔嵬。艮爲日，巽爲高。乾爲君王，爲德，艮爲我。我德，言德我也。艮爲國，震爲嘉。○日，宋、元本訛曰。王作主。嘉作家。均依汲古。我，汲古作好。依宋、元本。

大畜

築室合歡，千里無患。周公萬年，佑我二人。壽以高遠。

　　艮爲室，震爲歡。正反震相對，故曰合歡。坤爲千里，爲患。坤伏，故無患。震爲周，爲公。乾爲萬年，爲佑。兌卦數二，震爲人，故曰二人[二]。艮爲壽，爲高。乾爲遠。○二，汲古作三。依

―――――――――――――

〔一〕"從汲古"，刻本脫落。據稿本補。
〔二〕"震爲周"至"故曰二人"二十二字，刻本無。據稿本補。

宋、元本。宋、元本無末句。依汲古。

　　【補校】歡，元本作懽。佑作祐。均依宋本、汲古。懽即歡。
祐、佑同。

頤

養雞生雛，畜馬得駒。明堂太學，君子所居。

　　伏巽爲雞，震爲馬。艮少，故曰雛，曰駒。艮爲明堂，爲君子。
坤文，故曰太學。

大過

雷行相逐，無有休息。戰於平陸，爲夷所覆。

　　詳坤之泰。

　　【補校】於，宋本、汲古作于。依元本。于、於同。

坎

委蛇循河，北至海涯。涉歷要荒，君世無他。

　　坎爲曲，故曰委蛇。伏巽爲蛇。坎位北，伏兌爲海。互震爲
君。○北至，汲古作至北。君作在。從宋、元本。

離

鴻聲大視，高舉神化。背昧向明，以通福功。

　　伏艮爲鴻，震爲聲[一]，離爲視。巽爲高。互兌爲夜，故曰背
昧。離明，故曰向明。伏震爲通[二]，爲福。○向，汲古作皆。形
訛。依宋、元本。通，宋、元本作道。依汲古。

─────────

〔一〕“伏艮爲鴻，震爲聲”，刻本作“伏震爲鴻，爲聲”，據稿本改。按，稿本此處
　　有後改痕迹，似爲書刊行後又作修訂，故與刻本互異。
〔二〕“震”下，刻本無“爲通”二字，疑誤脱，據稿本補。

咸

比目四翼，來安吾國。福喜上堂，與我同牀。

咸伏損。上艮爲目，三至上正反艮，故曰比目。震爲翼，卦數四，故曰四翼。艮爲安，爲國，爲堂，爲牀。震爲福喜。○後三句，汲古作安我邦國，上下無患，爲吾家福。從宋、元本。

恒

先縠彘季，反謀桓子。不從元帥，遂行挑戰，爲荆所敗。

左傳宣十二年，楚子圍鄭，荀林父帥師救之。及河，聞楚與鄭平。桓子欲歸。彘子曰，不可。遂挑戰。晉師敗績。巽爲縠，爲彘。震爲桓，爲子。巽震卦相反，故曰反謀桓子。震爲元帥，爲戰，爲荆楚。兌毁，故曰敗。○不，元本訛子。依宋本、汲古。先縠，汲古作士縠[一]。依宋、元本。先縠，彘子名。

遯

三頭六足，欲盜東國。顏子在庭，禍滅不成。

乾爲頭，艮數三，故曰三頭。乾數六，故曰六足。伏震爲足，爲東。艮爲國，故曰東國。巽爲盜。艮爲顏，爲庭，坤爲禍滅，坤伏，故不成。三頭，似指魯三家。顏子，或指顏淵。○庭，宋、元本作逋。依汲古。

大壯

緣山升木，中墮於谷。子輿失勞，黄鳥哀作。

通觀。艮爲山谷。巽爲木，爲隕落，故曰中墜於谷。震爲輿，爲子，爲黄。伏艮爲鳥，坤爲哀。左傳文六年，秦伯任好卒，以子車

〔一〕"縠"，刻本訛"縠"，據稿本改。

氏之三子殉，國人哀之，爲賦黄鳥。子輿，即子車也。○勞，疑爲勢
或榮之訛。

【補校】墮，元本作墜。依宋本、汲古。輿，汲古作與。依宋、
元本。

晉

南有嘉魚，駕黄取鱛。魴鯉灡灡，利來無憂。

離爲南。坤爲魚，爲黄。黄、鱛、魴、鯉，皆魚名。嘉魚，小雅
篇名。

【補校】鱛，宋、元本作鱗。依汲古。

明夷

邃炁作雲，蒙覆大君。塞聰閉明，殷人賈傷。

震爲大君，坤爲雲氣。炁、氣同。坤雲在震上，故曰蒙覆大君。
坎耳聰，離目明，坤爲閉塞，故曰塞聰閉明。震爲子，殷子姓。震爲
商賈，故曰殷人賈傷。○君，汲古作臣。非。依宋、元本。賈，疑訛
字。易林屢以震爲孩子。箕子之明夷，蓋讀箕子爲孩子。孩子爲
昏蒙之代名，專指紂，故曰蒙覆大君。足證以箕子爲紂臣之誤。

【補校】炁，宋、元本作氣。閉作蔽。均依汲古。

家人

舉翅攎翼，跂望南國。延頸卻縮，未有所得。

此用困象，伏賁。震爲翅翼，爲攎舉，爲南。艮爲國，下離，故
跂望南國。艮爲頸，在上，故曰延頸。震爲返，故卻縮。坎失，故未
有所得。

【補校】跂，汲古作跂。依宋、元本。卻，從宋本。元本作郄。
汲古作郤。郄、郤同。

睽

坎中蝦蟆,乍盈乍虛。三夕二朝,形消無餘。

此用遇卦困象。巽爲蝦蟆,下坎,故曰坎中蝦蟆。坎盈,離虛。坎爲夕,離卦數三,故曰三夕。言晦日三十也。伏震爲朝,兌卦數二,故曰二朝。按,張衡靈憲云,嫦娥竊不死之藥,遂託身於月,是爲蟾蜍。坎中蝦蟆,即月中蝦蟆也。言月前盈後虛,至月朔而消滅無有也。

蹇

重弋射隼,不知所定。質疑蓍龜,孰可避之。國安土樂[一],宜利止居。兵寇不至,民無騷憂。

此仍用困象。詩鄭風,弋鳧與雁。傳,以繩繫矢而射曰弋。巽爲弋,正反巽,故曰重弋。伏艮爲隼,震爲射。巽進退不果,故曰不知所定。坎爲筮,故曰質疑。巽爲蓍,離爲龜。坎爲避。孰可避之,言孰可避免也。艮爲國,爲土。震樂巽利。○首句,宋、元本作僮子射御。汲古作僮或射御。僮,重之訛。或,弋之訛。茲依中孚之復校。可避之,之與龜韻。宋、元本作孰知所避。茲依汲古。七八句,疑衍文,故不釋。

【補校】至,汲古作作。依宋、元本。騷憂,從汲古。宋、元本作搔擾。義同。

解

陰淫寒疾,水離其室。舟楫大作,傷害黍稷。民飢於食,不無病厄。

坎爲陰寒,爲疾,爲室。震爲舟楫[二],爲黍稷。坎破,故傷害

〔一〕"土",刻本訛"上",據稿本改。
〔二〕"爲"下,刻本無"舟"字,據稿本補。

黍稷。坎爲民，爲厄。離虛，故飢。○離，汲古作流。從宋、元本。
楫，元本作戢。非。依宋本、汲古。

　　【補校】楫，元本作檝。同楫。

損

離友絕朋，巧言讒慝。覆白污玉，顏叔哀哭。

　　艮友在外，故曰離。兌爲朋，兌附決，故曰絕。正反震，故曰巧
言讒慝。震爲白，爲玉，坤蒙閉，故曰覆白污玉。覆，掩也。艮爲
顏，爲叔，兌爲哭。顏叔未詳。○慝，宋、元本作匿。依汲古。

　　【補校】慝，宋、元本、汲古皆作匿。依局本。

益

童女無媒，不宜動搖。安其室廬，傅母何憂。

　　巽爲女，艮少，故曰童女。艮止，故不宜動搖。言宜貞靜也。
艮爲室廬，艮止，故曰安。坤爲母，震樂，故傅母不憂也。古女子皆
有傅母，以爲教導。

夬

作凶造患，北檄困貧。東與禍連，傷我左跟[一]。

　　此用遇卦困象。困通賁。坎爲凶患，爲北。檄，以木簡爲牘，
長尺二寸，以爲徵召。坎陷，故曰困。離虛，故貧。後漢安帝紀，民
窮困道路，欲歸本郡，在所爲封長檄。震爲東。坎爲禍，爲傷。震
爲左，爲跟。○檄，汲古作榭。禍作福。均依宋、元本。左，宋、元
本作老。依汲古。

　　【補校】造，宋、元本作作。依汲古。

────────

〔一〕“跟”，稿本作“根”。茲依刻本。注文同。

姤

東南其戶，風雨不處。矒脘仁人，父子相保。

乾爲門戶，巽居東南，故曰東南其戶。巽風，進退無常，故曰不處。毛詩，矒脘好貌。乾爲仁人，爲父。伏震爲子。〇矒脘，汲古作曚睍[一]。宋、元本作矒睍。丁云，睍當爲脘。是也。故從釋文。

【補校】矒脘，宋本作曚睍。元本作矒睍。丁晏釋文云，曚睍當爲矒脘之譌。兹從校。又，保，汲古作俅。依宋、元本。

萃

被髮獸心，難與比鄰。來如飄風，去似絶絃，爲狼所殘。

巽爲髮，艮爲獸，坤爲心。巽爲飄風。爲繩，故爲絃。兑毁，故絶絃。艮爲狼，兑口，故曰爲狼所殘。言爲狼所噬也。

【補校】狼，汲古作狼。依宋、元本。

升

天覆地載，日月運照。陰陽允作，方内四富。

坤爲地。伏乾爲天，爲日。兑爲月。坤爲方，爲多，故爲富。震卦數四，故曰四富。

井

桀亂無道，民散不聚。背室棄家，君孤出走。

離爲惡人，故曰桀。震爲大塗，震伏，故曰無道。坎爲衆，爲民。風散，故曰不聚。艮爲室家，艮伏，故曰背，曰棄。震爲君，坎爲孤。震伏，故曰出走。

〔一〕“曚”，刻本訛“矒”，據稿本改。又，稿本、刻本“睍”誤“睍”，據汲古本校。

革

申酉稷射，陰慝萌作。荷葭載牧，泥塗不白。

　　巽先天居申，兌後天居酉。丁云，穀梁定十五年，傳曰下稷。注，稷，日昃也。下稷爲晡時。伏震爲射。申酉稷射者，言日至申酉，晡時而射也。伏坤爲陰慝。震爲萌芽，故曰萌作。伏艮爲荷，巽爲葭，坤爲牧。坎爲泥塗。巽爲白，坎隱，故不白。○稷射，汲古作敗時。依元本。荷，宋、元本作柯。依汲古。葭，疑蓑之訛。詩，何蓑何笠是也。

　　【補校】稷射，依宋、元本。慝，汲古作匿。從宋、元本。

鼎

踝踵足傷，左指病瘍[一]。失旅後時，利走不來。

　　詳蒙之履。

　　【補校】左，宋、元本作右。從汲古。

震

四足俱走，駑疲在後。俱戰不勝，敗於東野。

　　震卦數四，故曰四足。震爲後，坎勞，故曰駑疲在後。震爲戰，坎陷，故不勝，故敗。震東，艮野。○俱戰，宋、元本作戰既。從汲古。

艮

塗行破車，醜女無媒。莫適爲偶，孤困獨居。

　　互震爲大塗，爲行，爲車，坎破，故曰塗行破車。伏兌爲女，離爲惡人，故曰醜女。坎爲孤，艮爲鰥，故曰孤困獨居。○偶，汲古作耦。依宋、元本。

〔一〕"指"，稿本、刻本作"趾"，據宋、元、汲古及所見其他各本改。按，蒙之履宋本、汲古亦作"指"，可資參考。

【補校】偶,從元本。宋本、汲古作耦。同偶。

漸

拊髀大笑,不知憂懼。開立大路,爲王所召。

　　髀,説文,股也。巽爲股,艮手,故曰拊髀。伏震爲笑。坎爲憂懼,兑悦震樂,故不知憂懼。震爲大路,爲王,爲召。○王,宋、元本作主。依汲古。

　　【補校】拊,宋、元本、汲古皆作搏。依學津、局本。髀,汲古作䏶。依宋、元本。

歸妹

伯圭東行,與利相逢。出既遭時,孰不相知。

　　震爲伯,爲玉,故曰伯圭。伯圭善貨殖,見史記、孟子。伏巽爲利,故與利相逢。震爲出,爲時。○圭,汲古訛主。依宋、元本。宋、元本時訛昧。下多憂不成凶四字。均依汲古。

豐

東行賊家,鄭伯失辭。國無貞良,君受其殃。

　　震爲東行,巽爲賊,伏艮爲家。震爲伯,伏坎爲平,爲鄭,故曰鄭伯。正反震,故失詞。艮爲國,爲貞良。艮伏,故無。震爲君,離爲殃。東行賊家,指桓十五年鄭厲公居櫟,是東行也。後自櫟入鄭,殺傅瑕、原繁,逐昭公,是賊家也。殺原繁,言不順,是失詞也。

旅

前屈後曲,形體飭急。絞黑大索,困於請室。

　　通節。坎爲屈曲,艮前震後,故曰前屈後曲。艮爲形體。兑剛魯附決,故曰飭急。猶緊急也。巽爲索,坎爲黑。正反巽,故曰絞。絞,縛也。艮爲室,震爲請,坎陷,故曰困於請室。請室,大臣待罪之所也。○餙，汲古作劻。非。依宋、元本。請，宋、元本訛清。依汲古。

【補校】請，宋、元本、汲古皆作清。依局本。按，學津本注云，疑作請。亦可從。

巽

鼓翼大喜，行婚飲酒。嘉彼諸姜，樂我皇考。

伏震爲翼，爲鼓，爲喜。兑口爲飲，伏坎爲酒，爲婚，故曰行婚飲酒。巽爲姜，重巽，故曰諸姜。伏震爲父，爲大，故曰皇考。○翼，宋、元本作腋。依汲古。婚，汲古作嫁。依宋、元本。言大喜之故，在將婚飲酒也。

【補校】諸，汲古作請。依宋、元本。

兑

狐嘈向城，三旦悲鳴，邑主大驚。

伏艮爲狐，爲城。震爲鳴，故曰嘈。嘈，啼也。震爲旦，數三，故曰三旦。互坎爲憂，故曰悲鳴。艮爲邑，震爲主，爲驚。皆用伏象。此必有故事，爲今所不能攷。或以吳廣詐狐鳴事說之，似非。○宋、元本首句多國將有事四字，將林辭奇肆突兀之神全失。故依汲古。

【補校】旦，宋、元本作日。從汲古。

渙

明德克敏，重華貢舉。放勳徵用，濬哲蒙佑。

震爲德，艮爲明，故曰明德。震爲華，正反震，故曰重華。震又爲帝，故又曰放勳。○克，汲古作光。依宋、元本。言堯徵舜，天下蒙福〔一〕。

【補校】克，元本作尅。依宋本。放，汲古作被。依宋、元本。

〔一〕"言堯"至"蒙福"八字，稿本無。茲依刻本。

佑,從宋本、汲古。元本作祐。同佑。按,濟,諸本皆作公。似當依
既濟之漸校作八,疑公爲八之訛字。八哲,謂八元、八愷。翟本即
作八。然此既改爲濟哲,或別有所據。謹紀以存考。

節

秋隼冬翔,數被嚴霜。甲兵充庭,萬物不生。雞犬夜鳴,民
人擾驚。

　　詳鼎之觀。〇充,汲古作克。依宋、元本。犬,宋、元本作父。
依汲古。人,元本、汲古作大。依宋本。

　　【補校】雞,宋、元本作雄。依汲古。

中孚

絲紵布帛,人所衣服。摻摻女手,紡績善織。南國饒足[一],
取之有息。

　　巽爲絲紵布帛。震爲衣。艮手,與巽連體,故曰女手。巽爲紡
績,爲織。艮爲國,與震連,故曰南國。震生,故有息。

　　【補校】摻摻,汲古作摻搔。善作繕。均依宋、元本。

小過

鳳有十子,同巢共母。仁聖在位,懂以相保,興彼周魯。

　　艮爲鳳,震爲子。兌數十,故曰十子。艮爲巢,巽爲母。震爲
仁,爲懂,爲周。兌爲魯。〇三四五句,汲古作懂以相保,富市之
地,多財積穀[二]。依宋、元本。此似指武王同母兄弟十人,故曰

―――――――――

[一]"足",稿本、刻本作"有",疑誤,據宋、元、汲古及所見其他各本校改。按,
　　馬生新欽疑"有"字依睽之剝"衣食我躬,室家饒有"及漸之渙"商人受福,
　　國家饒有"校。可備參考。
[二]"多財積穀",按汲古本"穀"作"穀",惟其注云"疑作穀",注是也。故尚氏
　　引文徑改爲"穀"。

共母。而十人之中，以周公爲最仁聖，周魯皆賴以興也。

【補校】共，汲古作其。依宋、元本。

既濟

雄雞不晨，雌鳴且呻。志疧心離，三旅生哀。

此似用遇卦困象。巽爲雞，震爲晨，爲雄。震伏，故不晨。巽爲雌，兌口爲鳴，爲呻。坎爲心志。爲疾，故曰疧。疧、痺同。説文，濕病也。内經曰，風痛也。亦巽象也。○鳴且，汲古訛雞具。依宋、元本。呻，宋、元本訛伸。疧作庇〔一〕。生作出。均依汲古。旅、間通用。三旅，屈子也。雌鳴，指鄭袖。志疧心離，言作離騷。

【補校】鳴，宋本、汲古訛雞。依元本。且，汲古訛具。依宋、元本。

未濟

光祀春城，陳寶雞鳴。陽明失道，不能自守，消亡爲咎。

詳大有之井。○首句，汲古作光休出城。依宋、元本。明，宋、元本作鳥。爲作無。均依汲古。元本下多舉事不成，自取凶咎二句。依汲古。

【補校】城，宋、元本作成。依汲古。亡，汲古作已。依宋、元本。又，元本下多二句，依宋本、汲古删。按，元本所多二句，在宋本則爲雙行小字夾注。

〔一〕"庇"，稿本、刻本誤"疪"，據宋、元本改。

井之第四十八

井

蹎跂未起，失利後市，不得鹿子。

> 詳屯之困。○鹿，汲古作麤。依宋、元本。

乾

左輔右弼，金玉滿堂。常盈不亡，富如厫倉。

> 詳蒙之坤。○厫，宋、元本作敖。依汲古。

坤

雨師娶婦，黃巖季女。成禮既婚，相呼南去。膏澤田里，年歲大喜。

> 詳恒之晉。○南去，宋本作而歸。汲古作南上。依元本。田里，汲古作下土。依宋、元本。又末句，宋、元本無。依汲古。
>
> 【補校】巖，依宋本、汲古。元本作岩。同巖。南去，宋、元本作而歸。依局本。膏，從汲古。宋、元本作潤。又，宋本無末句。元本無第三句、末句。依汲古。

屯

螟蟲為賊，害我嘉穀。盡禾殫麥，家無所得。

> 詳坤之革。○嘉穀，宋、元本作稼穡。家作秋。均依汲古。得，汲古作食。第三句，汲古作中留空虛。均依宋、元本。

蒙

跛躃難步，遲不及舍。露宿澤陂，亡其襦袴。

震爲步，坎塞，故曰跛躄難步。艮爲舍，艮止，故遲不及舍〔一〕。
坎爲露，爲宿，爲澤陂。震爲襦袴，坤爲亡，故又曰亡其襦袴。

【補校】遲，汲古作道。依宋、元本。

需

大夫祈父，無地不涉。爲吾相土，莫如韓樂。可以居止，長
安富有。

乾爲父，兌言，故曰祈父。陳樸園云，詩祈父，予王之爪牙。毛
傳，祈父，司馬也。蹶父爲司馬之官。尚書稱司馬亦曰圻父〔二〕。
圻、祈，古通用。詩大雅韓奕篇，蹶父孔武，靡國不到。爲韓姞相
攸，莫如韓樂。林所本也。伏坤爲土地。艮爲居止，爲安。乾爲
富。兌悦，故曰樂。○祈，各本多作行。依汲古。

訟

少孤無父，長失慈母。悖悖煢煢，莫與爲耦。

通明夷。坎爲孤。震爲父，坤喪，故無父。震爲長。坤爲慈
母，坤亡，故失慈母。坤寡，故曰煢煢，故無耦也。

【補校】耦，宋、元本作福。依汲古。

師

側弁醉客，長舌作凶。披髮夜行，迷亂相誤，亡失居處。

艮爲冠，二四艮覆，故曰側弁。詩小雅，側弁之俄，屢舞傞傞。
震爲客，坤迷，故曰醉客。兌爲舌，二至上兌形特長，故曰長舌。震
爲髮。坤爲夜，爲迷亂，爲亡失。○處，宋、元本作止。依汲古。

【補校】長，宋、元本作重。依汲古。

〔一〕“故”下，刻本無“遲”字，據稿本補。
〔二〕“圻”，刻本訛“祈”，據稿本改。

比

馬驚車破,王墜深津。身死魂去,離其室廬。

> 震爲車馬,坎爲破。三至五震覆,故馬驚車破。九五爲王,坎陷。一陽陷坤水中,故曰王墜深津。坤爲死,爲身。乾爲魂,坤爲魄。乾伏,故曰魂去。艮爲室。○車破,宋、元本作破處。依汲古。第二句,依汲古。宋、元本作王孫沉溝。死,各本作絕。依局本。第四句,宋、元本作自爲患害。依汲古。汲古末多貞難無虞四字。依宋、元本删。

> 【補校】死,汲古、局本作絕。依宋、元本。

小畜

東行述職,征討不服。侵齊伐陳,衒璧爲臣,大得意還。

> 通豫。震爲東,爲征討,爲陳,爲璧。兌爲口,故曰衒璧。巽爲齊。艮爲臣。左傳,楚子圍許,許男面縛衒璧。

履

百足俱行,相輔爲强。三聖翼事,王室寵光。

> 詳屯之履。

泰

本根不固,華葉落去,更爲孤嫗。

> 通否。巽隕落,故曰本根不固。兌爲華,巽落,故曰落去。巽爲嫗,巽寡,故曰孤嫗。

> 【補校】木根,汲古作根本。依宋、元本。

否

牧羊稻園,聞虎喧譁。畏懼怵惕,終無禍患。

> 詳否之節。○患,各本皆作焉。依屯之復校。喧譁,宋、元本

作喧喧。怵惕作休息。均依汲古。

同人

履位乘勢，靡有絶弊。爲隸所圖，與衆庶位。

　　通師。震爲履，爲乘。坤賤，故曰隸。坤爲衆庶。與衆庶位，言初得位乘勢，後爲皂隸所圖，與齊民等也。

　　【補校】隸，從宋本、汲古。元本作隸。同隸。位，汲古作伍。依宋、元本。

大有

大輿多塵，小人傷賢。皇甫司徒，使君失家。

　　通比。坤爲大輿，爲小人。艮爲塵，故曰大輿多塵。艮爲賢良，坤喪，故傷賢。艮爲臣，故曰皇甫司徒。震爲君，艮爲家。震覆坎失，故曰使君失家。詩，番維司徒，皇甫卿士。皆幽王臣。又無將大車，祇自塵兮，無思百憂，祇自疷兮。又無將大車，維塵冥冥。

謙

安如泰山，福禄屢臻。雖有狼虎，不能危身。

　　坤爲安，艮爲山。震東，故曰泰山。震爲福禄。艮爲狼虎，爲身。震出，故不能危身。○如，宋、元本作和。禄作祐。依汲古。

　　【補校】泰，依宋本、汲古。元本作太。同泰。

豫

同氣異門，各別西東。南與凶遇，北傷其孫。

　　艮爲氣，爲門。正反皆艮，故曰同氣。兩艮相背，故曰異門。震東坎西，故曰各別西東。震又爲南。坤爲凶，故與凶遇。坎又爲北，坤爲死，艮爲孫，故曰北傷其孫。孫與東韻。

【補校】西東，宋、元本、汲古皆作東西。依學津、局本。

隨

蜆見不祥，禍起我鄉。行人畏懼，邑客逃藏。

　　爾雅釋蟲，蜆，縊女也。好自經死，故見者以爲不祥。互巽爲蟲，爲係，正縊女象也，故曰不祥。艮爲我，爲邑，爲鄉。震爲行人，爲客。巽伏，故曰逃藏。〇蜆，各本皆訛爲蜺。祇，宋、元本未訛。牟庭謂黃丕烈刊宋本易林，私改蜆爲蜺，以就爾雅。豈知巽爲繩，爲係，正易林用象之神妙。先儒從不知易林之詞皆由象生，故失言如此。且以好古之黃蕘圃，何至改古書字乎？第四句，宋、元本作使命不通。依汲古。

　　【補校】懼，宋、元本作亡。依汲古。

蠱

養虎畜狼，必見賊傷。無事招禍，自取災殃。

　　艮爲虎狼，艮止爲畜。巽爲盜賊，兌毀折，故曰招禍，曰災殃。〇宋、元本作無事召禍，自取災殃。畜狼養虎，必見賊傷[一]。今依汲古。惟必見，汲古作還自，與下自字義皆重，故依宋、元本。

臨

順風吹火，牽騎驥尾。易爲功力，因權受福。

　　伏遯。互巽爲風，艮爲火，故曰順風吹火。艮手爲牽，乾爲驥，艮爲尾，故曰牽騎驥尾。巽爲權。〇牽騎，汲古作幸附。依宋、元本。

觀

五岳四瀆，潤洽爲德。行不失理，民賴恩福。

〔一〕“無事召禍”至“必見賊傷”，稿本、刻本作：“畜狼養虎，無事招禍。必見賊傷，自取災殃。”文序頗錯置。又“召”字誤“招”。據宋、元本改。

詳頤之明夷。○潤洽，依校。各本作沾濡。

噬嗑

延陵聰敏，樂聽太史。雞鳴大國，姜氏受福。

左傳襄二十九年，吳季札聘魯，爲之歌齊，曰，美哉！洋洋乎，大風也哉！表東海者，其太公乎？艮爲山，爲少，故曰延陵。札號延陵季子也。震爲樂，坎耳爲聽。離文，故曰太史。伏巽爲雞，艮爲國。巽爲姜。雞鳴，齊詩篇名。○樂聽，汲古作聽樂。依宋、元本。

賁

神鳥五色，鳳凰爲主。集於王國，使君得所。

震爲神，艮爲鳥。離文，故爲鳳凰。震爲主，爲王，爲君。艮爲國[一]。○國，宋、元本作谷。依汲古。禮器云，升中于天而鳳凰降。援神契，鳳五色俱備，見則天下安寧。

【補校】色，汲古作氣。依宋、元本。

剝

媒妁無明，雖期不行。齊女長子，亂其紀綱。

此用遇卦井象。坎爲媒妁，坎隱伏，故無明。震爲行，震反，故不行。下巽爲齊女，伏震爲長子。互離爲亂，巽爲紀綱。○無，宋、元本作光。行作得。其作我。均依汲古。

【補校】其，汲古作我。依宋、元本。

復

明月作晝，大人失居。衆星宵亂，不知所據。

〔一〕“爲”上，刻本脱“艮”字，據稿本補。按艮有邦國象，見卷首《易林逸象原本攷》。

此仍用井象。兌爲月,離爲晝,兌離連體,故曰明月作晝。乾爲大人,三陽皆陷陰中,故曰失居。離爲星,坎爲衆,爲夜,故曰衆星宵亂。離爲亂也。

【補校】宵,元本作霄。依宋本、汲古。

无妄

少康興起,誅澆復祖。微滅復明,享祀大禹。

震爲君,故曰少康,曰興起。伏坤爲惡,故曰澆。坤殺,故曰誅澆。言澆爲少康所誅也。艮爲祖,震爲復,故曰復祖。乾爲大明,爲王,故曰大禹。按帝王世紀,后羿之相寒浞,既殺后羿,因羿之室生羿及豷。豷有力,殺夏帝相。帝妃仍氏女曰后緡,逃于有仍,生少康。少康長,與夏舊臣靡誅羿,復夏室。羿既澆也。○第四句,宋、元本作大禹享祀。依汲古。

【補校】祖,汲古訛祖。享訛宫。均依宋、元本。

大畜

千門萬戶,大福所處。黃屋左纛,龍德獨有。

艮爲門戶,乾亦爲門戶,爲千萬,故曰千門萬戶。乾爲大福。艮爲屋,震玄黃,故曰黃屋。震爲旗,爲左,故曰左纛。纛,旗也。震爲龍,爲德。龍德獨有者,言非天子不能如此也。○左,汲古訛在。有作右。均依宋、元本。

頤

乾作聖男,坤爲智女。配合成就,長生得所。

伏乾爲聖,爲男。坤爲女。坎爲水,爲智,坤亦爲水,故曰智女。乾道成男,坤道成女,故曰配合成就。震爲長生。○成就,宋、元本作既成。依汲古。

【補校】末句,汲古作長住樂所。依宋、元本。

大過

羿張烏號,彀射天狼。鐘鼓夜鳴,將軍壯心。柱國雄勇,鬭死滎陽〔一〕。

　　通頤。坤惡,故曰羿。艮爲烏,震爲鳴,故曰烏號。烏號,弓名也。艮爲天,爲狼。天狼,星名。楚辭,青雲衣兮白霓裳,舉長弓兮射天狼。彀,張弓也。彀射天狼,言羿暴戾也。震爲射,爲鐘鼓。坤爲夜,爲軍,爲心,爲國。艮爲柱,故曰柱國。坤爲死,正覆艮,故曰鬭死。坤水,故曰滎陽。柱國,房君蔡賜也。見陳涉世家。惟史不言其死處,林蓋別有所據。○彀,汲古訛殻。天,各本皆作驚。柱皆作趙。均依師之否校。然趙國或爲人名,戰死滎陽,未必爲訛字。

　　【補校】彀,依宋、元本。鐘,元本作鍾。滎作榮。均依宋本、汲古。

坎

炙魚梱斗,張伺夜鼠。不忍香味,機發爲祟,笮不得去。

　　伏巽爲魚,下有離火,故曰炙魚。震爲梱斗。坎爲夜,爲鼠。艮止,故曰伺。震發,故曰張。言以炙魚置梱斗之中,至夜引鼠而射殺之也。伏巽爲臭,故曰香味。坎爲機,爲祟。震爲發。艮止,故曰笮。笮音窄,狹也,迫也。○各本祟下多祟在頭頸四字,依歸妹之師校。梱,各本多作銅。丁云,説文,梱斗可以射鼠,疑銅爲梱之形訛字。愚按歸妹之師作枯斗,枯正梱之音訛字。由此證銅確爲梱,丁説是也,故竟從之。

　　【補校】宋本祟下多祟在頭頸四字。元本頭頸作頸頭。汲古

〔一〕"滎",刻本誤"榮",據稿本改。

第五句作崇在頭頸。

離

高飛不視,貪饕所在。臭腐爲患,自害其身。

　　離爲飛,爲視。巽伏,故不視。兌口爲食,正反兌,故曰貪饕。巽爲臭腐,伏坎爲患。艮爲身。○其,宋、元本作躬。依汲古。

　　【補校】饕,依學津、局本。宋、元本、汲古作叨。同饕。

咸

鉛刀攻玉,堅不可得。單盡我力,胝胼爲疾。

　　詳坤之豫。○第三句,依宋、元本。單,殫之省文。汲古作盡我筋力。第四句,宋、元本作齒爲疾賊。依汲古。

恒

方喙宣口,聖智仁厚。解釋倒懸,家國大安。

　　詳小畜之噬嗑。○解釋,宋、元本作釋解。依汲古。家,汲古作歷。依宋、元本。

　　【補校】喙,宋、元本作啄。依汲古。智,元本作知。依宋本、汲古。知同智。大安,從宋、元本。汲古作安泰。

遯

蜘蛛南北,巡行罔罟。杜季利兵,傷我心旅。

　　此用遯卦井象。巽爲蟲,故曰蜘蛛。離南坎北。離爲網罟。艮爲少,爲木,故曰杜季。艮爲刀劍,故曰利兵。坎爲心旅。杜季,即杜伯。史記正義引周春秋云,宣王殺杜伯而无辜。後三年,宣王會諸侯田于圃。日中,杜伯起於道左,衣朱衣冠,操朱弓矢,射宣王,中心折脊而死。國語則云於鄗。○首二句,各本皆作跚蹒南北,誤入喪國。旅作腹。丁云,依御覽蜘蛛引校改,旅即脅之省文。

【補校】杜，汲古作社。依宋、元本。

大壯

公孫之政，惠而不煩。喬子相國，終身無患。

通觀。艮爲公孫，坤爲政。喬，丁云，喬、僑通用，鄭子產也。艮爲喬木，故取象。坤爲國，爲終，爲身，爲患。艮安，故無患。

晉

弧矢大張，道絕不通。小人寇賊，君子壅塞。

坎爲弧，爲矢。艮爲道路，坎陷，故不通。坤爲小人，艮爲君子。坎爲寇賊，爲壅塞。

【補校】壅塞，汲古作塞壅。依宋、元本。

明夷

藏戟之室，封豕受福。充澤肥腯，子孫蕃息。

坎爲戟，爲室；爲隱伏，故曰藏。坎爲豕，震爲福；爲大，故曰封豕。伏乾爲肥腯。震爲子，爲蕃息。

家人

八子同巢，心勞相思，雖苦無憂。

伏震爲子，巽數八，故曰八子。離爲巢。坎爲心，爲勞，爲憂。

【補校】雖，汲古訛雉。依宋、元本。

睽

循理舉手，舉求取予。六體相摩，終無殃咎。

通塞。艮爲手。坤爲理，二陽分居坤中，故曰循理。艮爲舉求，爲取予。艮爲體，坎數六，故曰六體。重坎，故曰相摩。艮爲終。左傳閔元年，遇屯之比，曰六體不易。六體即謂坎也。○舉求

取予,汲古作典求相予。摩作磨。均依宋、元本。殀咎,宋、元本作
咎殀。不協。依汲古。

【補校】體,汲古作休。依宋、元本。

蹇

公子王孫,把彈攝丸。發輒有獲,室家饒足。

詳比之小畜。

【補校】首句,宋、元本作王子公孫。彈作絃。室家作家室。
均依汲古。

解

井渚有悔,渴蜺爲怪。不巫徙鄉,家受其殃。

坎爲井,爲渚,爲悔。震爲蜺,下有離火,故曰渴蜺。坎爲怪。
漢書燕剌王傳[一],上官桀謀廢昭帝,立燕王。是時天雨,虹下屬
宮中,飲井水竭。淮南子,虹蜺者,天之忌也。故不避則受其
殃。〇宋、元本悔字均缺。依汲古。

【補校】渚,宋、元本、汲古作者。依學津、局本。徙,汲古作
徒。依宋、元本。又,悔字,宋、元本均不缺。此言缺者,蓋緣下卦
損林宋、元本缺聲字而沿誤。

損

鄭會細聲,國亂失傾。弘明早見,止樂不聽。

左傳襄二十九年,吳季札聘魯觀樂,爲之歌鄭,曰,美哉!其細
已甚,民弗堪也。是其先亡乎!自鄶以下無譏焉。林全用其意。
坤爲鄭。會,左傳作鄶,毛詩作檜,會蓋其省字。震爲聲,坤柔,故
曰細聲。坤爲國,爲亂,爲傾。艮爲明。弘明猶弘通,謂季子也。

───────────────

〔一〕"燕剌王傳",稿本、刻本誤"五行志",據王先謙《漢書補注》改。

震爲樂，兑爲耳，爲聽。艮止，故不聽。○會細，汲古作澮有。釋文同。依宋、元本。

【補校】宋、元本聲字均缺。依汲古。聽，汲古作能。依宋、元本。

益

穿室鑿牆，不直生訟。褰衣涉露，雖勞無功。

詩召南行露篇，厭浥行露。又云，誰謂雀無角，何以穿我屋？誰謂鼠無牙，何以穿我墉？艮爲室，爲墉。艮手，故曰穿鑿。正反震，故曰生訟。坤爲邪，故曰不直生訟。震爲衣。坤爲水，故曰露。艮手震行，故曰褰衣涉露。坤爲勞，坤喪，故無功。○露，汲古作河。非。依宋、元本。

【補校】勞，汲古作勢。依宋、元本。

夬

脱卵免乳，長大成就。君子萬年，動有利得。

震爲卵，今陽長至五，故曰脱卵。艮爲乳，艮伏，故免乳。乾爲長大，爲成就，爲君子，爲萬年。○首句，汲古作胎卵胞乳。非。依宋、元本。

姤

五心乖離，各引是非。莫適爲主，道路塞壅。

巽卦數五，伏坤爲心，爲乖離。乾爲言，兑亦爲言，兑背乾[一]，故曰各引是非。夬九四云，聞言不信。林用象所本也。震爲侯，爲主，爲道路。震伏，故曰莫適爲主。乾實，故壅塞。

【補校】莫，汲古作草。依宋、元本。

〔一〕"背"，稿本作"反"。兹依刻本。

萃

百柱載梁，千歲不僵。大願輔福，文武以昌。

　　艮巽爲梁柱，下坤爲多，故曰百柱。坤爲車，故曰載。坤爲千歲，爲僵。艮堅，故不僵。伏乾爲大，爲福。坤爲文，伏震爲武，爲昌。

升〔二〕

營城洛邑，周公所作。世逮三十，年歷七百。福佑豐實，堅固不落。

　　坤爲城邑，爲世，爲年。震爲周，爲公。數三，坤數十，故曰世逮三十。震數七，坤數百，故曰年歷七百。伏乾爲福佑，爲實。伏艮爲堅。左傳，周公城洛邑，卜世三十，卜年七百。〇逮，汲古訛連。依宋、元本。

　　【補校】佑，依宋本、汲古。元本作祐。同佑。豐，宋、元本作封。依汲古。

困

從叔旅行，食於東昌。嘉伯悅喜，與我芝酒。

　　通貫。艮爲叔，震爲從，爲行旅，故曰從叔行旅。震爲食，爲東，爲昌。東昌，齊地名。震爲伯，爲嘉，爲喜。坎爲酒，巽爲芝，艮爲我，故曰與我芝酒。此似有故實，俟攷。

　　【補校】酒，宋、元、汲古及所見其他各本皆作香。此作酒者，疑別有所據，謹記存俟考。又，宋、元本作革林。依汲古。

革

牛耳聾蔽，不曉聲味。委以鼎俎，方始亂潰。

〔二〕"升"，刻本訛"井"，據稿本改。

通蒙。坤爲牛,坎爲耳。坤閉,故耳聾。巽爲味,震爲聲。坤閉〔一〕,故不知聲味。震爲鼎俎。離爲亂。〇潰,汲古作憒。依宋、元本。牛,汲古作失。未知孰是。

【補校】宋、元本作困林。依汲古。

鼎

娕訾開門,鶴鳴彈冠。文章進用,舞韶和鸞。三仁翼政,國無災殃。

詳坤之明夷。

【補校】娕訾,各本皆作訾娕。依坤之明夷校。

震

遊魂六子,百木所起。三男從父,三女隨母。至巳而反,各得其所。

震爲遊,爲子。坎爲魂,數六,故曰遊魂六子。震爲木,爲百。數三,互坎艮皆男象,而震爲父,爲從,故曰三男從父。伏巽,互離兌,皆女象,巽爲母,故曰三女從母。離卦數三也。巽居巳方。至巳而反者,言震巽相反復,震究爲巽,與震相反也。〇反,汲古作足。非。依宋、元本。

艮

南山蘭茝,使君媚好。皇女長婦,多孫衆子。

左傳,鄭文公有妾曰燕姞,夢天與之蘭,曰蘭有國香,人服媚之。艮納丙,故曰南山。震亦爲南。震伏巽,故曰蘭茝。震爲君,伏兌爲媚好。伏巽爲皇女,爲長婦。艮爲孫子,重艮,故曰

〔一〕“通蒙”至“坤閉”二十一字,稿本作“離爲牛,坎伏故耳聾。巽爲味,震爲聲,震伏巽散”。茲依刻本。

多,曰衆。○首二句,汲古訛爲兩山萠使,茙君娟好。依宋、元本。

【補校】首句蘭字,元本作藺。依宋本。

漸

黄虹之野,賢君在位[一]。管叔爲相,國無災殃。

巽爲虹,互離,故曰黄虹。艮爲野。伏震爲賢君,爲管。下艮,故曰管叔。管仲相齊伯天下。孝經援神契曰,黄虹抱日,輔臣納忠。又,帝王世紀,少昊母曰女節,見星如虹,下流華渚,夢感而生少昊。○在位,汲古作所在。虹訛爲蚯。均依宋、元本。管叔,宋本、汲古作榮段[二]。依元刊。

【補校】管叔,宋、元、汲古諸本皆作榮段。依中孚之乾校。

歸妹

穿鑿道路,爲君除舍。開闢福門,喜在我鄰。

坎爲穿。震爲道路,爲君,爲喜。伏艮爲門。史記吕后紀,東牟侯興居曰,誅吕氏吾無功,請得除宫。震爲喜,爲鄰。

豐

商風數起,天下昏晦。旱魃爲虐,九土兵作。

兑爲秋,下互巽,故曰商風。互大坎,故曰昏晦。豐卦屢言日中見斗,林所本也。坎爲鬼,下離,故曰旱魃。詩大雅,旱魃爲虐。毛傳,魃,旱神也。震數九,伏艮爲兵。○九土,汲古作七凡。非。依宋、元本。

〔一〕"賢",刻本訛"國"。據稿本改。
〔二〕"段",刻本訛"段",據稿本改。

旅

自衞反魯，時不我與。冰炭異室，仁道閉塞。

　　詳坤之頤。○反，宋、元本作歸。閉作隔。均依汲古。

巽

春陽生草，夏長條肄。萬物蕃滋，充實益有。

　　伏震爲春陽，爲生，爲草。互離爲夏，巽爲枝條。震爲萬物，爲蕃滋。詩周南，伐其條肄。傳，斬而復生曰肄。即嫩條也〔一〕。○肄，各本皆作枝。非。依巽之暌校。

　　【補校】宋、元本缺此林。依汲古。

兌

六蛇奔走，俱入茂草。驚於長注，畏懼啄口。

　　互巽爲蛇，伏坎卦數六，故曰六蛇。伏震爲走。巽爲入，爲茂草。兌爲口，坎爲畏，艮爲黔啄。蛇最畏鸛鶴之屬，以其啄也。易林讀黔喙爲黔啄，此又一證也。○俱，汲古作奔。依宋、元本。注，汲古作住。依宋、元本。啄，各本皆作喙。依中孚之家人校。注，擊也。

　　【補校】啄，汲古作喙。依宋、元本。

渙

明月照夜，使暗爲晝。國有仁賢，君尊於故〔二〕。

　　坎爲夜，爲月，故曰明月照夜。坎隱，伏艮光明，故曰使暗爲晝。艮爲國。震爲仁，爲君。○宋、元本缺此林。

　　【補校】此林依汲古錄。

〔一〕"條"下，刻本脫"也"字，據稿本補。
〔二〕"於"，刻本訛"如"，據稿本改。

節

避蛇東走，反入虎口。制於爪牙，骨爲灰土。

　　震爲東，伏巽爲蛇，坎隱伏，故曰避蛇東走。艮爲虎。兌爲口，爲爪牙，爲骨。坎爲土。○蛇，汲古作地。爲作於。依宋、元本。

【補校】反，汲古訛及。依宋、元本。

中孚

傾迷不行，弱走善僵。孟縶無良，失其寵光。

　　巽爲傾迷。震爲走，兌折，故曰弱走善僵。震爲孟，巽繩爲縶，故曰孟縶。艮爲良，爲光。巽爲伏，故曰無良，曰失其寵光。按左傳昭七年，衛襄公嬖人婤姶生孟縶。孟縶之足不良。孔成子曰，孟非人也，將不列於宗。後竟不得立。孟縶無良，即謂孟縶之足不良也。

【補校】傾，宋、元本作頃。走作足。均依汲古。

小過

十羊俱見，黃頭爲首。歲美民安，國樂无咎。

　　兌爲羊，數十，又爲見，故曰十羊俱見。震爲黃，艮爲頭，爲首，故曰黃頭爲首。震爲歲，爲樂。艮爲國，又爲安。○羊，汲古作年。美作尾。均依宋、元本。

既濟

望風入門，來到我鄰，餔吾養均。

　　此用遘卦象。○餔，汲古作鋪。依宋、元本。

未濟

登高車返，視天彌遠。虎口不張，害賊消亡。

　　此仍用遇卦象井。通噬嗑。震爲車，爲返，爲登，巽爲高，故曰登高車返。艮爲天，爲虎。坎閉塞，故口不張。震爲口也。巽爲賊，風散，故消亡。○車，汲古訛連。天訛失。均依宋、元本校。

　　【補校】返，從汲古。宋、元本作反。同返。

焦氏易林注卷十三

革之第四十九

革

馬服長股,宜行善市。蒙祐諧偶,獲金五倍。

　　　乾爲馬,巽爲股,爲長,故曰馬服長股。服,猶駕也。乾爲金。
巽爲市,爲倍,卦數五,故曰獲金五倍。○市,元本作布。依宋本。
第三句,汲古作俱蒙福佑[一]。五作三。俱依宋、元本。

　　　【補校】市,依宋本、汲古。服,汲古作眠。依宋、元本。

乾

高原峻山,陸土少泉。草木林麓,喜得所蓄。

　　　此用革象。伏艮,故曰高原,曰峻山。伏坤爲陸土。坎爲泉,
坎伏,故曰少泉。震爲草木,爲喜。艮止,故曰蓄。○陸土,汲古作
阯大。依宋、元本。

　　　【補校】喜,宋、元本作嘉。依汲古。蓄,元本作畜。依宋本、
汲古。畜同蓄。

―――――――――――――

〔一〕"佑",稿本、刻本作"祐",據汲古本改。

坤

一門二關，結緝不便。峻道異路，日暮不到。

此用遇卦革象。坤爲門，伏坎數一，故曰一門。坎爲關，坤數二，故曰二關。坤閉，故曰結緝。艮爲道路，山高，故曰峻道。蒙二至上正反艮，故曰異路。艮爲日，坤爲暮。艮止，故不到。多用革伏象。關，門牡也。一門數關，故結緝不便[一]。

【補校】緝，汲古作弼。依宋、元本。

屯

憂患解除，喜至慶來。坐立懽門，與樂爲鄰。

坎爲憂患。震爲解，爲喜樂。艮爲門，爲坐。

【補校】患，宋、元本作禍。依汲古。

蒙

殊類異路，心不相慕。牝牛牡豭，鰥無室家。

坤爲類，艮爲路，二至上正覆艮，故曰殊類異路。坎爲心，二至上艮震相反，故不相慕。坤爲牝牛，坎爲牡豭。艮爲鰥，爲家，坎爲室。言牛豕殊類，雖一牝一牡而不能配合，故無室家也。○殊，汲古訛疎。依宋、元本。

【補校】殊，宋本、汲古訛疎。依元本。

需

太王爲父，季歷孝友。文武聖明，仁政興起。旦隆四國，載福綏厚。

乾爲王，爲父，爲始，故曰太王。伏艮爲季。坤爲孝友，爲文。

[一]“關”至“不便”十三字，稿本無。兹依刻本。

兑剛爲武。乾爲仁聖。互離爲晝,故曰旦。坤爲國,兑西方金,數四,故曰四國。○季歷,宋本、汲古作王季。依元本。林辭歷紋周王之由。旦,周公名。四國猶四方,非管蔡商奄。

【補校】旦,汲古作且。依宋、元本。

訟

臨河求鯉,燕婉失餌。屏氣攝息,不得鯉子。

通明夷。坤爲水,爲河,爲魚。坤柔順,故曰燕婉。巽爲餌,坎失,故燕婉失餌。震爲氣息,坤閉,故屏氣攝息。震爲子,坤魚,故曰鯉子。坤喪,故不得。○失餌,汲古作笑弭。依宋、元本。

【補校】燕婉,從宋本、汲古。元本作燕蜿。義同。

師

買利求福,莫如南國。仁德所在,金玉爲質。

坤爲利。震爲福,爲南。坤爲國,故曰南國。震爲仁德。伏乾爲金,震爲玉。○質,宋、元本作寶。依汲古。

【補校】質,宋、元、汲古諸本皆作寶。依局本。

比

白虎赤憤,闚觀王庭。宮闕被甲,大小出征。天地煩潰,育不能嬰[一]。

革兑爲虎,爲西,故曰白虎。坎爲赤,爲憂憤。赤憤,猶丹憤也。袁高詩,茫茫蒼海間,丹憤何由伸。蓋與赤心同義。兹曰赤憤,言虎猛也。或疑憤當爲幘。然虎無飾朱幘之理。或又疑爲羬,羬爲土中怪羊,不能出遊也。離爲觀,爲甲。坤爲亂潰。乾爲王。坎爲宮室。伏震爲征。乾爲大,爲天。坤爲小,爲地。革二至上正

─────────────

〔一〕“育不能嬰”,刻本作“育子不嬰”。兹依稿本。

反兌巽，兌毀折，巽散亂。而伏艮震，艮爲嬰兒，震爲覆艮，故嬰不能育也。○地，汲古作下。潰作憒。依宋、元本。

【補校】闢，汲古作門。從宋、元本。

小畜

子車鍼虎，善人危殆。黃鳥悲鳴，傷國無輔。

秦風黃鳥詩，哀三良殉穆公葬。子車鍼虎，三良名也。伏震爲子，爲車，艮爲虎，坎爲鍼，故曰子車鍼虎。震爲善，爲人，坎危殆。艮爲鳥，坤爲黃，故曰黃鳥。震爲鳴，坎爲悲。坤爲國。傷國無輔，言失賢人也。

履

兩目失明，日暮無光。脛足跛曳，不可以行，頓於丘傍。

詳剝之萃。○曳，各本皆作步。依剝之萃校。

【補校】日，汲古作入。依宋、元本。

泰

羅網四張，鳥無所翔。征伐困極，飢寒不食。

坤爲網羅。震卦數四，故曰四張。震爲鳥，爲翔，爲征伐。坤爲飢，乾爲寒。兌口爲食，坤閉，故不食。

【補校】飢，汲古作饑。依宋、元本。寒，宋、元、汲古諸本皆作窮。惟宋本、汲古舊注云一作寒，茲從校。

否

伯夷叔齊，貞廉之師。以德防患，憂禍不存。

震爲伯，震伏，故曰伯夷。艮爲叔，互巽，故曰叔齊。餘詳比之剝。

同人

疾貧望幸，賈販市井。開牢擇羊，多得大牂。

詳否之坎。〇幸,宋、元本作仕。非。依汲古。第二句,各本皆作使伯行販。依元本訟之遯校。

【補校】幷,元本作并。依宋本、汲古。

大有

南山之楊,其葉幷幷。嘉樂君子,爲國寵光。

首二句,陳風詩。幷幷,毛傳,盛貌。伏艮納丙,故曰南山。艮爲木,故曰楊。艮爲君子,爲光。坤爲國。

【補校】楊,宋、元本作陽。其作華。均依汲古。幷幷,宋、元本作鏘鏘。汲古作將將。翟本注云,當如詩作幷幷。茲依校。

謙

東壁餘光,數暗不明。主母嫉妬,亂我事業。

震東,艮壁,艮又爲光,故曰東壁餘光。言燭在東壁。艮爲明,互坎,故不明。坤母,震爲主,故曰主母。坎爲嫉妬,坤爲事業,爲亂。事詳謙之屯。

【補校】事業,宋、元本作業事。依汲古。

豫

厭浥晨夜,道多湛露。灒衣濡袴,重難以步。

詩召南,厭浥行露,豈不宿夜,畏行多露。傳,厭浥,濕意。震爲晨,坤坎皆爲夜。震爲道,坎爲露。灒,濕也。震爲襦袴。坤爲重,震爲步,坎陷故難。〇厭浥,各本皆作迷行。灒衣濡袴,宋、元本作灒我襦袴。汲古作沾濡襦袴。難以步,宋、元本步作涉。汲古作不可步。俱依元本未濟之損校,始知此林宋、元、汲古本皆訛錯也。

隨

目瞤足動,嘉喜有頃,舉家蒙寵。

詳乾之需。〇第二句，宋、元本作喜如其願。不韻。依汲古。

蠱

鷹鸇欲食，雉兔困急。逃頭見尾，爲害所賊。

　　艮爲鷹鸇，震爲食[一]。震爲兔。雉，雞屬，疑用巽象也。艮
爲頭，爲尾。艮在外，故曰逃頭。三至五艮覆，故曰見尾。兌爲見。
爲毀折，故爲害。巽爲賊。〇逃頭，汲古作延頸。害作我。均依
宋、元本。

　　【補校】鸇，宋本、汲古作鷐。依元本。

臨

鼻移在項，枯葉傷生，下朽上榮。家擾不寧，失其金城。

　　通遯。艮爲鼻，乾爲首。鼻在首下，故曰移鼻在項。震爲葉，
巽隕落，故曰枯葉，故曰下朽。乾爲榮，故曰上榮。艮爲家，爲城。
乾爲金，坤消，故失其金城。〇下朽，汲古作下枯。依宋、元本。

觀

飛不遠去，法爲罔待，禄養未富。

　　乾爲禄，爲富。乾伏，故未富。〇第二句，汲古作汝爲内傷。
姑從宋、元本。仍未協。汲古多終無災咎，君善安止二句。依
宋本。

　　【補校】汲古下多二句，依宋、元本删。

噬嗑

倒基敗宮，重舌作凶。被髪夜行，迷亂相誤，亡失居止。

　　艮爲基，爲宮，正覆艮，故曰倒基敗宮。伏兌爲舌，正覆兌，故

〔一〕“震爲食”，刻本脱。據稿本補。按，震食象，詳卷首《易林逸象原本攷》。

曰重舌。震爲髮，爲行，坎爲夜。正反震，故曰迷亂相誤，而失居止
也。○宮，汲古訛筥。夜行，宋、元本、汲古皆作長夜。亡失居止皆
作深亡吉居。均依翟本〔一〕。

【補校】宮，從宋、元本。倒，元本作側。依宋本、汲古。

賁

亥午相錯，敗亂緒業，民不得作。

離居午，艮居亥。離爲敗亂，伏巽爲緒。坎衆爲民。詩氾歷樞
云，卯酉爲革政，亥午爲革命。又，漢書翼奉傳，易有陰陽，詩有五
際。孟康曰，五際，卯酉午戌亥，陰陽始終際會之歲，於此則有改變
之政。

剝

野麋畏人，俱入山谷。命短不長，爲虎所得，死於牙腹。

艮爲麋，爲山谷。坤爲畏。爲死，故曰命短。艮爲虎。坤爲
腹，伏兌爲牙。

復

秋冬探巢，不得鵲雛。銜指北去，愧我少姬。

詳觀之屯。

无妄

雙鳧俱飛，欲歸稻池〔二〕。經涉萑澤，爲矢所射，傷我胸臆。

詳屯之旅。

〔一〕“翟”，稿本、刻本誤“丁”。按丁晏《易林釋文》無此說。惟翟云升《焦氏易
　　林校略》作“亡失居止”。茲據校改。
〔二〕“俱”、“欲”二字，稿本、刻本誤倒。據宋、元、汲古各本校改。又，屯之旅首
　　二句亦如是，可資參考。

【補校】蓷,宋、元本、汲古作藋。依局本。藋即蓷。

大畜

天門開闢,牢戶寥廓。桎梏解脫,拘囚縱釋。

詳小畜之泰。

頤

尼父孔丘,善釣鯉魚。羅網一舉,得獲萬頭,富我家居。

上艮,故曰尼,曰丘。下震,坤虛,故曰孔丘。史記孔子世家,叔梁紇禱尼丘,生孔子,字仲尼。左傳哀十六年,孔丘卒,哀公誄之曰,嗚呼哀哉尼父! 無自律。坤爲魚,爲羅網,爲萬。艮爲首,故曰萬頭。艮爲家。坤多,故曰富。○網,宋本作釣。元本作鉤。依汲古。

【補校】網,宋、元本作釣。學津作鉤。

大過

彭生爲豕,暴龍作災[一]。盜堯衣裳,桀跖荷兵。青禽照夜,三旦夷亡。

○豕,各本多作妖。於象不合。桀作聚。依比之蒙校。

【補校】生,宋、元本作君。依汲古。旦,宋本作目。元本、汲古作日。依學津。

坎

華言風語,亂相詿誤。終無凶事,安寧如故。

詳咸之頤。○詿,宋本作狂。依元本、汲古。

離

延頸見足,身困名辱。欲隱避仇,爲害所賊。

[一]“災”,刻本作“賊”。據稿本校改。

伏艮爲頸,震爲足,離爲見。艮爲身,爲名。二四艮覆,故曰困
辱。伏坎爲隱伏,爲仇,爲害賊。○延,宋、元本作逃。名作不。皆
非。依汲古。賊,汲古作滅。依宋、元本。

咸

無足斷跟,居處不安,凶惡爲殘。

詳夬之大過。○汲古多君臣相得四字。依宋、元本。跟,汲古
訛垠。

【補校】跟,依宋、元本。

恒

三人俱行,北求大牂。長孟病足,倩季負糧。柳下之寶,不
失我邦。

詳同人之豐。○寶,依校。各本皆作貞。我邦,宋、元本、汲古
皆作驪黄。皆非。依汲古渙之豫校。糧,宋、元本作囊,依汲古。
此林屢見,糧皆作囊,致難索解。獨此處存其真。季者,季路。家
語,子路曰,吾嘗爲親負米百里之外,心甚樂之。林用此事。以此
見汲古本真可貴也。

【補校】牂,依元本。宋本、汲古作牂。同牂。長孟,汲古作孟
長。倩作借。均依宋、元本。

遯

退飛見祥,傷敗毀墜。守小失大,功名不遂。

艮爲飛,陰消陽,故曰退飛。祥,猶兆也。凡吉凶之兆先見者,
皆曰祥。伏兑,故曰見。巽爲隕落,故曰傷敗毀墜。艮爲守,陰小
陽大。陰消陽,故曰失大。艮爲名。左傳僖十六年,六鷁退飛,過
宋都。宋襄公曰,是何祥也? 注,祥,吉凶之先見者。後戰於泓,不
擊半濟,不殺二毛,襄公果敗。故曰守小失大。

大壯

持心瞿目〔一〕，善搖數動，不安其處。散渙府藏，利得無有。

伏艮爲目，乾惕，故持心瞿目〔二〕。震爲動搖，震往，故曰善搖數動，不安其處。伏巽風，故曰散渙。坤爲府藏。巽爲利，坤亡，故無利。○搖數，宋、元本作數搖。末句作無有利得。均依汲古。瞿目，各本訛懼怒。從震之離校。瞿，驚視也。林意似指呂嫛散棄財寶事〔三〕。

【補校】渙，宋、元本作災。依汲古。

晉

牽尾不前，逆理失臣，衛朔以奔。

○衛，依比之恒校。各本皆作惠。非。

【補校】衛，宋、元本作惠。汲古作怒。朔，汲古作翔。依宋、元本。

明夷

禄如周公，父子俱封。

震爲周，爲公，爲父，爲子。○汲古多建國洛東，在第二句。宋、元本無。

家人

君有八人，信允篤誠，爲堯所舉。

通解。震爲君，爲人。巽數八，故曰八人。坎爲信，爲誠篤。

〔一〕“瞿目”，稿本作“懼怒”。兹依刻本。
〔二〕“伏艮”至“瞿目”十一字，稿本作“震爲怒，乾惕，故曰持心懼怒”。兹依刻本。
〔三〕“瞿目”至“寶事”二十七字，稿本無。兹依刻本。

震爲帝,故曰堯。○君,宋、元本作吾。依汲古。誠,汲古作敏。元
本訛䣺。依宋本。

睽

久陰霖雨,泥塗行潦。商人休止,市空無寶。

　　　　詳夬之大過。

　　　　【補校】寶,汲古作有。依宋、元本。

蹇

無足斷跟,居處不安,凶惡爲殘。

　　　　見前咸卦。

　　　　【補校】跟,汲古訛垠。依宋、元本。

解

馬蹄躓車,婦惡破家。青蠅污白,恭子離居。

　　　　詳觀之隨。蹄音踶,足相齷曰蹄。

損

噂噂所言,莫如我垣。歡喜堅固,可以長安。

　　　　詳乾之困。

　　　　【補校】喜,宋、元本、汲古作樂。依何本、局本。

益

懿公淺愚,不受深謀。無援失國[一],爲狄所賊。

　　　　詳比之家人。○賊,汲古作滅。依宋、元本。

　　　　【補校】受深,宋、元本作深受。依汲古。

────────────────

〔一〕"援",刻本訛"遠",據稿本改。

夬

騏驥緑耳,章明造父。伯夙奏獻,衰續厥緒。佐文成伯,爲晉元輔。

　　史記趙世家[一],造父幸於周繆王,取驥之乘匹,騏驥、緑耳獻之繆王。王使造父御,西巡狩[二],乃賜造父以趙城。十二世,生趙夙,事晉獻公。夙之孫曰趙衰,事晉文公成伯業。乾爲馬,爲父,爲大明。章明者,言始顯也。遇卦革。伏震爲伯,坤爲夙,艮手爲奏,爲獻。奏,進也。奏獻者,言進事獻公也。巽爲緒。離爲文。震爲晉。○驥,元本作鱗。依宋本、汲古。伯夙,汲古作夙伯。奏作所。依宋、元本。衰,各本皆作襄。依節之泰校。

　　【補校】奏,宋、元本作奉。依節之泰校。伯,元本作霸。依宋本、汲古。伯通霸。

姤

駕車入里,求鮮魴鯉。非其肆居,自令後市。

　　通復。坤爲車,爲里,震爲駕。巽爲魚,爲市肆。震爲後。言里非産魚之地,故求之不得。○入,汲古作十。依宋、元本。

　　【補校】令,汲古作今。依宋、元本。

萃

求麑嘉鄉,惡地不行。道止中返,復還其牀[三]。

　　艮爲麑,爲鄉。坤爲惡,坤閉,故曰惡地不行。艮爲道,爲止,爲牀。伏震爲反,爲還。○返,宋、元本作還。還作反。均依汲古。

〔一〕"趙",稿本、刻本誤"晉"。據《史記》改。
〔二〕"狩",刻本訛"守",據稿本改。
〔三〕"復",稿本、刻本作"喜"。據宋、元、汲古及所見其他各本改。按既濟之解亦作"復",可資參考。

升

杖鳩負裝，醉臥道傍。不知何公，竊我錦囊。

坤文爲鳩，互震，故曰杖鳩。白帖云，老人食多咽，刻鳩爲杖，取鳩食不咽之義。震爲裝，爲道。伏艮爲臥，坤迷，故曰醉臥。震爲公。巽爲盜。坤爲囊，坤文，故曰錦囊。○杖，汲古作使。錦作衣。均依宋、元本。

困

登崑崙，入天門。過糟丘，宿玉泉。同惠歡，見仁君。

詳比之姤。三字句。○仁，宋、元本作欣。非。

【補校】仁，依汲古。糟，汲古作槽。同作開。歡作觀。均依宋、元本。

井

水爲火牡，患厭不起。季伯夜行，與喜相逢。

左傳昭七年，水，火之牡也。卦水火相交，故曰水爲火牡。坎爲患，爲夜。伏艮爲季。震爲伯，爲行，爲喜。○牡，宋、元本皆訛壯。汲古訛木爲大牪。依丁本。喜，汲古訛善。

【補校】喜，依宋、元本。

鼎

烏孫氏女，深目黑醜。嗜欲不同，過時無耦。

通屯。艮爲烏，爲孫，坤女。互大離，故曰深目。坤爲黑，爲醜。坎爲嗜欲。艮時坤寡，故過時無耦。

【補校】耦，元本作偶。依宋本、汲古。偶、耦同。

震

子鉏執麟，春秋作經。元聖將終，尼父悲心。

　　詳訟之同人。○經、元,宋、元本作元、陰。汲古作陰、元。依汲古訟之同人校。

艮

灼火泉源,釣魴山巔。魚不可得,火不肯燃[一]。

　　○火,宋、元本訛炭。肯作可。依比之屯校。

　　【補校】源,宋、元本作原。火不肯,作炭不可。均依汲古。原同源。巔,元本作顚。依宋本、汲古。顚通巔。

漸

天馬五道,炎火久處。往來上下,作文約己。衣枲絲麻,相隨笑歌,凶惡如何。

　　義不可曉,恐多訛字,故不釋象。

　　【補校】作,宋、元本作非。枲作衰。笑作在。均依汲古。

歸妹

鴟鴞破斧,沖人危殆。賴旦忠德,轉禍爲福,傾危復立。

　　詳否之蠱。

　　【補校】傾危,元本作頃危。汲古作危傾。依宋本。

豐

牡飛門啓,憂患大解,不爲身禍。

　　詳需之兌。

　　【補校】牡,宋、元本作杜。依汲古。門,汲古作關。依宋、元本。

旅

石門晨門,荷蕢食貧。遁世隱居,竟不逢時。

[一]　"燃",稿本、刻本作"然",據宋、元、汲古諸本改。又,比之屯亦作"燃"。可資參考。按,然即"燃"之本字。

論語,子路宿於石門,晨門曰,奚自? 又,子擊磬於衛,有荷蕢過門者曰,有心哉,擊磬乎? 注,晨門、荷蕢,皆隱者。艮爲石,爲門。伏震爲晨,爲蕢。艮爲荷,兑爲食。離虛,故曰食貧。艮爲世,巽伏,故曰遁世隱居。艮爲時。○晨門,宋、元本作晨開。食作疾。皆非。從汲古。

巽

兔聚東郭,衆犬俱獵。圍缺不成,無所能獲。

　　詳蹇之坤。

兑

三羊羣走,雉兔驚駭。非所畏懼,自令勞苦。

　　兑羊,離卦數三,故曰三羊羣走。離爲雉,伏震爲兔,爲驚駭。伏坎爲畏,爲勞。

渙

羽翮病傷,無以爲强。宋公德薄,敗於水泓。

　　震爲羽翮,坎爲病,故曰羽翮病傷。震爲公。説文,以木架屋曰宋。艮象也,故曰宋公。下坎,故曰泓水。左傳,宋襄公與楚戰,敗於泓。

節

姬姜稚叔,三人偶食。論仁議福,以安王室。

　　震爲姬,伏巽爲姜。艮少,故曰稚叔。震數三,兑食,兑卦數二,故曰三人偶食。震爲言,爲仁,爲王。坎爲室。○稚,宋、元本訛雅。依汲古。

中孚

精誠所在,神人爲輔。德教之中,彌世長久。三聖乃興,多受福祉。

　　　震爲精誠，爲神，爲人，爲德教，爲福祉。數三，故曰三聖。革
　　互乾爲聖，文武周公也。○之中，汲古作亡患。乃興，作仍事。依
　　宋、元本。又，神人爲輔，宋、元本作神爲人輔。非。依汲古。

小過

岐周海隅，獨樂不憂。可以避難，全身保才。

　　　震爲周，艮山，故曰岐周。兌爲海。震爲樂，巽寡，故曰獨樂。
　　巽伏，故曰避難。艮爲保全〔一〕，爲身。○才，汲古作財。依宋、
　　元本。

　　　【補校】岐，元本作歧。依宋本、汲古。

既濟

孤獨特處，莫依爲輔，心勞志苦。

　　　詳益之艮。

　　　【補校】依爲，汲古作爲依。從宋、元本。

未濟

顧望登臺，意常欲逃。賈辛醜惡，妻不安夫。

　　　離爲顧望，爲醜惡。坎夫離妻，卦離在上〔二〕，故妻不安夫。
　　左傳昭二十八年，魏獻子謂賈辛曰，昔賈大夫惡，娶妻而美，三年不
　　言不笑。

〔一〕“保”下，刻本無“全”字，據稿本補。
〔二〕“卦離”，刻本作“離卦”，依稿本改。

鼎之第五十

鼎

積德之君，仁政且溫。伊呂股肱，國富民安。

> 伏屯。震爲德，爲君，爲仁。坤爲積，爲政，爲國，爲民，爲富。震爲伊，巽爲呂，爲股肱。〇君，宋、元本作至。仁作君。依汲古。

乾

傾筐卷耳，憂不能傷。心思古人，悲慕失母。

> 此用遇卦鼎象。伏震爲筐。坎爲耳，爲憂，爲心，爲悲慕。坤爲母。卷耳，草名。周南，采采卷耳，不盈傾筐。毛傳謂，后妃思君子不在。兹謂失母，與毛異。〇古，宋、元本作故。依汲古。
>
> 【補校】傾，宋、元本作頃。能作得。均依汲古。按，頃音傾，義同。周南作頃。宋、元本似可從。

坤

郤叔賈貸[一]，行禄多悔，利無所得。

> 此仍用鼎象。巽爲退，伏艮爲叔，故曰郤叔。震爲商賈，爲行，爲路。坤爲悔。巽爲利，坤亡，故無得。晉郤氏貪而好貨，數世不改，至成公十七年，果爲厲公所滅。故林辭云云。

屯

蹶足狂跋，怪碎不行。棄捐乎人，名字無申。

> 震爲足，坎蹇，故曰蹶，曰跋。坎爲怪，爲破。坤閉艮止，故不

〔一〕"郤"，刻本作"卻"，據稿本改。注同。

行。坤爲棄捐,震爲人。艮爲名,坤爲文字。坤黑坎伏,故曰無申。
申,明也。○首二句,宋、元本作蹩狂跛尪,辟坐不行。捐乎作損
平。申作中。均依汲古。

　　【補校】乎,宋、元、汲古本皆作平。依局本。

蒙

文王四乳,仁愛篤厚。子畜十男,夭折無有。

　　見前頤之節。

　　【補校】末句,宋本作無有夭折。元本作無有折夭。依汲古。

需

容民蓄衆,不離其居。

　　坎爲衆,爲民。伏艮爲居。○居,汲古作君。依宋、元本。

訟

三雛相逐,蠅墜釜中。灌沸淹殪,與母長決。

　　伏震爲子,爲行,故曰三雛相逐。巽爲蠅。伏坤爲釜,爲水,爲
死,爲母。○雛,宋、元本作推[一]。按,訟象,不利涉大川,入於淵
也。故林辭如此[二]。

　　【補校】雛,依汲古。淹,汲古作潦。從宋、元本。

師

所望在外,鼎令方來。拭爵滌罍,炊食待之[三],不爲季憂。

　　此兼用鼎象。離在外卦,故曰所望在外。震爲鼎,爲爵,爲罍。

〔一〕“推”,刻本訛“摧”,據稿本改。
〔二〕“按”至“如此”十七字,稿本無。茲依刻本。
〔三〕“炊”,刻本訛“灼”,據稿本改。

伏艮〔一〕，故曰拭爵。坎水，故曰滌罍。艮爲待，爲季。○滌，宋、
元作澡。依汲古。又，鼎令，疑爲鼎命，即大命也。

比

陸居少泉，高山無雲。車行千里，塗汙爾輪，亦爲我患。

　　坎爲泉，坤艮皆爲陸，故曰少泉。坎爲雲，艮爲高山。坎隱伏，
故無雲。坤爲車，爲千里。坎爲輪，爲泥塗，故曰塗汙爾輪。坎爲
患。

小畜

東家殺牛，聞臭腥臊。神背西顧，命衰絕周。亳社災燒，宋
人夷誅。

　　詳噬嗑之巽。○聞，汲古本作汙。依宋、元本。西，宋、元本作
不。依汲古。衰絕，汲古作絕衰。非。依宋、元。神背西顧，言背
東家而西顧也。命衰絕周，言殷命已衰，而絕於周室也。

　　【補校】臭，宋本、汲古作臲。依元本。臲即臭之俗體。

履

長子入獄，婦饋母哭。霜降旬日，嚮晦伏法。

　　旁通謙。震爲長子，坎爲獄。坤爲母。伏巽爲入，爲婦。兑
口，故曰母哭。坤爲霜。離日，坤數十，故曰旬日。坤爲晦，爲殺，
故曰伏法。隋書刑法志，聖王莫不先春風而播恩，後秋霜而動憲。
是自古殺人，皆在霜降後。兹曰嚮晦，並用晦日也。

　　【補校】嚮，元本作鄉。依宋本、汲古。鄉即嚮。

泰

温山松柏，常茂不落。鳳凰以庇，得其歡樂。

〔一〕“伏艮”，稿本作“艮手”。兹依刻本。

詳需之坤。

否

大屋之下，朝多君子。德施溥育，宋受其福。

　　艮爲屋，上乾，故曰大屋。艮爲朝，爲君子。坤衆，故曰多。説文，以木架屋曰宋。故艮爲宋。○溥，宋、元本作博。依汲古。

　　【補校】育，汲古訛肓。依宋、元本。

同人

羅張目抉，圍合耦缺，魚鳥生脱。

　　離爲網羅，爲目。抉、決通。兌毀，故目決。言網目毀也。離中虛，故曰圍合。二人爲耦。按，周禮天官，掌次，射則張耦次。注，耦，俱升射者[一]。疏，凡射耦，皆兩兩俱升，南面而射。耦缺，則射者無。巽寡，故曰耦缺。巽爲魚，離爲鳥。目抉耦缺，故魚鳥得脱也。○抉，汲古訛列。耦作月。多採捕無功四字，在第三句。俱依宋、元本。

　　【補校】抉，宋、元本俱作決。按尚注云，抉、決通。蓋此以通假訂爲抉。又，生，汲古作得。依宋、元本。

大有

羔裘豹袪，高易我宇。君子維好，至老無憂。

　　兌爲羊，離文爲豹，乾爲衣，故曰羔裘豹袪。伏艮爲高，爲宇，爲君子。乾爲老。坤爲憂，坤伏，故不憂。羔裘，唐風篇名。毛謂晉人不恤其民，刺詩。兹云君子無憂，與毛異。○宇，元本訛字。依宋本。第四句，宋、元本無。依汲古。

　　【補校】宇，元本、汲古訛字。袪，汲古作衣。從宋、元本。易，

──────────

〔一〕"注，耦，俱升射者"，刻本無。據稿本補。

元本作易。依宋本、汲古。

謙

大頭明目，載受嘉福。三雀飛來，與禄相得。

坎爲大首，伏離爲明目。震爲載，爲嘉福。數三，艮爲雀，故曰三雀。○嘉福，宋、元本作喜福。汲古更訛爲福善。依周本。

【補校】嘉福，翟本及履之中孚俱同，亦可依校。

豫

銷鋒鑄耝，休放牛馬。甲兵解散，夫婦相保。

詳晉林。○第二句，宋、元本作縱牛牧馬[一]。汲古作縱牛放馬。依晉林校。又，耝，宋、元本訛刃。

【補校】第二句，宋本作縱牛牧馬。元本、汲古作縱牛放馬。又，耝，依汲古。銷，宋、元本作消。從汲古。

隨

吉日車攻，田弋獵禽。反行飲至，以告嘉功。

詳履之夬。○車攻，宋、元本作舉釣。依汲古。獵，汲古作雙。反行飲至作宣王飲酒。均依宋、元本。嘉，宋、元本訛喜。依汲古。

【補校】日，汲古作月。依宋、元本。

蠱

商人行旅，資無所有。貪貝逐利，留連王市。轅轅内安，公子何咎。

震爲商旅。艮爲貝，巽爲利。艮止，故曰留連。巽爲市，震爲王，故曰王市。震爲轅，爲公子。艮爲安。按左傳襄二十一年[二]，

〔一〕"牧"，刻本訛"救"，據稿本改。
〔二〕"二十一"，稿本、刻本誤"二十二"，據阮刻《左傳正義》改。

欒盈被掠於周,周王使候出諸轘轅。又,高祖紀,因張良遂掠韓地轘轅。是轘轅爲地名[一]。而管子云,凡主兵者,必先審知地圖轘轅之險。又東京賦,邪徑捷乎轘轅。薛綜注,轘轅十二曲道,將去復還,故曰轘轅。是轘轅爲曲徑,所以設險。故曰轘轅内安,公子无咎。蓋艮震皆爲道路,卦三至上艮震相反復,像轘轅也。○王市,宋、元本作玉帛。轘作馭。均依汲古。

臨

火入井口,揚芒生角。犯歷天門,窺觀太微。登上玉牀,家易其公。

　　通遯。艮爲星,爲火。兌爲井,爲口。艮爲角。火,熒惑也。言熒惑入井[二]。艮爲門,上乾爲天。内經以戌亥爲天門。乾艮皆位西北,故曰天門。艮爲觀。天文志,太微爲五帝之庭,明堂之房。乾爲帝,爲玉。艮爲牀,故曰玉牀。艮爲家,震爲公。言熒惑入井,芒角犯太微,國君將易也[三]。○首句,宋、元本作火井暘谷。依汲古。揚,汲古作陽。依宋、元本。其,宋、元本作共。又有作六者。依汲古。此自古星占。顧炎武謂林辭本漢書李尋傳。李尋傳焉有火入井口之語?先儒從不知林辭皆本卦象,故誤解。

　　【補校】觀,宋、元、汲古諸本皆作見。依大有之復及翟本校。

觀

秋隼冬翔,數被嚴霜。甲兵充庭,萬物不生。雞釜夜鳴,民擾大驚。

　　通大壯。兌爲秋,艮爲隼,乾爲冬,震爲翔,故曰秋隼冬翔。坤

爲霜。艮爲甲兵,爲庭。坤爲萬物,坤殺,故不生。巽爲雞,坤爲
釜,爲夜,震爲鳴,故曰雞釜夜鳴。坤爲民,震爲驚。釜鳴,詳復之
旅。雞夜鳴,言失時也。

【補校】冬,元本作東。充庭作庭堂。均依宋本、汲古。雞釜,
汲古作雄父。依宋、元本。

噬嗑

東行西步,失其次舍。乾侯野井,昭君喪居。

震爲東行。坎西,故曰西步。艮爲次舍,坎爲失,故曰失其次
舍〔一〕。震爲諸侯,爲君。上離,故曰乾侯,曰昭君。艮爲野,伏兑
爲井。左傳昭三十二年,公薨于乾侯。野井,齊地名。昭二十五
年,齊侯唁公于野井是也。

賁

腫脛病腹,陷廁污辱。命短時極,孤子哀哭。

震爲脛,艮爲節,故曰腫脛。腫,説文,癰也。離爲腹,互坎,故
曰病腹。坎爲廁,爲陷,爲污。艮爲時。伏巽爲命,兑爲折,故曰短
命。震爲子,坎孤坎悲,故曰孤子哀哭。伏兑爲哭。左傳,晉侯有
疾張,如廁陷而卒。

【補校】脛,元本作頸。依宋本、汲古。

剝

切膚近火,虎絕我鬚。小人橫暴,君子何之。

艮爲膚,爲火,爲虎,爲須,爲君子。坤爲小人,重坤,陰盛銷
陽,故曰橫暴。艮止坤閉,故曰何之。○火,汲古作災。之亦作災。
依宋、元本。子,宋、元本作復。非。依汲古。

〔一〕"坎爲失,故曰失其次舍",刻本無。據稿本補。

復

女室作毒，爲我心疾。和不能治，晉人赴告。

　　坤爲女，爲室，爲毒，爲心，爲疾。左傳昭元年，女，陽物也，而晦時，淫則生内熱惑蠱之疾。故曰女室作毒，爲我心疾。坤死，故和不能治。震爲晉，爲人，爲告。言平公死，赴告列國也。○不，汲古作弗。非。劉毓崧云，弗，昭帝名。易林諱當時君名，故不見弗字。果，宋、元本皆作不。

无妄

兵征大宛，北出玉門，與胡寇戰。平城道西，七日絶糧，身幾不全。

　　詳屯林。此以巽爲寇，餘象皆同。

　　【補校】玉，汲古作王。依宋、元本。絶，宋、元本作無。從汲古。

大畜

九子十夫，莫適與居。貞心不壹，自令老孤。

　　震數九，故曰九子。震爲夫，兌數十，故曰十夫。艮爲居，正反艮，故曰莫適與居，曰貞心不壹。艮爲貞。乾爲老。伏巽爲寡，故曰孤。○首句，汲古訛十子夫九〔一〕。壹訛宣。自令老孤，訛至今名孤。均依宋、元本。

頤

車行稻麥，遂至家國。樂土無災，君子何憂。

　　震爲車，爲稻麥。坤爲家國，爲土，爲災，爲憂。震爲樂，爲解，

────────────

〔一〕“夫”，稿本、刻本誤“夬”，據汲古本改。

故無災憂。〇子，宋、元本作父。車作東。均依汲古。車行者，言以車運行稻麥至家也。

大過

作室山根，所以爲安。一夕崩顛，破我饔飧[一]。

　　　　詳賁之明夷。

　　　　【補校】顛，宋本、汲古作巔。飧作飱。均依元本。按，巔通顛。飱、飧同。

坎

六人俱行，各遺其囊。黃鵠失珠，無以爲明。

　　　　詳臨之師。

離

伯蹇叔盲，莫爲守裝[二]。失我衣裘，不離其鄉。

　　　　伏坎。中爻震爲伯，坎蹇，故曰伯蹇。艮爲叔，中爻互大離，故曰叔盲，故曰裝。艮守坎伏，故莫爲守裝。震爲衣裘，上下坎，故曰失。艮爲鄉也。〇鄉，汲古作邦。依宋、元本。此句各本皆作我是陰鄉。或陰邦。我是者，失我之訛。陰鄉，尤難解。今從否之噬嗑校。

咸

褒寵洒尤，敗政傾家。覆我宗國，秦滅周室。

　　　　互乾爲王，巽爲母[三]，有王母之象，故曰褒。褒，幽王后褒姒

─────────

〔一〕“飧”，刻本作“飱”，依稿本校。飱同飧。
〔二〕“裝”，稿本、刻本作“囊”。疑承上坎林“各遺其囊”致訛。據宋、元、汲古及所見其他各本改。注文同。
〔三〕“互乾”至“爲母”七字，稿本作“兌爲少女，乾爲王”。兹依刻本。

也。伏坤爲尤。洒尤者,言龍漦洒於王庭也。伏坤爲政。艮爲家室,爲國。兌毀,故曰敗傾。艮爲國,震爲宗,震覆爲艮,故曰覆我宗國。兌爲秦,震爲周,震覆[一],故曰秦滅周室。詩,赫赫宗周,褒姒滅之。林詠其事。○洒,汲古作溢。依宋、元本。

恒

詭言譯語,仇禍相得。冰入炭室,消滅不息。

伏正反震,故曰詭言譯語。伏坤爲仇,爲禍,爲冰。艮爲室,爲火。火與坤連,故曰冰入炭室。坤消坤死,故曰不息。○詭,宋、元本作誃。非。依汲古。

遯

彭生爲豕,暴龍作災。盜堯衣裳,聚跖荷兵。青禽照夜,三日夷亡。

詳比之蒙。此以巽爲豕,爲盜,爲跖。○首句,宋、元本作彭名爲妖。汲古作彭生爲妖。依比之蒙校。

【補校】日,宋、元本作旦。依汲古。

大壯

朝露白日,四馬過隙。歲短期促,時難再得。

震爲朝,爲白。兌爲露。乾爲日,爲馬。震卦數四,故曰四馬。伏巽爲隙。乾爲歲,伏艮爲時期,伏觀爲消卦,故曰歲短期促也。漢書張良傳,人生如白駒過隙。

【補校】首句,汲古作朝暮日月。依宋、元本。

晉

耳闕道喪,所爲不成,求事匪得。

〔一〕“覆”,刻本訛“伏”。據稿本改。

伏坎，故耳闕。艮爲道。道喪，言無耳，喪失人道也。艮爲求，坤爲事。坤喪，故所爲不成，求事不得也。○喪，宋、元本作衰。依汲古。求事，汲古作所求。依宋、元本。

明夷

申公患楚，危不自安。重耳出奔，側喪其魂。

　　震爲申，爲楚。坎爲患危。坤爲重，故曰子重。耳，訛字。震爲出奔，爲子。坎爲邪，故曰側。側，子反名也。乾爲魂，乾伏，故曰喪魂。坤爲喪也。左傳成七年，子重請取於申、呂以爲賞。子反欲取夏姬。皆爲申公巫臣所止。後巫臣自取夏姬奔晉，故子重、子反皆怨巫臣，而滅其族。巫臣遺二子書曰，余必使爾疲於奔命以死。後巫臣教吳伐楚，子重、子反於是乎一歲七奔命。重耳爲子重之訛，然各本皆如此，不敢改也。

家人

南上太山，困於空桑。左沙右石，牛馬無食。

　　此用鼎象。伏震爲南，艮爲山。坎爲困。巽爲桑，離枯，故曰空桑。震左兌右，艮爲沙，巽爲石，故曰左沙右石。離牛乾馬。兌爲食，離虛，故无食。○空，宋、元本作此。依汲古。

　　【補校】太，宋本、汲古作泰。依元本。沙，宋、元本作砂。依汲古。太、泰，沙、砂均同。

睽

海隅遼右，福禄所在。柔嘉蒙禮，九夷何咎。

　　兌爲海，爲右。伏艮爲東北，故曰遼右。遇卦鼎乾爲福禄。伏坤爲柔，爲禮。震爲嘉。數九，故曰九夷。坤爲夷也。論語，子欲居九夷。

　　【補校】蒙，汲古作義。從宋、元本。

蹇

陽春生長，萬物茂壯[一]。垂枝布葉，君子比德。

此仍用鼎象。伏震爲陽春，爲生長，爲壯茂。伏坤爲萬物，爲枝葉。艮爲君子，震爲德。○枝，汲古訛秋。依宋、元本。

解

低頭竊視，有所畏避，行作不利。酒酸魚敗，衆莫貪嗜。

坎爲首[二]，爲窨，故曰低頭。離爲視，坎盜，故曰竊視。坎爲畏，坎隱伏，故曰畏避。坎險，故曰不利。坎爲酒，伏巽爲魚。巽木，木曲作酸，故曰酒酸。巽爲臭，故曰魚敗。坎爲衆。○作，宋、元本訛伯。莫訛若。均依汲古。

損

左輔右弼，金玉滿堂。常盈不亡，富如敖倉。

詳師之歸妹。○堂，宋、元本作櫺。如作於。均依汲古。

【補校】敖，汲古作厫。依宋、元本。按，厫即敖之後起字。

益

坐朝垂軒，據德宰民。虞叔受命，六合和親。

艮爲坐。坤爲朝，爲軒，爲民。震爲德，艮手，故曰據德。艮官，故曰宰民。震爲驩虞，艮爲叔，故曰虞叔。巽爲命。坤爲合，伏乾數六，故曰六合。言虞舜坐朝堂，爲天子也[三]。○叔，宋、元本作舜。依汲古。卦六爻皆有應，故曰和親[四]。

[一]　“茂壯”二字，稿本、刻本誤倒。據宋、元、汲古及所見其他各本改。
[二]　“首”上，稿本有“大”字。茲依刻本。
[三]　“言虞”至“子也”十字，稿本無。茲依刻本。
[四]　“叔，宋”至“和親”十九字，刻本無。據稿本補。

【補校】垂,從汲古。宋、元本作乘。據,汲古作探。依宋、元本。

夬

東行西坐,喪其犬馬。南求驊騮,失車林下。

　　此用鼎象。伏震爲東,爲行。伏坎爲西,艮爲坐,故曰西坐。艮犬震馬,坤喪,故曰喪其犬馬。震爲南,爲馬,艮爲求,故曰南求驊騮。坤爲輿,震爲林,坎失,故曰失車林下。坤爲下也。○坐,汲古作走。依宋、元本。

姤

砥德礪材,果當成周。拜受大命,封爲齊侯。

　　此亦用鼎象。伏震爲德,爲材。艮爲石,故曰砥礪。艮爲果,震爲周,艮爲成,故曰果當成周。艮爲拜。本卦巽爲命,重乾,故曰大命。巽爲齊,震爲諸侯,故曰齊侯。果當成周者,言太公積德,果遇文王也〔一〕。

萃

西逢王母,慈我九子,相對歡喜。王孫萬户,家蒙福祉。

　　兑在西,坤母伏乾,故曰王母。伏震爲子,數九,坤爲慈,故曰慈我九子。伏象正反震相對,故曰相對歡喜。艮爲孫,伏震爲王,故曰王孫。坤爲户,爲萬,故曰萬户。艮爲家,伏震爲福祉。

　　【補校】歡,依宋本、汲古。元本作懽。即歡。

升

安坐玉牀,聽韶行觴。飲福萬歲,曰壽無疆。

〔一〕"言太公"至"文王也"十字,稿本作"言儲材待用,果然與成周相值也"。茲依刻本。

伏艮爲坐。震爲玉，巽爲牀，故曰玉牀。震爲樂，爲觴，兑爲耳，故曰聽韶行觴。震爲福，爲萬歲。兑口，故曰飲。伏艮爲壽，坤廣，故曰無疆。○曰，宋、元本作日。依汲古。韶，舜樂名。論語，子在齊聞韶[一]。

【補校】牀，宋本作床。依元本、汲古。床即牀。

困

登高望家，役事未休。王事靡盬，不得逍遥。

詳夬之解。○事，宋、元本作政。依汲古。

【補校】王事，宋、元本作王政。依汲古。

井

擊鼓蹈陔，不得相踰。章甫文德，福厭禍消。

元刊注云：陔，階次也。按禮有陔夏樂，有擊鼓爲登階之節。故曰不得相踰，言登階有節，不得亂也。伏震爲鼓。艮爲擊，爲陔。爲冠，故曰章甫。伏離爲文。震爲福，坎爲禍。厭，足也。○蹈，汲古作陷。非。消，宋本作涓。依元本、汲古。

【補校】蹈，宋、元、汲古諸本皆作陷。非。惟元本舊注云，當作蹈。兹依校。又，甫，元本作父。依宋本、汲古。

革

追亡逐北，至山而復。稚叔相呼，反其室廬。

○依需之涣校。各本皆作追亡逐北，呼還幼叔。至止而復[二]，得反其室。

【補校】此言各本，係宋、元本之詞。汲古三四句作至止而德，

〔一〕"韶，舜樂名"至"聞韶"十一字，刻本無。據稿本補。
〔二〕"止"，稿本、刻本誤"山"。據宋、元本改。

復歸其室。

震

老猾大猶，東行盜珠。困於噬敖，幾不得去。

　　山海經云，堯光之山有獸，穴居而冬蟄，名曰猾。餘峨之山有獸焉，見人則眠，名曰猣。猣即猶也。皆艮象。震爲東，爲珠；坎爲盜，故曰盜珠。坎爲困。噬敖，按詩，搏獸于敖。傳，敖，地名。噬敖，疑亦地名也。○猶，宋、元本訛偷。珠作敖。均依汲古。困，汲古作國，依宋、元本。

艮

禹召諸神，會稽南山。執玉萬國，天下康安。

　　詳姤之臨。○神，宋、元本作侯。第二句作南山會稽。均依汲古。安，汲古作寧。依宋、元本。

　　【補校】第二句，汲古作南山會稽。依宋、元本。安，宋、元本、汲古皆同。學津、局本作寧。

漸

忉忉怛怛，如將不活。黍稷之恩，靈輒以存，獲生保年。

　　詳蒙之損。○首句，宋、元本作忉怛忉怛。茲依汲古。

歸妹

侯叔興起，季子富有。照臨楚國，蠻荆是安。

　　元刊注，季氏富於周公。然下曰照臨楚國，則上二句皆楚事也。按，左傳文元年，楚成王欲立商臣爲太子。令尹子上曰，楚國之舉，恒在少者。言楚君恒爲少子也。又昭十三年，叔向曰，棄疾必有楚國。芊姓有亂，必季實立，楚之常也。首二句，言楚之興起富有者，恒在叔季之子，與子上、叔向語同也。左傳昭七年，蓮啓彊曰,將使衡父照臨楚國。震爲侯,爲興起,爲荆楚。伏艮爲叔季,爲安。○侯,宋本作俟。依元本。

【補校】侯,汲古作俟。依宋、元本。

豐

白馬駿騧,更生不休。富我商人,利得如丘。

通渙。震爲白,爲馬,故曰白馬駿騧。震爲生,二五正反震,故曰更生不休。震爲商人。艮爲丘,巽爲利。○駿騧,宋、元本作騧駁。依汲古。

【補校】駿騧,宋本作騧駁。元本作騧駁。騧即騧。駁同駁。

旅

灼火泉源,釣魴山顚。魚不可得,炭不肯燃[一]。

詳革之艮。

【補校】源,宋、元本作原。不肯燃,作不可燃。均依汲古。原、源義同。顚,從元本。宋本、汲古作巓。通顚。炭,汲古作火。依宋、元本。

巽

避患東西,反入禍門。糟糠不足,憂動我心。

詳否之需。

兌

成王多寵,商臣惶恐。生其禍心,使君危殆。

伏艮爲成,震爲王。兌爲媚,爲姬。重兌,故曰多寵。震爲商,艮爲臣。坎爲恐,爲心,爲禍,爲危殆。震爲君。○成,汲古作我,

〔一〕"燃",稿本、刻本作"然"。據宋、元、汲古諸本改。按,"然"即"燃"之本字。

形訛字。臣作人，聲訛字。成，依宋、元本。臣，依元本，宋本亦訛
人。君，汲古作我。依宋、元本。汲古多終無災咎四字。宋、元本
無。商臣，楚成王世子，後弒成王，見左傳文元年。

渙

虎飢欲食，見蝟而伏。禹通龍門，避咎除患，元醜以安。

　　艮爲虎。伏離中虛，故曰飢。伏兑爲食。坎爲棘，爲蝟，爲隱
伏。史記龜策傳注，蝟能伏虎。言虎將食，見蝟而畏伏。震爲龍，
艮爲門。震爲帝王，故曰禹。孟氏逸象，坤爲醜，此似以坎爲
醜。○飢，宋、元本作飲。依汲古。患，汲古作禍。依宋、元本。

節

按民呼池，玉杯文案。魚如白雲，一邑獲願。

　　杯者，杖之訛。後漢書禮儀志，仲秋，縣道按户比民，年七十者
授以玉杖，八十九十禮有加文案。蓋養老加禮也[一]。坎爲民，爲
池。艮爲按。震爲玉，爲椀，爲案。案，椀也。伏離，故曰文。伏
巽，故曰魚，曰白。坎爲雲，故曰白雲。艮爲邑，坎數一，故曰一邑。
此亦有故事，爲今所不能攷。牟庭等便謂呼池改爲安民縣，在平帝
二年，爲焦氏所不及見。疑爲崔篆所爲。豈知安爲按之訛字。同人
之豫，宋本、元本、汲古皆作按呼，汲古且作湖。安得據此訛字，以致
疑乎？多見其不攷耳。丁晏卿謂，牟庭私改按爲安，雖未必然，然按
民呼池，與安民呼池，義孰爲優，可不煩言而解。乃牟氏故作安民縣
解，固可疑也。○首句，各本皆作安民呼池。依同人之豫校。文，汲

〔一〕"杯者"至"禮也"四十二字，稿本作："呼池，苑名。在今東鹿呼沱河側，故曰
　　呼池。平帝二年始廢，改爲安民縣。按民呼池者，以呼池多盜，遣使按驗
　　也。"蓋付刻時改據《後漢書·禮儀志》爲説，與同人之豫注合，故又删修補
　　訂。今録存原説，以資參考。

古作大。依宋、元本。魚,元本、汲古作泉。雲作蜜。皆形訛字,依宋本。邑,汲古作挹。乃後人妄改,以就泉蜜之訛。依宋、元本。

【補校】文,宋、元本、汲古皆作大。魚如白雲,作泉如白蜜。均依同人之豫校。邑,宋、元本作色,蓋邑之形訛字。由同人之豫作國可以推證。

中孚

雙鳧鴛鴦,相隨羣行。南至饒澤,食魚與粱,君子樂長。

艮爲鳥,正反艮,故曰雙鳧,曰鴛鴦,曰羣行。震爲行,爲南。兌爲澤,爲食。巽爲魚,爲稻粱。艮爲君子,震爲樂,巽爲長。○羣,宋、元本訛君。樂作與。兹依汲古。

【補校】粱,從汲古。宋、元本作梁。通粱。

小過

蔡侯朝楚,留連江渚。踰時歷月,思其君后。

詳豫之坤。

既濟

膠車駕東,與雨相逢。五粲解墮,頽机獨坐,憂爲身禍。

詳大過之蠱。○粲、墮,元本作榮、墜。頽机,宋本作頓阤。元本作頹軷。兹依汲古。

【補校】粲、墮,依宋本、汲古。頽机,宋、元本作頓阤。此謂作頹軷者,似沿遯之益宋、元本作頓軷而致誤。

未濟

螟蟲爲賊,害我稼穡。盡禾殫麥,秋無所得。

詳同人之節。

【補校】殫,依元本、汲古。宋本作單。通殫。

震之第五十一

震

枯匏不材，利以濟舟。渡踰河海，無有溺憂。

互艮爲匏〔一〕，伏巽，故曰枯匏。震爲舟，爲濟，伏巽爲利。坎爲河海，爲憂。震出，故無有溺憂。○材，依顧校。各本皆作不朽。顧云，國語，枯匏不材於人。河，汲古作江。依宋、元本。首句言枯匏雖無用，然以爲舟，可利濟也。

【補校】匏，宋、元、汲古諸本均作瓠。翟本注云，當作匏。茲依校。按，匏、瓠皆葫蘆類。詩匏有苦葉，毛傳云匏謂之瓠是也。

乾

陷墊溺水，火燒我履，憂患重累。

此用遇卦震象。震爲大塗，坎爲水，爲陷溺。互艮爲火，震在艮上，故曰火燒我履。坎爲憂患。

坤

旦生夕死，名曰嬰鬼，不可得祀。

詳小畜之升。○祀，宋、元本訛視。

【補校】祀，依汲古。

屯

揚水潛鑿，使石潔白。裹素表朱，遊戲皋沃。得其所願，心志娛樂。

〔一〕“艮”上，刻本無“互”字。據稿本補。

　　詳否之師。○石，宋、元本作君。表朱作附珠。均依汲古。
沃，元本訛浽。汲古作澤。其作君。依宋、元本。裏，各本皆作衣。
依豫之大過宋、元本校。

　　【補校】沃，依宋本。

蒙

衆鳥所翔，中有大怪，九身無頭。魂驚魄去，不可以居。

　　詳否之同人。

需

刜根枯株，不生肌膚。病在於心，日以燋枯〔一〕。

　　此亦用震象。伏巽下斷，故曰刜根〔二〕。巽殞落，故曰枯株。
艮爲肌膚。本卦伏坤爲死，故曰不生。坎爲心病。離爲日，爲
焦枯。

　　【補校】日，汲古作身。依宋、元本。

訟

府藏之富，王以振貸。捕魚河海，笏笒多得。

　　詳坎之大過。○貸，汲古作貧。笏笒，元本作笏網。汲古作罟
網。依宋本。

　　【補校】貸，依宋、元本。笏笒，宋本作笏網。依元本。振，從
元本、汲古。宋本作賑。振、賑通。

師

一莖九纏，更相牽攣。宿明俯仰，不得東西。請讞當決，日
午被刑。

〔一〕“燋”，稿本、刻本作“焦”。據宋、元、汲古及所見其他各本改。燋、焦通。
〔二〕“刜”，刻本訛“別”。據稿本改。

坎爲莖,數一,故曰一莖。震數九,故曰九纏。伏巽爲繩,爲纏。遇卦震互艮爲牽,初至四正反艮,故曰互相牽攣。震爲旦,故曰宿明。宿明,即黎明也。震東坎西,艮閉〔一〕,故曰不得東西。震爲請,爲讞。坤殺,故曰當決,曰被刑。伏離,故曰日午被刑。史記,司馬穰苴與監軍莊賈,期旦日日中會於軍門。及期,賈不至。召軍正問曰,軍法期而後至者云何? 曰,當斬。乃斬之。○相,汲古作用。請作讚。均依宋、元本。決,宋、元本作報。午作中。均依汲古。

【補校】纏,汲古作躔。宿作安。均依宋、元本。讞,宋、元本作獻。依汲古。

比

鼇老鮐背,齒牙動搖。近地遠天,下入黃泉。

坤爲老,爲魚。艮爲背,故曰鮐背。詩大雅,黃耇台背。爾雅釋詁,老人皮膚消瘠,若駘魚也。伏兌爲齒牙,爲毀折,故曰動搖。乾伏,故曰遠天。坤爲水,爲黃,爲下,爲死,故下入黃泉。

【補校】鮐,汲古作鮑。依宋、元本。

小畜

羊舌叔虎,野心善怒。黷貨無厭,以滅其身。

羊舌虎,叔向弟,襄二十二年,以受賄爲范宣子所殺。兌爲羊,爲口舌;伏艮爲叔,爲虎,故曰羊舌叔虎。坤爲野,爲心,震爲怒,故曰野心善怒。坤爲貨財,爲身。坤殺,故曰以滅其身。○舌,汲古訛蛇。依宋、元本。

【補校】黷,從宋本、汲古。元本作瀆。

〔一〕"艮",稿本作"坤"。

履

訐疑八子,更相欺紿。管叔善政,不見邪期。

伏謙〔一〕。震爲子,坤卦數八,故曰八子。震爲言,正反震,故曰更相欺紿。震爲管,艮爲叔,故曰管叔。坤爲政,震爲善,故曰善政。管叔者,管仲。言桓公死,諸公子爲亂,管仲不及見也。○訐,宋、元本作謀。依汲古〔二〕。詩鄭風,洵訐且樂。韓詩作恂盱。爾雅釋詁,盱,憂也。然則訐疑者,憂疑也。

【補校】政,宋、元本作止。依汲古。

泰

絆跳不遠,心與言反。尼丘顧家,茅簪朱華。

震爲跳,伏巽爲繩,故曰絆跳。坤近,故曰不遠。坤爲心。震爲言,乾亦爲言,震言與乾言相背,故曰言反。伏艮爲尼丘,爲家。巽爲茅。兑爲華,乾爲大赤,故曰朱華。下二句,義未詳,或有譌字。○絆,宋、元本作伴。依汲古。跳,汲古作逃。逃、跳古通。易林多古義,頗疑汲古作是。今通俗,從宋、元本。簪,宋、元本作蕈。華作華。今依汲古〔三〕。

否

蜉蝣戴盆,不能上山。搖推跌趺,頓傷其顔。

巽爲蟲,故曰蜉蝣。艮爲戴,爲盆,故曰蜉蝣戴盆。艮止,故不

〔一〕“謙”,稿本、刻本誤“豫”,依上下文意改。按史廉揆先生《易林尚注初探》云:“豫,似應作謙。”其説是也。又檢稿本,此林原誤題“小畜”,注文蓋亦誤依小畜旁通豫爲説。付刻時“小畜”已改作“履”,然“伏豫”則未及更正。今謹爲校訂,而注中釋象適亦可通。

〔二〕“依汲古”下,稿本有:“詩,訐謨定命。傳,訐,大也。又,訐通盱。”似付刻時删。兹録存參考。

〔三〕“簪,宋”至“汲古”十三字,刻本無。據稿本補。

能上山。巽進退,故摇推跌跘。艮爲顔,坤爲傷。

　　【補校】首句,宋、元本作蚍蜉載盆。依汲古。跌跘,汲古作跂
跘。依宋、元本。

同人

朝露不久,爲恩惠少。膏澤欲盡,咎在枯槁。

　　通師。震爲朝,坎爲露。風散,故曰不久。震爲恩惠,坎爲膏
澤。坤亡,故曰少,曰盡。離爲枯槁。

　　【補校】澤,宋本作潤。元本訛澗。依汲古。

大有

河伯之功,九州攸同。載祀六百,光烈無窮。

　　此用震象。震爲伯,互坎,故曰河伯。互艮爲州,震數九,重
震,故曰九州攸同。震爲百,坎數六,故曰六百。離爲光也。按竹
書紀年,謂夏祀前後共四百七十一年[一]。後儒疑之。兹謂九州
攸同,確謂禹也。載祀六百,謂禹食報之久也,較竹書更多。

謙

三人北行,大見光明。道逢淑女,與我驥子。

　　震爲人,數三,故曰三人。坎爲北。艮爲光明,爲道。坤女,震
爲淑,故曰道逢淑女。震爲馬,故曰驥子。

豫

金精耀怒[二],帶劍過午。徘徊高庫,宿於木下。兩虎相拒,
弓弩滿野。

　　詳噬嗑之泰。河圖帝覽嬉,月者,金之精。又,虎亦爲金精。

〔一〕 “年”下,稿本多“長於殷祀”四字。
〔二〕 “耀”,稿本、刻本誤“躍”。據宋、元、汲古及所見其他各本改。

艮爲虎。兩虎相拒者，言正反艮相背也。高庫，地名。呂氏春秋，出高庫之兵以賦民。越絕書，高庫在安成里，勾踐藏兵之所。○劍過，宋、元本作鈞通[一]。依汲古。拒，汲古作距。依宋、元本。

隨

江河淮海，天之奧府。衆利所聚，可以富有。樂我君子，百福是受。

> 詳乾之觀。○五六句，宋、元本作好樂喜友。汲古作安樂無憂。依乾之觀校。
>
> 【補校】聚，元本作處。依宋本、汲古。

蠱

不虞之患，禍至無門。奄忽暴卒，病傷我心。

> 詳蒙之明夷。
>
> 【補校】至，宋、元本作生。忽作然。均依汲古。無，汲古作此。依宋、元本。

臨

畫龍頭角，文章未成。甘言美語，說辭無名。

> 詳蒙之噬嗑。○角，宋、元本作頸。依汲古。
>
> 【補校】辭，汲古作譯。依宋、元本。

觀

缺破不成，胎卵不生，不見兆形。

> 詳晉之益。
>
> 【補校】卵，汲古作卯。形作刑。均依宋、元本。刑同形。

〔一〕"鈞"，稿本、刻本誤"釧"。據宋、元本改。

噬嗑

旁行不遠，三里復反。心多畏惡，日中止舍。

　　　　震爲行，艮止，故不遠。艮爲里，震爲反，數三，故曰三里復反。
坎爲心，爲畏惡。離爲日，艮爲止，爲舍。○復反，汲古作反復。依
宋、元本。

賁

四隤不安，兵革爲患。掠我妻子，家復飢寒。

　　　　震數四。説文，隤，隊也，又壞也。司馬相如上林賦，隤牆填塹。
坎爲破壞，故曰四隤不安。艮爲兵革，坎爲患。艮手爲掠，震爲子，
伏巽爲妻，故曰掠我妻子。艮爲家。坎爲寒，離虚，故曰飢寒。○
隤，汲古作潰。非。依宋、元本。復，宋、元本訛履。

　　【補校】復，依汲古。掠，汲古作探。飢作饑。均依宋、元本。

剝

喜來如雲，嘉福盈門。衆才君子，舉家蒙歡。

　　　　此兼用震象。震爲喜，坎爲雲。震爲嘉福。艮爲門，爲君子，
爲家。坎衆，故曰衆才。震樂，故曰蒙歡。○汲古第二句作第四
句，第四句作第二句。今依宋、元本。

　　【補校】才，汲古作財。依宋、元本。歡，從汲古。宋、元本作
懽。同歡。

復

載金販狗，利棄我走。藏匿淵底，折毀爲咎。

　　　　詳隨之革。○毀，宋本、汲古訛晦。元本訛悔。依局本。

无妄

日中爲市，各抱所有。交易賫賄，函珠懷寶，心悦歡喜。

詳泰之升。

【補校】懷，汲古作爲。依宋、元本。歡，從宋本、汲古。元本作懽。同歡。

大畜

日趨月步，周遍次舍。經歷致遠，無有難處。

乾爲日，兌爲月，震行，故日趨月步。震爲周，艮爲次舍。○首句，宋、元本作月步日趨。茲依汲古。

【補校】趨，宋、元本作趍。依汲古。趍即趨之俗字。

頤

陽明失時，陰凝爲憂。主君哀泣，喪其元侯。

艮爲時，坤失乾伏，故曰陽明失時，曰陰凝爲憂。坤爲憂也。震爲主，爲君。震爲樂，爲歌，震反爲艮，故曰哀泣。震爲諸侯，爲長，故曰元侯。坤爲喪。

大過

年衰歲暮。精魂遊去。形容消枯，哀子相呼。

乾爲年歲，乾老，故曰衰暮。乾爲精魂，大過死，故曰精魂遊去。伏坤爲形容，巽隕落，故消枯。伏震爲子，坤憂，故曰哀子。兌口，故曰呼。正反兌，故曰相呼。○哀，宋、元本作喪。相作恩。依汲古。按，恩必是思之訛，喪子思呼亦通。

【補校】消，汲古作稍。依宋、元本。

坎

少無功績，老困失福。跂行徙倚，不知所立。

艮爲少，又爲老。震爲功績，坎困，故無功，故失福。震爲行，爲徙倚，爲立。上下坎，故不知所立。○跂，汲古作跂。徙作跂。

均依宋、元本。

離

持心瞿目，善數搖動。自東徂西，不安其處。散渙府藏，無有利得。

伏坎爲心。重離，故曰瞿目。禮玉藻，視容瞿瞿。注，瞿瞿，驚遽不審貌。巽風，故搖動。離東兑西。風散，艮爲府藏，艮伏，故曰散渙府藏。巽爲利，兑折，故無。○瞿目，汲古作耀日[一]。依宋、元本。持心瞿目者，言驚懼不敢放逸也。

【補校】散渙，汲古作渙散。依宋、元本。

咸

齎貝贖狸，不聽我辭。繫於虎鬚，牽不得來。

詳需之暌。

【補校】齎，從汲古。宋、元本作賷。義同。

恒

老狼白獹，長尾大胡。前顛卻躓，無有利得。

通益。艮爲狼，爲獹。玉篇，韓獹，天下俊犬。艮爲尾，與巽連，故曰長尾。艮爲須，故爲胡。胡，領肉下垂也。詩豳風，狼跋其胡。毛傳，老狼有胡，進則躐其胡。故曰前顛後躓。乾爲前。巽爲顛，爲利。卻，退也。坤喪，故無利。○胡，元本作狐。依宋本、汲古。卻，汲古作後，依宋、元本。第四句，汲古作岐人悦喜。非。依宋、元本。

【補校】胡，學津、局本作狐。依宋、元本、汲古。

─────────────────

〔一〕“日”，刻本訛“目”，據稿本改。

遯

背地相憎，心志不同，如火與金。君猛臣慢，虎行兔伏。

艮爲背。伏坤爲地，爲心志。艮火乾金，火爍金，申不同與相憎之故也。乾君艮臣。艮虎，震爲兔。震伏，故曰兔伏。〇慢，汲古作懦。依宋、元本。艮止，故曰慢〔一〕。

大壯

夏臺羑里，湯文厄處。鬼侯歡醢，岐人悦喜。

詳頤之復。

【補校】厄，從汲古。宋、元本作阨。義同。岐，元本作歧。依宋本、汲古。

晉

牙蘖生達，螳蜋啓户。幽人利貞，鼓翼起舞。

此亦兼用震象。震爲萌芽，爲生，故曰牙蘖生達。兑爲斧，爲螳蜋。艮爲户。震爲人，互坎，故曰幽人。艮止，故曰利貞。震爲翼，爲鼓，爲啓舞。〇達，依小畜之睽校。各本皆作齒。

【補校】蘖，依何本、局本、翟本。宋、元本、汲古作蘖。通蘖。

明夷

烈女無夫，閔思苦憂。齊子無良，使我心愁。

坤爲女，震爲夫。坤喪，故無夫。坤坎皆爲思，爲憂。伏巽爲齊子。詩齊風，齊子居止。傳，文姜也。與其兄襄公通，故曰無良。坤爲我，坎爲心，爲愁。

【補校】烈，宋、元本作列。依汲古。

〔一〕"慢"下，稿本有"懦，則卦象無也"六字。

家人

踐履危難,脱厄去患。入福喜門,見我大君。

此用震象。互坎爲危難,上震,故踐履危難。震出,故曰脱厄去患。震爲福喜,互艮爲門。伏巽,故曰入。震爲君。○我,宋、元本作悔。依汲古。

【補校】厄,從汲古。宋、元本作阨。義同。

睽

折臂接手,不能進酒。祈祀閉曠,神怒不喜。

此仍用震象。互艮爲臂,爲手,坎爲折,爲矯輮,故曰折臂接手。手反接也,即反縛也。史記陳丞相世家,至即命武士縛信,反接之。又前漢陳平傳,嚕受詔,即反接檻車,詣長安。坎爲酒,艮止,故不能進。震爲言,故曰祈祀。坎隱伏,故曰閉曠。言曠絶不祀也。震爲神,爲怒。

【補校】祈祀,汲古作析杞。不喜作弗喜。均依宋、元本。

蹇

蟻封戶穴[一],大雨將集。鵲起數鳴,牝雞歎室。相薨雄父,未到在道。

此仍用震象。伏巽爲蟻,艮爲穴戶。坎閉,故曰封。坎爲雨,爲集。震爲鵲,爲鳴。伏巽爲雞,艮爲室。末二句,有訛字,故義未詳。按,漢明帝禱雨,曾筮得此林,召沛獻王輔詮敍其義。王,傳京易者也。○起數,汲古作數起。未作來。均依宋、元本。雄父疑爲雄犬。他林雄犬皆訛雄父,是其證。汲古又作雄文。皆非。

【補校】歎,依元本、汲古。宋本作嘆。同歎。

───────────────

〔一〕"戶穴"二字,稿本、刻本誤倒,據宋、元、汲古及所見其他各本改。

解

胡俗戎狄，太陰所積。固冰沍寒，君子不存。

古者以戎狄爲陰物，故易林皆以坤象戎狄。卦有重坎，坎爲月。月者，太陰之精，故亦象戎狄。重坎，故曰積。坎爲冰，爲寒。艮爲君子。上卦艮覆，故曰不存。○第三句，元本沍作沔，汲古冰作洌，兹從宋本。沔者，沍之訛。左傳固陰沍寒。

【補校】沍，依宋本、汲古。冰，從宋、元本。固，汲古作涸。依宋、元本。按，元本沔字，疑洰之訛。洰、沍音義皆同。

損

翁翁輲輲，消頹崩顛。滅其令名，身不得全。

坤震皆爲車，而震爲聲，故曰翁翁輲輲。皆車聲也。坤消。二至四艮山覆，故曰崩顛。艮爲名，震淑，故曰令名。坤喪，故滅其令名。坤爲身，坤死，故不得全。○消，汲古訛稍。依宋、元本。

【補校】消，宋、元、汲古諸本皆作稍。蓋消之形訛字。按震之大過形容消枯，汲古訛稍，宋、元本不誤，是其證。又，滅，宋、元本作減。依汲古。

益

螟蟲爲賊，害我稼穡。盡禾殫麥，秋無所得。

詳坤之革。○螟，宋、元本作灾。殫作單。均依汲古。

【補校】螟，宋本作災。元本作灾。災、灾同。殫，從宋本、汲古。元本作單。通殫。

夬

三鳥飛來，自我逢時。俱行先至，多得大利。

伏艮爲鳥，數三，故曰三鳥。艮爲時，坤爲我。

【補校】鳥，宋、元本作幸。依汲古。

姤

龍馬上山，絕無水泉。喉焦脣乾，渴不能言。

　　詳乾之訟。○絕，宋、元本作焦，依汲古。焦脣，汲古作脣燋。
能作可。皆依宋、元本。

　　【補校】喉焦脣乾，宋本焦作燋。汲古作喉脣燋乾。茲依
元本。

萃

春生孳乳，萬物蕃熾。君子所集，禍災不至。

　　伏震爲春，爲生。坤爲孳乳，爲萬物。坤爲多，故曰蕃熾。艮
爲君子。坤爲集，爲禍災。○孳，汲古作子。依宋、元本。至，宋、
元本作到。依汲古。韻協〔一〕。

　　【補校】至，元本作到。依宋本、汲古。蕃，宋、元本作繁。依
汲古。

升

王孫季子，相與爲友。明允篤誠，升擢薦舉。

　　震爲王，艮爲孫，爲少男，故曰王孫季子。兌爲朋友。言舜舉
八元、八愷也。

困

六明並照，政紀有統。秦楚戰國，民受其咎。

　　坎卦數六，互離，故曰六明並照。巽爲紀，爲統。兌西爲秦。
伏震爲楚，爲戰。上艮，故曰戰國。坎爲衆，爲民。六明指六國。

─────────────

〔一〕"韻協"二字，刻本無。疑誤脱。據稿本補。

【補校】紀,汲古作入。依宋、元本。

井

蝃蝀充側,佞人傾惑。女謁橫行,正道壅塞。

　　詳蠱之復。○傾,各本多作所。依蠱之復校。

　　【補校】充,汲古作克。依宋、元本。

革

登崑崙,入天門。過糟丘,宿玉泉。同惠歡,見仁君。

　　三字句。詳比之姤。

　　【補校】歡,依宋本。汲古訛觀。元本作懽。同歡。仁,宋、元本作欣。從汲古。

鼎

體重飛難[一],未能越關,不離空垣。

　　通屯。坤爲體,爲重。坎陷,故難飛。艮爲關,爲垣。坤虛,故曰空垣。○離空,宋、元本作啻留。依汲古。

　　【補校】宋、元本下多上下墟塞,心不遑安二句。依汲古删。

艮

玄黃虺隤,行者勞罷[二]。役夫憔悴,踰時不歸。

　　詳乾之革。○不,汲古作得。依宋、元本。

漸

孔德如玉,出於幽谷,飛上喬木。鼓其羽翼,輝光照國。

　　詳同人之坎。○喬,汲古作高。依宋、元本。

〔一〕"飛難"二字,稿本、刻本誤倒。據宋、元、汲古各本校正。
〔二〕"罷",稿本、刻本作"疲"。據宋、元、汲古及所見其他各本改。罷通疲。

【補校】喬,宋、元、汲古各本皆作高。依同人之坎及翟本校。

歸妹

火雖熾,在吾後。寇雖衆,在吾右。身安吉,不危殆。

　　詳大有之需。○在吾,宋、元本作出我。依汲古。吉,元本作
居。依宋本、汲古。

豐

旍裘羶國,文禮不飾。跨馬控弦,伐我都邑。

　　詳豫之需。

　　【補校】弦,依宋本、汲古。元本作絃。通弦。

旅

被髮八十,慕德獻服。邊鄙不聳,以安王國。

　　巽爲髮,兌數十,艮數八,故曰被髮八十。伏震爲德,坎爲慕。
此似言太公八十歸周也。艮爲邊鄙,爲國。伏震爲王,故曰王國。

巽

心得所好,口常欲笑。公孫蛾眉,雞鳴樂夜。

　　伏坎爲心,爲夜。互兌爲口。伏震爲笑,爲公。艮爲孫,故曰公
孫。巽爲蛾,爲雞鳴。艮爲眉。坎爲夜。詩衛風,螓首蛾眉。皆狀美
人之貌。齊風,雞既鳴矣。毛傳云,雞鳴而夫人作,朝盈而君作。皆遵
詩序,思賢妃之説。兹云樂夜,與下匪雞則鳴,蒼蠅之聲意合。然則焦
謂此詩爲荒淫樂夜之詩,與毛序異。○夜,汲古作從。依宋、元本。

　　【補校】欲,宋、元本作爲。依汲古。

兌

馬能負乘,見邑之野。并獲粱稻,喜悦无咎。

　　伏震爲馬,爲乘。艮爲負,爲邑,爲野。巽爲稻粱。兌悦。○

能,汲古作西。依宋、元本。梁,宋、元本作粢。依汲古。

渙

高飛視下,貪饕所在。腐臭爲患,害於躬身。

> 艮爲飛,上巽,故曰高飛。艮爲視,坎爲下。巽爲臭腐。坎爲患害。艮爲身。

> 【補校】饕,從汲古。宋、元本作叨。同饕。

節

東行西步,失其次舍。乾侯野井,昭君喪居。

> 詳鼎之噬嗑。○君喪,汲古作公求。依宋、元本。

中孚

神鳥五彩,鳳凰爲主。集於王谷,使年歲有。

> 震爲神,艮爲鳥,巽卦數五,故曰神鳥五彩。震爲主,艮爲鳳凰。艮爲谷,震爲王,故曰王谷。一統志,中條山有王官谷。盧思道從駕玉照寺頌,王谷蟲篆。震爲年歲。○王,汲古作山。有作育。均依宋、元本。

> 【補校】彩,依宋本、汲古。元本作采。即彩。王,宋、元、汲古各本皆作山。依井之賁校。有,宋本、汲古作育。依元本。

小過

石門晨門,荷蕢食貧。遯世隱居,竟不逢時。

> 詳革之旅。○門〔一〕,宋、元本作關。食作疾。均依汲古。

> 【補校】晨門,宋本作晨啓。元本作晨關。從汲古。食,宋、元、汲古諸本皆作疾。依姜本、何本、局本及革之旅校。

〔一〕"門",刻本誤"啓"。據稿本校改。

既濟

齫齫齘齘，貧鬼相責。無有懽怡，一日九結。

卦爲三兑形，兑爲牙齒，故曰齫齫齘齘。兑爲口，故相責。坎爲鬼。爲憂，故不怡。離爲日，數九，故一日九結。

【補校】齫齫，汲古作齳齳。依宋、元本。

未濟

白日揚光，雷車避藏。雲雨不行，各止其鄉。

詳否之困。

【補校】各，汲古作爲。依宋、元本。

艮之第五十二

艮

君孤獨處,單弱無輔,名曰困苦。

> 互震爲君,坎爲孤。艮一陽在上,故爲鰥,爲獨,爲單弱。坎爲困苦。○汲古下有輔心湧泉,碌碌如山八字。明係衍文,依宋、元本删。

乾

憂驚已除,禍不爲災,安全以來。

> 艮中爻坎,坎爲憂。中爻震,震爲驚。今艮之乾,坎與震象皆不見,故曰憂驚已除,禍不爲災。乾爲福,故曰安全。
>
> 【補校】除,汲古作深。依宋、元本。

坤

穿匏挹水,籧鐵然火。勞疲力竭,飢渴爲禍。

> 艮爲匏,今化坤,上爻拆,故曰穿匏。又艮卦坎爲穿。坎水艮手,故曰挹水。艮爲籧。籧,籠也。爲鐵,爲火。夫穿匏挹水,籧鐵然火,皆不能之事,故勞疲無功。坎爲勞,爲禍。坤虚,故飢。艮火,故渴。○挹,汲古作浥。籧作搆。然作熒。均依宋、元本[一]。
>
> 【補校】然,宋、元本作燃。依學津、翟本。然即燃。疲,從宋本、汲古。元本作罷。通疲。

屯

蹇牛折角,不能載粟。災害不避,年歲無穀。

〔一〕"挹"至"元本"十六字,刻本無。據稿本增。

坤爲牛，艮爲角，上坎，故曰羸牛折角。坤爲載。震爲粟，爲
穀。坤爲年歲。爲災害，故無穀也。

蒙

邑將爲墟，居之憂危。

坤爲邑，坎破，故爲墟，爲憂危。

【補校】墟，依汲古。宋、元本作虛。通墟。

需

根刖樹殘，華葉落去。卒逢火焱，隨風僵仆。

此仍用艮象。伏巽下斷，故曰根刖，曰樹殘。伏兌爲華，震爲
葉，巽隕，故曰華葉落去。艮爲火，重艮，故曰焱。焱，音豔，火華
也。班固東都賦，焱焱炎炎。巽風坎陷，故仆。

【補校】樹殘，宋、元本作殘樹。依汲古。華，宋本、汲古作花。
依元本。華即花。

訟

元后貪欲，窮極民力。執政乖互，爲夷所覆。

乾爲君，故曰元后。坎爲心，故曰欲。爲勞，故曰窮極民力。
伏坤爲政，爲乖，爲夷狄。坤喪，故曰覆。○互，元本作牙[一]。汲
古作互。依宋本。與下覆協。牙、互同。

【補校】覆，宋、元本作偪。依汲古。偪音覆。

師

北山有棗，使叔壽考。東嶺多栗，宜行賈市。陸梁雌雉，所
至利喜。

〔一〕“牙”，刻本訛“牙”。據稿本改。下文“牙、互同”倣此。

此仍用艮象。艮爲棗栗。下艮與坎連,故曰北山。上艮與震連,故曰東山。艮爲叔,爲壽。伏巽爲賈市。離爲雄。○栗,汲古訛粟。依宋、元本。喜,宋、元本作害。依汲古。

【補校】棗,汲古作黍。雌作雄。均依宋、元本。嶺,宋、元本作領。依汲古。

比

高原峻山,陸土少泉。草木林麓,嘉禾所炎。

艮爲高原峻山。坤爲陸土,坎爲泉。坎下乘坤土、艮火,故曰少泉。坤爲品物,故曰草木林麓,曰嘉禾。艮爲火,故曰炎。○炎,汲古作災。依宋、元本。

【補校】原,元本作源。依宋本、汲古。

小畜

辰次降婁,王駕巡狩。廣施德惠,國安無憂。

通豫。艮居西北。降婁者,戌次,故曰辰次降婁。震爲王,爲巡狩,爲德惠。坤爲國,艮安。坤爲憂,震出,故無憂。○狩,宋、元本作時。非。第三句,宋本作廣祐德惠。元本作廣祐施惠。依汲古。

【補校】卦名小畜,汲古誤題小過。依宋、元本。

履

輷輷輵輵,歲暮偏弊。寵名損棄,君衰於位。

通謙。震爲車,爲聲,故曰輷輷。輷,車聲也。而坤亦爲車,故曰輵輵。輵,音雷,連屬不絕也。坎爲暮,坤爲歲,故曰歲暮。巽爲弊,故曰偏弊。艮爲名,坤喪,故曰損棄。震爲君,坤敝,故衰於位。艮爲位也。○損,汲古作復。輵作輴。兹依宋、元本。

【補校】輷輷,汲古作輷輷。依宋、元本。

泰

放銜委轡,犇亂不制。法度無恒,君失其位。

　　互兌爲銜,伏巽爲轡。震出,故曰放銜委轡,曰奔亂不制。坤爲亂也。乾君在下,故曰失位。○犇,汲古作奔。字同。恒,汲古作常。均依宋、元本。

否

獨坐西垣,莫與笑言。秋風多哀,使我心悲。

　　艮爲坐,爲垣。伏兌,故曰西垣。震爲笑言,震伏,故莫與笑言。巽風,伏兌,故曰秋風。坤爲心,爲悲哀,爲我。○坐,汲古作登。依宋、元本。

　　【補校】笑言,宋、元本作言笑。非。從汲古。韻協。

同人

脛急股攣,不可出門。暮速羣旅,必爲身患。

　　伏震爲脛,巽爲股。巽風,故曰急。巽爲繩,爲係,故曰攣。攣,音戀,手足曲病也。乾爲門,巽隕[一],故不可出門。伏坤爲暮[二],爲羣,爲身,爲患。暮速羣旅者,言使伴旅至暮戒備也。○羣,宋、元本作歸。依汲古。

大有

情僞難知,使我偏頗。小人在位,雖聖何咎。

　　通比。坎爲心,又爲隱伏,故曰情僞難知。坤爲我。坎爲邪曲,故曰偏頗。坤爲小人,艮爲位,故曰小人在位。坎爲聖,爲咎[三]。

〔一〕"隕",稿本作"伏"。兹依刻本。
〔二〕"坤"上,刻本無"伏"字。據稿本補。
〔三〕"爲咎"下,稿本有"何,疑爲亦字"五字。

謙

黍稷醇釀[一]，敬奉山宗。神嗜飲食，甘雨嘉降。庶物蕃茂，時無災咎。

> 詳比之需。○汲古多獨蒙福祉四字。依宋、元本。
>
> 【補校】降，汲古作祥。依宋、元本。茂，宋、元本作廡。依汲古。

豫

公子王孫，把彈攝丸。發輒有獲，室家饒足。

> 詳比之小畜。

隨

陰升陽伏，舜失其室。慈母赤子，相餧不食。

> 陰上陽下，故曰陰升陽伏。震爲帝，故曰舜。艮爲室，兑毀，故舜失其室。巽母，故慈。震子，艮納丙[二]，故曰赤子。震爲食，正覆震，故曰相餧。以飯哺人曰餧。艮止，故不食。○慈母，汲古作元元。餧作餒。兹依宋、元本。

蠱

七竅龍身，造易八元。法天則地，順時施恩，利以長存。

> 詳謙之升。
>
> 【補校】法天則地，宋、元本作法則天地。依汲古。末句，汲古作引和貴長，以富永存。依宋、元本。

臨

逐狐東山，水遏我前。深不可涉，失利後便。

[一]"釀"，刻本訛"醴"。據稿本改。
[二]"丙"下，稿本有"火"字。

詳蒙之蠱。

觀

銜命辱使，不堪其事。中墜落去，更爲負載。

巽爲命，伏兌，故曰銜命。坤爲事。巽爲隕落，故曰中墜落去。艮爲負，坤車，故曰載。

噬嗑

温仁君子，忠孝所在。入閨爲儀，禍災不起。

震爲温仁，艮爲君子。坎爲忠。伏巽爲孝，爲入。艮爲閨，離爲禮，故曰入閨爲儀。離爲禍災，震解，故曰禍災不起。○入閨，汲古作八閨。依宋、元本。

【補校】起，宋、元本作處。依汲古。

賁

春多膏澤，夏潤優渥。稼穡成熟，畝獲百斛。師行失律，霸功不遂。

震爲春，離爲夏。坎爲膏澤，爲優渥。震爲稼穡。艮爲成，爲畝。震爲斛，爲百，故曰畝獲百斛。師行二句，與上文不類，定爲衍文。○成熟與斛韻。汲古作熟成。非。依宋、元本。

【補校】畝，汲古作數。失作以。遂作遠。均依宋、元本。

剥

二女同室，心不聊食。首髮如蓬，憂常在中。

艮爲室，重坤，故曰二女。坤爲心。兌爲食，兌伏，故不食。艮爲首，坤爲憂。髮象、蓬象，疑用坤。否則用遇卦艮象。艮中爻互震爲蓬,爲髮。互坎爲憂,爲中[一]。

【補校】同,宋、元本作共。依汲古。

復

築闕石巔,立基泉源。病疾不安,老孤爲鄰。

此用艮象。艮爲闕,爲石,重艮,故曰築闕石巔。互坎爲泉,震爲基,在坎上,故曰立基泉源。坎爲疾病,爲孤。艮爲壽,故爲老。震爲鄰也。○闕,宋、元本作關。孤訛狐。均依汲古。基,宋、元本作本。汲古作木。皆形訛字。依漸之益校。

无妄

欲避凶門,反與禍鄰。顛覆不制,痛薰我心。

乾爲門,巽隕,故曰凶門。巽伏,故曰避。伏坤,故曰禍鄰。震爲鄰也。巽隕,故曰顛覆。坤爲心,爲痛,爲我。艮九三云,厲薰心。林所本也。

大畜

踧行竊視,有所畏避。貍首伏藏,以夜爲利。

此用艮象。互震爲行,艮爲視。互坎爲險,故曰踧行。踧,敬畏不安之貌也。互坎爲盜,故曰竊視。坎爲伏,故曰畏避。艮爲貍,爲首。互坎,故曰伏藏。坎爲夜。言貍利夜動也。又,貍首,逸詩篇名。周禮春官,鐘師凡射,王奏騶虞,諸侯奏貍首。按,此言樂節。貍,周禮、禮記皆作貍。莊子、史記皆作貍。廣韻,貍,貍俗字。

頤

人面鬼口,長舌爲斧。斲破瑚璉,殷商絕後。

[一]"坎"下,刻本無"爲憂"二字。據稿本補。

　　震爲人，艮爲面，坤爲鬼，震爲口，故曰人面鬼口。伏兌爲舌，爲斧，巽爲長，故曰長舌爲斧。艮手，爲斲。震爲玉，故曰瑚璉。震爲子，殷商子姓，而坤爲殺爲死，故曰殷商絶後。震爲後也。○斲，宋、元本作劈。依汲古。人、鬼，汲古作八、九。九與鬼本通用，鬼侯作九侯是也。兹依宋、元本。

　　【補校】人、鬼，宋、元、汲古諸本皆作八、九。兹依姜本、何本、局本及臨之坎校。

大過

和氣相薄，膏澤津液，生我嘉穀。

　　兌悦，故曰和。正反兌，故曰相薄。兌水，故曰膏澤津液。巽爲穀，乾爲生。

坎

銷金厭兵，雷車不行，民安其鄉。

　　艮爲金，艮火，故銷金。艮爲兵戈，艮止，故厭兵。震爲車，爲雷，艮止坎陷，故不行。坎爲民，艮爲鄉，爲安，故曰民安其鄉。○厭，汲古作鑄。非。依宋、元本。

離

秦儀機言，解其國患。説燕下齊，作相以權。

　　互兌爲秦。離爲禮，故曰儀。蘇秦、張儀也。中爻正反兌，故曰機言。伏艮爲國，坎爲患，震爲解，故曰解其國患。兌爲説。説燕，指秦。下齊，指儀。兌爲燕。巽爲齊，爲權。按，秦儀説齊燕，見史記。作相以權者，言秦爲六國相，儀爲秦相魏，皆權詐之事。下，猶服也。○三四句，各本皆作一説燕下，齊相以權。依王校。

咸

旦奭輔王，周德孔明。越裳獻雉，萬國咸康。

通損。震爲旦，爲奭，爲王，爲周孔。坤爲裳，爲雉，爲萬國。艮爲安，故曰咸康。史記，周召秉政，越裳氏獻白雉。○輔王，宋、元本作王輔。非。王與明韻。

【補校】康，汲古作寧。依宋、元本。

恒

弱足刖跟，不利出門。賈市無盈，折亡爲患。

震爲足，爲跟。兌折，故弱足。初震爻下斷，故曰刖跟。伏艮爲門，足刖，故不利出門。巽爲賈市。兌毀折，故不利也。

【補校】盈，汲古作過。依宋、元本。

遯

堅冰黄鳥，常哀悲愁。不見白粒，但覩藜蒿。數驚鷙鳥，爲我心憂。

詳乾之噬嗑。○常，宋、元本訛帝。依汲古。藜，元訛藜。依宋本。

【補校】白，汲古作甘。依宋、元本。藜，依宋本、汲古。

大壯

魂微惙惙，屬纊聽絶。豁然大通，復更生活。

詳明夷之恒。

【補校】豁，宋、元本作曠。依汲古。

晉

陰生麏鹿，鼠舞鬼哭，靈龜陸處。

坤爲陰。艮爲麏鹿，爲鼠。坤爲鬼。震爲笑歌，震反爲艮，則哭泣矣。中孚六三即如此取象也。離爲龜，坤艮皆爲陸，故曰陸處。○汲古下多釜甑草土，人知敗國，桀亂無緒三句。元本

同,惟釜作雨,土作生〔一〕,人作仁。依宋本。然似有三句而意始
足。坤爲釜甑,爲草土,爲國。坎爲敗。離爲惡人,爲亂,故曰桀亂
無緒〔二〕。

　　【補校】麏,元本作獐。陸作墜。均依宋本、汲古。獐、麏同。
哭,宋本、汲古作谷。依元本。

明夷

諸石攻玉,無不穿鑿。龍體具舉,魯班爲輔。麟鳳成形,德
象君子。

　　詳姤之大過。諸石即監諸。○具,宋本、汲古作吾。依元本。
大過伏頤。此則用艮,艮三至上亦頤,故語同。

　　【補校】諸石,汲古作鑿諸。麟作舞。均依宋、元本。

家人

山作天時,陸爲海口,民不安處。

　　此用艮象。艮爲天,爲時,故曰山作天時。艮爲陸,中爻坎爲
海,震爲口。坎爲民,坎陷,故不安。天時,疑皆訛〔三〕。

睽

東風啓戶,隱伏懽喜。氓庶蒙恩,復得我子。

　　此仍用艮象。互震爲東,伏巽,故曰東風。艮爲戶,震解〔四〕,
故曰東風啓戶。坎爲隱伏,爲氓庶。震爲懽喜,爲子。

　　【補校】懽,依宋本、汲古。元本作歡。同懽。氓,宋、元、汲古
諸本皆作萌。依局本。按翟本注云,氓,古通用萌。

〔一〕“生”,刻本訛“坐”,據稿本改。
〔二〕“亂”,刻本訛“紂”,據稿本改。
〔三〕“天時”至“皆訛”五字,稿本無。兹依刻本。
〔四〕“故曰”至“震解”九字,刻本無。據稿本補。

塞

華燈百枝，消暗衰微。精光欲盡，奄如灰糜。

　　詳隨之大有。○消，宋、元本作稍。汲古作植。依隨之大有校。糜，爛也。宋本作靡。依汲古。奄，汲古作命。亦通。茲依宋、元本。

　　【補校】糜，宋、元本作靡。義通。

解

三十無室，寄宿桑中。上宮長女，不得樂同，使我失期。

　　衛風，期我乎桑中，要我乎上宮。淫奔詩也。此仍取艮象。互震數三，伏兌數十，坎爲室，坎伏，故曰三十無室。坎爲宿，震爲桑，故曰寄宿桑中。艮爲上，爲宮，巽爲長女。巽伏，故曰不得樂同。坎爲失，艮爲期。○樂，宋、元本作來。依汲古。汲古無末句。依宋、元本補。又宿字，汲古作伯，形不全。依宋、元本。

損

卵與石鬬，糜碎無疑。動而有悔，出不得時。

　　震爲卵，艮爲石。震艮相對，故曰鬬。兌毀，故曰糜碎。震爲動，坤爲悔。艮爲時。○糜，宋、元本作靡。依汲古。

　　【補校】疑，汲古作處。依宋、元本。

益

秦兵爭强，失其貞良，敗於殽鄉。

　　伏兌爲秦，坤爲兵。正反震，故曰爭强。艮爲貞良，坤喪，故曰失。艮山，故曰殽鄉。左傳，秦穆公違蹇叔，使孟明伐鄭，敗於殽。

　　【補校】秦，汲古作尋。於作我。均依宋、元本。

夬

虜除善疑，難爲攻醫。驥窮鹽車，困於銜箠。

虙除，即簾篨。虙、籧同。爾雅，籧篨，口柔。詩邶風毛傳云，籧篨，不能俯者。郭云，口柔之人，視人顏色，常亦不伏，因以爲名。按疏，口柔之人，必仰面察人顏色而爲辭，故曰善疑。虙除爲生成之病，故不能攻治也。此仍用艮象。艮爲虙除，互坎爲疑。三至上正反艮，故曰攻醫。坎陷，故難。互震爲車，爲馬，兌爲鹵，故曰鹽車，故曰衘。坎爲困窮，故曰驥窮鹽車，困於衘筴。筴，馬策也。艮爲小木，故曰筴。○虙，宋本、汲古訛虐。元本訛虎。然由次句視之，其爲虙無疑也。疑，宋、元本作猛。亦後人從虎、虐二字妄改。獨汲古尚存其真，益證虙字之確切。筴，汲古作御。依元本。按，說文，虙，司馬相如說封豖之屬。封豖亦不能俯。太玄，閑首作遽除。皆不從竹。疑古文詩即如此，故易林、太玄皆不從竹。從竹後人所加。易，女承筐。鄭作匡，謂從竹者誤。茲殆與同。

【補校】筴，依宋、元本。

姤

操筍搏狸，荷弓射魚。非其器用，自令心勞。

此仍用艮象。艮爲狸，艮手爲操，爲搏。伏離爲筍，故曰操筍搏狸。艮爲荷，坎爲弓，震爲射，伏巽爲魚。震爲器。坎爲心，爲勞。筍，所以取魚。弓矢，所以射狸。今施非物，故無功也。

【補校】弓，汲古作射。依宋、元本。

萃

葵丘之盟，晉獻會行。見太宰辭，復爲還輿。

兌爲華，艮山，故曰葵丘。兌爲口，爲巫，故曰盟。伏震爲晉，爲行。艮爲官，故曰太宰。坤爲輿，巽退，故曰還輿。按，左傳僖九年，會於葵丘。王使宰孔賜齊侯胙。既盟，宰孔先歸，遇晉侯，曰，可无會也,晉將亂〔一〕。晉侯乃還。

【補校】晉獻,汲古作獻晉。行作庭。復爲作後秦。興作興。
均依宋、元本。

升

臏詐龐子,夷竈書木。伏兵卒發,矢至如雨。魏師驚亂,將
獲爲虜,涓死樹下。

　刖足曰臏。巽下斷,故曰臏。正反兌口,故曰詐。震爲子,坤
亂,故曰龐子。坤爲夷,爲釜,故曰夷竈。夷,平也。震爲木,坤文,
故曰書木。坤爲兵,巽爲伏,震出,故曰伏兵卒發。初四互坎,坎爲
矢,爲雨。震爲魏,爲驚,坤爲師,爲亂,故曰魏師驚亂。震爲主,爲
將。坤爲死喪,巽爲樹。史記孫臏傳,臏率齊兵與魏龐涓戰,日減
竈,佯退兵。至馬陵,道設伏,並斫樹使白大書曰,龐涓死此樹下。
涓追至,鑽火視書,忽萬弩齊發,果被射死。公子卬被虜。○書木,
宋、元本作盡毁。伏兵作兵伏。均非。依汲古。末句,依宋、元本
增。汲古無。

【補校】卒,汲古作率。依宋、元本。

困

南行出城,世得大福。王姬歸齊,賴其所欲。

　伏賁。震爲南,爲行。艮爲城,爲世。震爲福,爲王,爲姬,爲
歸。巽爲齊。左傳莊二年,王姬歸齊,魯爲主。○大,元本作天。
從汲古。

【補校】大,宋、元本作天。又,汲古下多以安邦國四字。依
宋、元本删。

〔一〕"晉",稿本、刻本作"齊"。疑誤。按《左傳》僖九年,宰孔遇晉侯,有"其在
亂乎"之語。杜注:"微戒獻公,言晉將有亂。"兹據改。

井

冬采薇蘭,地凍堅難。利走室北,暮無所得。

　　巽爲臭,爲草莽,故曰薇蘭。坎爲冬,爲冰,故曰地凍。伏艮爲堅,故曰堅難。坎爲室,爲北,巽爲利,伏震爲走,故曰利走室北。坎爲暮,離虛,故無得。○薇,宋、元本作微。依汲古。

　　【補校】第三句,汲古作雖利奔走。依宋、元本。

革

王喬無病,狗頭不痛。亡屐失履,乏我送從。

　　革伏蒙。艮爲壽,故爲仙人。王子喬,古仙人也。艮爲狗,爲頭。坎爲病痛,艮在上,出險,故不病痛。互震爲屐履。坤爲亡失,爲乏。

　　【補校】喬,元本作僑。依宋本、汲古。屐,汲古訛破。乏作之。送從作欲送。均依宋、元本。

鼎

宛馬疾步,盲師坐御。目不見路,中宵不到。

　　通屯。震爲馬,爲步。坎爲疾,故曰疾步。屯初至五大離,故曰盲。坤爲師,艮爲坐,爲御,故盲師坐御。震爲大塗,坤坎皆爲黑,故目不見路。坤爲夜,坎爲中,艮止,故中宵不到。○不,汲古作弗。非。依元本。

　　【補校】不到,宋本、汲古作弗到。依元本。盲,汲古訛育。目作自。宵作止。均依宋、元本。

震

求利難國,亡去我北。憂歸其城,反爲吾賊。

　　中爻艮爲求,爲國;坎爲難,伏巽爲利,故曰求利難國。坎爲北,爲憂。艮爲城,震爲反,故曰歸城。坎爲盜賊。〇吾賊,汲古作我賊。依宋、元本。

【補校】利,汲古作我。北作地。均依宋、元本。

漸

比目四翼,安我邦國。上下無患,爲吾喜福。

通歸妹。互離,兌卦數二,故曰比目。震爲翼,卦數四,故曰四翼。本卦艮爲邦國,艮安,故曰安我邦國。艮山,故曰上。兌澤,故曰下。坎爲患,震出,故曰無患。震爲喜福,艮爲吾。〇吾喜,汲古作我嘉。依宋、元本。

【補校】患,汲古作思。依宋、元本。

歸妹

八材既登,以成股肱。尨降庭堅,國無災凶。

伏巽爲股[一],艮爲臂,爲肱。震爲鳴,爲毛羽,故曰尨。尨,多毛犬也。伏艮爲庭,爲堅,爲國。互坎爲災凶,震解,故無。八材象,或以震居東方。〇股肱,汲古作嘉功。依宋、元本。

【補校】尨,宋、元本作厖。依汲古。厖通尨。

豐

消弊穿空,家莫爲宗。奴婢逃走,子西父東,爲身作凶。

巽隕落,故曰消弊。伏坎爲穿。離虛,故曰空。伏艮爲家,震爲主,爲宗。風散,故莫與爲宗。艮爲奴婢,艮伏,故曰逃走。震爲子,兌西,故曰子西。震爲父,故曰父東。伏艮爲身,巽隕,故凶也。〇消,宋、元、汲古皆作稍。依局本。

【補校】元本無三、四句。依宋本、汲古。按元本謂一云宗字

〔一〕"股",刻本訛"肘"。據稿本改。

下有奴婢逃走,子西父東二句。是其或本與宋、汲古同。

旅

鳥舞國城,邑懼卒驚。仁德不脩,爲下所傾。

　　艮爲鳥,爲舞,爲國城,爲邑。伏坎爲懼。震爲驚,爲仁德。震伏,故曰仁德不脩。兑爲下,兑毀,故曰傾。

　　【補校】脩,從宋本。元本、汲古作修。同脩。

巽

五穀不熟,民苦困急。駕之南國,嘉樂有得。

　　巽爲穀,卦數五,故曰五穀。巽隕落,故不熟。伏坎爲民,爲困急。伏震爲南,艮爲國。○五,宋、元本訛三。駕,元本作嘔。均依汲古。三四言巽究爲震,即安樂也。

　　【補校】五,元本訛三。依宋本、汲古。駕,宋、元本作嘔。依汲古。

兑

黃裳建元,福德在身。禄祐洋溢,封爲齊君,富貴多孫。

　　遇卦艮,互震爲裳[一],爲黃,爲元,爲福德、禄祐。艮爲身。互坎,故曰洋溢。震爲君,本卦互巽,故曰齊君。艮爲貴,爲孫。○宋、元本、汲古多賈市無門四字,在第五句。此於上下句義絶不屬,斷爲衍文,删去。而存其語以俟校此書者。○坤六五,黃裳元吉。五君位,故曰建元。

　　【補校】福德,汲古作病得。禄祐作福祐。均依宋、元本。貴,宋、元本作寶。依汲古。孫,宋、元、汲古皆作殠。依姜本、翟本。又,局本注云一作孫,亦可從。

―――――――――

〔一〕“遇卦”至“互震”五字,稿本作“通艮,中爻震”。兹依刻本。

渙

齊東郭盧，嫁於洛都。駿良美好，利得過倍。

　　詳坤之坎。○嫁，汲古作嬪。過作萬。盧作廬。均依宋、元本。駿良，宋、元作驪婦。依汲古。嫁，往也。

　　【補校】盧，宋、元、汲古諸本皆作廬。依坤之坎及翟本校。

節

安牀厚褥[一]，不得久宿。棄我嘉宴，困於南國。投杼之憂，不成禍災。

　　艮爲牀，伏巽爲褥。坎爲宿，兌毀折，坎險，故不得久宿。兌食震嘉，故曰嘉宴。坎爲困，震南，艮國[二]，故曰困於南國。坎爲機杼，爲憂，爲禍災。戰國策，有人與曾參同姓名，殺人。人告其母，不信。三告母，乃投杼而走。

　　【補校】久，汲古作失。依宋、元本。

中孚

內崩身傷，中亂無常。雖有美粟，不我得食。

　　卦中虛，故曰內崩。艮爲身，兌爲傷。巽爲粟，震爲嘉，故曰美粟。兌爲食，上卦兌覆，故不得食。○末句，汲古作不得其食。依宋、元本。

　　【補校】常，汲古作恒。我作其。均依宋、元本。得食，宋、元本作食得。依汲古。

――――――――

〔一〕“褥”，稿本、刻本作“縟”。據宋、元、汲古及所見其他各本改。注同。按，縟通褥。
〔二〕“艮”，刻本誤“震”。據稿本改。

小過

出門逢患，與禍爲怨。更相擊刺，傷我指端[一]。

　　此仍用艮象。艮爲門，震出。中爻坎爲患，爲禍，爲怨。艮爲擊刺，三至上正覆艮相對，故曰更相擊刺。艮爲指，坎爲傷。

　　【補校】相擊，汲古作有挈。依宋、元本。

既濟

出入節時，南北無憂。行者函至，在外歸來。

　　此仍用艮象。震出，伏巽爲入，艮爲時，故曰出入節時。震爲南，坎爲北，爲憂。震爲行，爲歸。艮爲函。三至上震起，艮止，故曰在外歸來。〇函，汲古作即。依元本。

　　【補校】函，依宋、元本。時，汲古作持。從宋、元。

未濟

公孫駕驪，載遊東齊。延陵說産，遺季絟衣。

　　此仍用艮象。震爲公，艮爲孫。震馬，故曰駕驪。震爲遊，爲東。伏巽爲齊，故曰東齊。艮爲山，爲季子，故曰延陵。吳延陵季子也。震爲生，爲樂，故曰悅産。産，鄭子産也。震爲衣，爲草莽，故曰絟衣。左傳，吳季札至鄭，見子産，如舊相識，與之縞帶。子産獻絟衣。〇驪，汲古作車。依宋、元本。

〔一〕"指"，稿本、刻本作"手"。據宋、元、汲古及所見其他各本改。注同。

焦氏易林注卷十四

漸之第五十三

漸

別離分散,長子從軍。稚叔就賊,寡老獨居,莫爲種瓜。

　　巽隕落,故別離分散。震爲長子,爲爭戰。震伏,故曰長子從軍。艮爲少男,故曰稚叔。艮坎連,故曰就賊。巽爲寡,艮爲老,坎爲孤獨,故曰寡老獨居。艮爲果蓏,故曰瓜。○居,汲古作安。非。依宋、元本。

乾

旦種穀豆,暮成藿羹。心之所願,志快意愜。

　　詳前。以其爲乾卦,故再釋之。此用漸象。伏震爲旦。巽爲穀豆,爲藜藿。坎爲暮,爲羹。旦種暮食,言其速也。坎爲心志。兌悅,故曰快,曰愜。○穀,宋、元本作菽。菽亦豆也。故從汲古。

　　【補校】豆,依元本、汲古。宋本作荳。同豆。

坤

牡飛門啓,憂患大解,不爲身禍。

坎爲牡，艮爲門，漸變坤中虛，故曰牡飛門啓。坎爲憂患，變坤，故曰憂患大解。坤爲身，爲禍，風散，故不爲身禍。

【補校】牡，宋、元本作杜。依汲古。

屯

東山西山，各自止安。雖相登望，竟未同堂。

詳姤之坤。艮山，震東坎西。艮爲止，爲望，爲堂。震爲登。

蒙

衆鳥所翔，中有大怪，九身無頭。魂驚魄去，不可以居。

詳否之同人。丁云，郭璞江賦，奇鵧九頭。御覽，典略云，齊園有九頭鳥，赤色似鴨，九頭皆鳴。又引嶺表錄異云，鬼車入人家，鍊人魂氣。又，酉陽雜俎亦云，鬼車十首，後爲犬嚼落一首。

需

交侵如亂，民無聊賴。追戎濟西，敵人破陣。

通晉。坤爲亂，爲民。坤喪，故民無聊賴。坤爲戎。坎爲西，坎水，故曰濟西。坎爲破，坤爲師，故曰破陣。左傳莊十八年，追戎于濟西，不言其來，諱之也。○戎，汲古訛我。敵人破陣，作狄人便殫。均依宋、元本。

【補校】戎，宋、元、汲古各本皆作我。按元本舊注云，當作戎。並引春秋莊公十八年公追戎于濟西。玆從校。

訟

麟鳳所翔，國無咎殃。賈市十倍，復歸惠鄉。

互離爲文，故曰麟鳳。伏坤爲國。巽爲賈市，爲倍，坤數十，故曰賈市十倍。坤爲鄉，震爲歸，爲惠。

師

鑿井求玉，非卞氏寶。身困名辱，勞無所得。

互震爲寶玉。坎爲井,爲困辱,爲勞。坤爲身,艮爲名。二四艮覆,故曰名辱。〇寶,宋、元本作室。汲古作宅。依局本。

【補校】學津注云,作室者,疑寶字俗省作宝而訛。

比

文山鴻豹,肥腯多脂。王孫獲願,載福巍巍。

陸佃埤雅,引郭璞曰,鴇似雁,無後趾,毛有豹文,亦名鴻豹。易林文山鴻豹,謂此也。坤爲文,艮爲山,爲鴻,爲豹,故曰文山鴻豹。伏乾爲肥,坎爲膏,爲脂。艮爲孫,伏乾,故曰王孫。艮山形長,故曰巍巍。

小畜

周成之隆,刑措除凶。太宰費石,君子作人。

通豫。震爲周,艮爲成。坎爲刑法,坤爲凶,艮止,故曰刑措除凶。艮爲官,爲石,故曰太宰費石。按,左傳莊八年,反,誅屨於徒人費。鞭之,見血。出,遇賊于門。袒而示之臂,請先入。伏公而出,鬬,死于門中。石之紛如死于階下。費、石皆忠于襄公者,故下曰作人。艮爲君子。〇石,汲古作祐。依宋、元本。

【補校】措,從汲古。宋、元本作錯。通措。人,汲古作仁。依宋、元本。人、仁通。

履

珪璧琮璋,執贄見王。百里寧戚,應聘齊秦。

詳需之井。〇璋,宋、元本作璜。

【補校】璋,依汲古。

泰

穿空漏徹,破壞殘缺。陶弗能冶,瓦甈不鑿。

伏巽爲穿漏，兌爲破缺。伏艮爲火，故曰陶冶。破缺，故不能陶冶。艮爲瓦甓，坤虛，故不必鑿。

【補校】徹，汲古作弊。壞作桴。均依宋、元本。殘，宋、元本作我。依汲古。冶，各本皆作治。當爲冶之形訛字。

否

鴻飛遵陸，公出不復，伯氏客宿。

詳損之蹇。

【補校】遵，宋、元、汲古諸本皆作循。依損之蹇及翟本校。詩豳風九罭，鴻飛遵陸。蓋林所本。

同人

蝦蟇羣聚，從天請雨。雲雷運集，應其願所。

詳大過之升。○末句，汲古作應時輒下，得其所願。依宋、元本。又，運，汲古作連。亦非。

【補校】末句，宋本、汲古作應時輒下，得其所願二句。依元本。運，從宋、元本。

大有

老弱無子，不能自理。爲民所憂，終不離咎。管子治國，侯伯賓服。乘輿八百，尊我桓德。

通比。坤爲老弱。三至五震覆，故曰无子。坤爲民，爲咎。坎爲憂。艮爲終。離同罹。後四句與上文意不屬，定爲崔篆、虞翻等林辭所竄入者。○桓，元本訛恒。依宋本、汲古。

【補校】老，汲古作先。所作雖。均依宋、元本。

謙

播梅折枝，與母別離，絕不相知。

　　詳訟之謙。播，種也，言折枝種於他處。與母別離者，言此枝與母樹分離也。震爲梅，爲枝，爲耕種。坤爲母。丁晏釋文引説苑，執一枝梅事爲解，皆由播訛爲蟠之誤也。○播，各本皆作蟠。依訟之謙校。

　　【補校】播，宋、元本作蟠。汲古作摇。依汲古本訟之謙校。

豫

盛中不絶，衰老復拙。盈滿减虧，瘛瘲脂肥。鄭昭失國，重耳興起。

　　震爲盛，坎爲中。坤爲老，爲减虧。艮爲節，故曰瘛瘲，曰肥脂。坎爲鄭，艮爲光明，故曰鄭昭。坎爲失，坤爲國，故曰失國。坎爲耳，坤爲重，震起，故曰重耳興起。○瘛，元本作癡。依宋本、汲古。左傳桓六年，謂其不疾瘛蠱也。注，瘛蠱，疥癬。蠱不從病，即瘵字。

　　【補校】老，宋、元本作者。拙作掇。起作立。均依汲古。瘲，元本作蠱。依宋本、汲古。

隨

聞虎入邑，心欲逃匿[一]。走據陽德，不見霍叔，終無憂慝。

　　艮爲邑，爲虎，巽爲入，兑爲聞，故曰聞虎入邑。戰國策，夫市無虎明矣，然而三人言而成市虎。巽爲隱伏，故曰逃匿。震爲走，艮納丙，爲山陽，故曰走據陽德。艮爲叔，爲山，故曰霍叔。巽伏，故不見。艮爲終。丁晏所釋，至爲牽强，不可從。闕疑可也。○心，宋、元本作必。走作無。陽作易。均依汲古。霍叔，元本作藿菽。依宋本、汲古。終，汲古作絶。依宋、元本。易林以兑爲耳，故爲聞。

　　【補校】陽，宋本作易。元本作易。按，易即陽。

––––––––––––

〔一〕“心”，刻本誤“必”，據稿本改。

蠱

隨時逐便，不失利門。多獲得福，富於封君。

> 艮爲時，震爲逐。巽爲利，艮爲門，故曰利門。震爲福，爲君。

臨

禹作神鼎，伯益銜指。斧斤既折，憧立獨坐。賈市不雠，枯槁爲禍。

> 詳小畜之益。○憧，宋、元本作撞。依汲古。坐，各本皆作倚。依小畜之益校。市，宋、元本作萬。依汲古。雠，宋本、汲古皆作售。依元本。
>
> 【補校】賈，宋、元、汲古諸本皆作賣。依翟本。

觀

春鴻飛東，以馬貨金。利得十倍，重載歸鄉。

> 詳比之中孚。
>
> 【補校】貨，宋、元本作貿。汲古作質。依比之中孚及姜本、何本、局本校。

噬嗑

金齒鐵牙，壽考宜家。年歲有餘，貪利者得，雖憂无咎。

> 艮爲金鐵，爲壽考。伏兌爲齒牙。震爲年歲，爲有餘。伏巽爲利。坎爲憂，震解，故无咎也。○餘，宋、元本作儲。依汲古。

賁

膏澤沐浴，洗去污辱。振除災咎，更與福處。

> 互坎，故曰膏沐，曰洗去污辱。離爲災，震爲福。
>
> 【補校】福處，汲古作壽福。依宋、元本。

剥

履階登墀，高升峻巍。福禄洋溢，依天之威。

　　坤形似階墀，而一陽在上，故曰履階登墀，高升峻巍。伏乾爲福禄，爲天。坤水，故曰洋溢。〇升，宋、元本作登。依汲古。

　　【補校】升，元本作登。依宋本、汲古。

復

坤厚地德，庶物蕃息。平康正直，以綏大福。

　　坤爲庶物。震爲生，故曰蕃息。坤爲平，爲直。震爲福。

无妄

絶域異路，多所畏避。使我驚惶，思吾故處。

　　伏升。坤爲域，兑決，故曰絶域。震爲大塗，巽爲歧，故曰異路。巽伏乾惕，故曰畏避。坤爲我，震爲驚。〇惶，宋、元本作懼。依汲古。

　　【補校】避，各本皆作惡。馬生新欽云，疑依噬嗑之節有所畏避句校。

大畜

襁褓孩幼，冠帶成家。出門如賓，父母何憂。

　　詳遯之恒。兹取象旁通萃。

頤

一尋百節，綢繆相結。其指詰屈，不能解脱。

　　八尺曰尋，坤卦數八，故曰一尋。艮多節，坤爲百，故曰一尋百節。伏巽爲結。艮爲指。震爲解脱。下卦艮反，故曰其指詰屈。〇屈，元本作詘。依宋本、汲古[一]。

────────────

〔一〕“依”下，刻本脱“宋本”二字。據稿本補。

大過

鷹鸇獵食，雉兔困極。逃頭見尾，爲人所賊。

通頤。艮爲鷹鸇，震爲食。坤文爲雉，震爲兔。正反艮，故曰困極。艮爲頭，在上，故曰逃。而下爲覆艮，艮爲尾，故曰見尾。本卦兌爲見。巽爲賊，震爲人，坤殺，故曰爲人所賊。賊，害也。〇人，宋、元本作害。非。依汲古。

【補校】極，元本作急。依宋本、汲古。頭，汲古作走。依宋、元本。

坎

危坐至暮，請求不得。膏澤不降，政戾民忒。

艮爲坐，爲請求。坎爲暮。坎失，故不得。坎爲膏澤，艮止，故不降。坤爲政，爲民。坎折坤，故政戾民忒。〇忒，宋、元本、汲古作惑。依局本。民，汲古作弗。非。依宋、元本。

【補校】戾，汲古作行。依宋、元本。

離

剛柔相呼，二姓爲家。霜降既同，惠我以仁。

詳家人之損。

咸

慈母念子，饗賜得士。蠻夷來服，國人懽喜。

伏損。坤爲慈母，爲思念。震爲子，爲士。兌食[一]，故曰饗。坤爲夷狄，爲國。震爲人，爲喜。

【補校】得，汲古作德。依宋、元本。得、德古通。末句，宋、元

〔一〕"食"，刻本訛"時"。據稿本校改。

本作以安王國。依汲古。

恒

良夫孔姬，脅悝登臺。柴季不扶，衛輒走逃。

　　詳損之恒。

　　【補校】脅，汲古作負。依宋、元本。柴，宋、元、汲古皆作樂。
依局本。

遯

子長忠直，李陵爲賊。禍及無嗣，司馬失福。

　　互巽爲長，爲直，爲桃李。艮山，故曰李陵。巽爲賊。巽下斷，
故曰無嗣。乾爲馬，爲福。陰消陽，故曰司馬失福。謂司馬子長因
救李陵而被腐刑也。○李陵，宋本作李氏。汲古作季氏。依元本。

　　【補校】李陵，宋、元本作李氏。惟元本舊注云，言李陵事。兹
依校。

大壯

節度之德，不涉亂國。雖昧無光，後大受慶。

　　伏艮爲節。坤爲亂，爲國。坤伏，故曰不涉亂國。坤爲黑，故
曰昧，曰無光。震爲後，乾爲大。

　　【補校】度，汲古作慶。末句，作民受大福。均依宋、元本。

晉

驅羊南行，與禍相逢。狼驚我馬，虎盜我子，悲恨自咎。

　　伏兌爲羊，離爲南。中爻坎，故曰與禍相逢。艮爲虎狼。坎爲
馬，爲盜。震爲子，二至四震覆，故子爲虎盜。坎爲悲恨。

　　【補校】禍，汲古作福。依宋、元本。

明夷

尼父孔丘，善釣鯉魚。羅網一舉，獲利萬頭，富我家居。

震爲陵,爲父,爲孔,爲丘,故曰尼父孔丘。坤爲魚。離爲羅
網。坤爲利,爲萬,坎爲首,故曰獲利萬頭。坎爲室家,坤爲富。○
網,宋、元本作釣[一]。依汲古。

【補校】網,元本作釣。依宋本、汲古。獲利,宋、元本作得獲。
依汲古。

家人

本根不固,華葉落去,更爲孤嫗。

巽爲枯,下斷,故曰本根不固。伏震爲華葉,巽隕落,故曰華葉
落去。巽爲寡,爲婦,故曰孤嫗。○本,宋、元本訛大。

【補校】本,依汲古。固,汲古訛去。依宋、元本。

睽

設罟捕魚,反得屠諸。員困竭忠,伍氏夷誅。

此用漸象。互離爲罔罟,巽爲魚,艮手爲捕,故曰設罟捕魚。
坎爲匕,爲刺,故曰屠諸。言得屠者專諸也。坎爲弓,爲員,爲忠。
坎數五,巽顛隕,故曰伍氏夷誅。謂伍員也。左傳,伍員進專諸於
吳公子光。吳越春秋,專諸曰,王何好?光曰,好魚炙。專諸乃去,
從太湖學魚炙。○屠,汲古訛居。今依宋、元本。

【補校】屠,宋、元、汲古各本皆作居。蓋屠之形訛。惟屠字所
據本未詳,謹存疑俟考。按馬生新欽疑居爲詹字之訛,謂詹諸者,
蟾蜍也。似亦可備一説。又,員,汲古作負。依宋、元本。

蹇

敏捷亟疾,如猿集木。彤弓雖調,終不能獲。

水流動,故曰敏捷亟疾。艮爲猿,爲木,坎爲集,故曰如猿集

[一]“釣”,稿本、刻本誤“鉤”。據元刊本校改。詳“補校”。

木。坎爲弓,爲赤,故曰彤弓。艮爲終。

【補校】亟,從汲古。宋、元本作極。義同。猨,元本作獤。依宋本、汲古。猨、獤同。

解

冠帶南行,與福相期。邀於嘉國,拜位逢時。

此用漸象。漸艮爲冠,巽爲帶。互離,故曰南行。震爲福,爲嘉。艮爲國,爲拜,爲時〔一〕。○位,元本、汲古作爲〔二〕。音訛字。依宋本。行,宋、元作遊。

【補校】位,宋、元本、汲古皆作爲。依无妄之頤及學津、局本、翟本校。行,依汲古。

損

年豐歲熟,政仁民樂,禄入獲福。

坤爲年歲,爲多,故曰豐熟。坤爲政,爲民。震爲仁,爲樂,爲福禄。

【補校】入,宋、元本作人。依汲古。

益

築闕石顛,立基泉源。疾病不安,老孤無鄰。

詳艮之復。○泉,汲古作水。依宋、元本。

【補校】顛,宋本、汲古作巔。依元本。顛通巔。

夬

逐狐東山,水遏我前。深不可涉,失利後還。

詳蒙之蠱。

〔一〕“漸艮”至“爲時”二十五字,稿本、刻本在下文“作遊”下。兹依倒移置。
〔二〕“汲”上,刻本無“元本”二字,依稿本增。

【補校】還,宋、元本作便。依汲古。

姤

麟子鳳雛,生長嘉國。和氣所居,康樂溫仁,邦多聖人。

伏坤爲麟鳳。震爲子,爲雛,爲生長。坤爲國,爲邦。震爲樂,爲仁。乾爲聖人。

萃

西行求玉,冀得瑜璞。反得凶惡,使我驚惑。

兌爲西,伏震爲瑜璞,爲玉,艮爲求,故曰西行求玉。坤爲凶惡,爲憂惑。○瑜,汲古作卞。依宋、元本。

【補校】冀,汲古作莫。依宋、元本。

升

心狂老悖,聽視聾盲[一]。正命無常,下民多孼。

坤爲心,爲老悖。易以兌爲眇,二至四互兌,故曰視盲。初至四互大坎,故曰聽聾。巽爲命,巽進退不果,故曰無常。坤爲民,爲孼,爲下,爲多。

【補校】老,汲古作志。依宋、元本。

困

南國少子,才略美好。求我長女,賤薄不與。反得醜惡,後乃大悔。

詳比之漸。此亦用漸象。

【補校】南,汲古作高。依宋、元本。

〔一〕"聽視",稿本、刻本二字誤倒,據宋、元、汲古及所見其他各本校正。按各本中唯翟本作"視聽",義亦通,錄此備考。

井

逶迤高原，家伯妄施，亂其五官。

> 伏艮爲高原。伏震爲伯，艮爲家，故曰家伯。家伯，幽王臣，助王爲虐者也。詩小雅，家伯冢宰是也。離爲亂，艮爲官。互坎，卦數五，故曰五官。
>
> 【補校】原，汲古作源。五作在。均依宋、元本。

革

謝恩拜德，束歸吾國，歡樂有福。

> 震爲恩德，艮爲拜，爲國。震爲東，爲反，故曰東歸吾國。震爲樂，爲福。全用旁通象[一]。

鼎

雞鳴同興，思配無家。執珮持鼂，無所致之。

> 巽爲雞，爲鳴，伏震爲興。艮爲家，艮伏，故曰無家。艮爲執持，爲鼂。震爲玉，故曰珮。坤虛，故曰無所致之。詩鄭風，女曰雞鳴，士曰昧旦。將翱將翔，弋鳧與雁。又，知子之來之，雜佩以贈之。〇興，汲古訛舉。珮作佩。無所作莫使。兹均依宋、元本。
>
> 【補校】興，宋、元、汲古諸本皆訛舉。依學津、翟本及豐之艮校。珮，從元本。宋本、汲古作佩。義通。

震

凶重憂累，身受誅罪，神不能解。

> 坎爲凶憂，爲桎梏。艮爲身，故曰身受誅罪。震爲神，爲解。

〔一〕史廉揆先生《易林尚注初探》云：此稱“全用旁通象”，則依革旁通蒙爲解，注文似漏“通蒙”二字。按史説可取，疑當於注首增“通蒙”二字，庶與全書行文條例相合。

坎陷，故不能解。○累，汲古作慮。依宋、元本。

艮

虎豹熊羆，遊戲山谷。仁賢君子，得其所欲。

> 詳謙之中孚。

歸妹

海隅遼右，福祿所至。柔嘉蒙祉[一]，九夷何咎。

> 兌爲海，爲右。震居東北，故曰遼右。震爲福祿，數九，故曰九夷。坎爲夷也。

> 【補校】至，元本作在。依宋本、汲古。九，汲古作尤。依宋、元本。

豐

華首之山，仙道所遊。利以居止，長無咎憂。

> 詳謙之井。

旅

甲乙戊庚，隨時轉行。不失常節，萌芽律屈。咸達生出，各樂其類。

> 詳噬嗑之坤。○樂，汲古作順。

> 【補校】樂，依宋、元本。芽，元本作牙。依宋本、汲古。牙通芽。

巽

跛躓未起，失利後市，不得鹿子。

> 伏震。震爲起，坎蹇，故跛躓。巽爲利市，坎爲失，震爲後，故曰失利後市。震爲鹿，爲子，風散，故不得。

〔一〕"祉"，稿本、刻本作"祐"。據宋、元、汲古及所見其他各本改。

【補校】跛，汲古作跋。依宋、元本。

兑

怙恃自負，不去於下。血從地出，誅罰失理。

　　伏艮為負。二陽皆在上，故曰不去於下。言有所恃，不肯居下也。詩曰，無父何怙，無母何恃。坎為血，居重陰之間，故曰血從地出。坎為刑罰。

　　【補校】怙，汲古作惟。去作志。均依宋、元本。

渙

江河淮海，天之都市。商人受福，國家饒有。

　　詳謙之小畜。

節

節情省慾，賦斂有度。家給人足，且貴且富。

　　坎為情欲，艮止，故曰節，曰省。坎為聚，故曰賦斂。度，說文，法制也。坎為法，故曰有度。艮為家，震為人。艮貴震富。○末句，宋、元本作利以富貴。依汲古。

　　【補校】給，汲古訛結。依宋、元本。

中孚

黿池鳴呴，呼求水潦。雲雨大會，流成河海。

　　巽為黿，兑為池，震為鳴呼。伏大坎為潦，為雲雨，為河海。○黿池，宋本、汲古作牝馬。元本作牝牛。依隨之臨校。呴，宋、元本作呴。依汲古。水，各本皆作其。依隨之臨校。

　　【補校】呼求，汲古作求呼。依宋、元本。

小過

日月之塗，所行必到，無有患故。

艮爲日,兌爲月。震爲大塗,爲行。震樂,故無有患故。

既濟

乘風而舉,與飛鳥俱。一舉千里,見吾愛母。

詳明夷之鼎。

未濟

陰配陽爭,臥木反立。君子攸行,喪其官職。

卦三陽三陰,故曰陰配陽爭。言陰盛與陽爭也。昭帝元鳳三年春,上林有柳樹,枯僵自起生。故曰臥木反立。時眭孟言僵柳復起,將有匹夫爲天子者,被誅。三四句亦似指其事。

【補校】配,元本作醜。從宋本、汲古。爭,汲古作事。依宋、元本。

歸妹之第五十四

歸妹

堅冰黃鳥,常哀悲愁。不見白粒,但覩藜蒿。數驚鷺鳥,爲我心憂。

詳乾之噬嗑。○白,汲古作甘。覩作歡[一]。蒿作荆。依宋、元本。鳥、常,元本作裳、鳥。似非。

【補校】鳥、常,宋、元本作裳、鳥。依汲古。哀悲愁,汲古作悲哀鳴。依宋、元本。

乾

荆木冬生,司寇緩刑。威權在下,國亂且傾。

此仍用遇卦象歸妹。上震爲荆木,爲生。坎爲冬,故曰冬生。坎爲寇,爲刑。震生,故曰緩刑。伏艮爲國,離爲亂,故曰國亂且傾。

【補校】傾,元本訛順。依宋本、汲古。

坤

喘牛傷暑,不能耕畝。草萊不闢,年歲無有。

世說,滿奮曰,臣猶吳牛,見月而喘。蓋吳牛畏暑,見月以爲日,故喘也。又,漢書丙吉傳,見牛喘吐舌而問之。此用遇卦歸妹象。離爲牛,震聲,故曰喘牛。離爲夏,故曰傷暑。震爲草萊,爲年歲。坎折兌毀,故無有。○耕,宋、元本作成。依汲古。

【補校】不能,宋、元、汲古及所見其他各本皆作弗能。此蓋依

〔一〕"歡",稿本、刻本誤"欺",據汲古本改。

劉毓崧易林無弗字之説，疑當作不字。謹紀存俟考。

屯

魚欲負流，衆不同心，至德潛伏。

　　坤爲魚，艮爲負，坎爲流。坤上艮，艮上坎，故曰魚欲負流。坤爲衆，坎爲心。震起艮止，故不同心。震爲德。坎隱，故曰潛伏。○潛伏，宋、元本作安樂。依汲古。

蒙

春耕有息，秋入利福。獻豜私豵，以樂成功。

　　互震爲春，爲耕，爲生，故曰有息。伏兌爲秋，伏巽爲入，爲利，震爲福，故曰秋入利福。詩豳風，言私其豵，獻豜于公。傳，豕一歲曰豵，三歲曰豜。坎爲豕，艮手爲獻。艮爲小，坎隱，故曰私豵。震爲樂，爲功，艮爲成。○豵，汲古作羭。依宋、元本。

　　【補校】豵，宋本、汲古作羭。依元本。私，各本皆作大。按詩豳風七月，言私其豵。蓋林所本。故大似當作私。詳晉之歸妹尚注。

需

生有聖德，上配太極。皇靈建中，授我以福。

　　詳家人之需。

訟

右撫琴頭，左手援帶。凶訟不已，相與爭戾，失利而歸。

　　此似用歸妹象。兌爲右，坎爲首，震爲樂，故曰右撫琴頭。震爲左，伏艮爲手，爲援，巽爲帶，故曰左手援帶。兌口震言，故曰訟，曰爭。巽爲利，坎失，故曰失利。

師

炙魚梱斗，張伺夜鼠。舌不忍味，機發爲祟，笴不得去。

詳井之坎。梱,依丁校[一]。宋、元本作枯。汲古作拈。卦旁通同人。巽爲魚,下離,故曰炙魚。坤爲閉,故曰梱斗。震爲斗也。○張、夜,汲古作陰,作碩。忍作思。機作譏。均依宋、元本。説文,梱斗可以射鼠[二]。

【補校】佪,汲古作倚。依宋、元本。

比

申酉脱服,牛馬休息。君子以安,勞者得懂。

坤位申,坎位酉。服,猶駕也。坤爲牛,坎爲馬。艮止,故脱服而休息也。艮爲君子,爲安。坎爲勞,五統羣陰,故曰得懂。

【補校】脱,宋、元、汲古各本皆作説。依咸之明夷校。説通脱。

小畜

堯問尹壽,聖德增益。使民不疲,安無怵惕。

詳遯之隨。尹壽,人名。新序,堯學乎尹壽。○壽,汲古作爵。非。

【補校】壽,宋、元、汲古各本皆作爵。問作門。均依遯之隨校。

履

孤公寡婦,獨宿悲苦。目張耳鳴,莫與笑語。

詳訟之歸妹。巽爲寡。乾父,故曰孤公。

泰

外得好畜,相與嫁娶。仁賢集聚,諮詢厥事。傾奪我城,使

[一]“依”下,刻本脱“丁”字,據稿本補。
[二]“説文”至“射鼠”八字,稿本無。兹依刻本。

家不寧。

坤爲養，爲畜，在上，故曰外得好畜。震爲嫁，爲娶，爲仁賢。爲言，故曰諮詢。坤爲集聚。艮爲城，爲家。三五艮覆，故曰傾城，曰家不寧。按，上六城復于隍，即謂三至上艮覆也。

否

煎砂盛暑，鮮有不朽。去河千里，敗我利市。老牛盲馬，去之何悔。

艮爲砂，爲火，故曰煎砂。候卦乾在巳，巽後天亦居巳，艮火，故曰盛暑。巽爲朽，爲利市。坤爲河，爲千里，爲我，爲敗，爲老牛。乾爲馬，坤迷，故曰盲馬。○千，元本、汲古、丁本作三。依宋本。牛盲，汲古訛手育。依宋、元本。

【補校】千，宋、元本、汲古皆作三。依學津、局本。

同人

甲乙戊庚，隨時轉行。不失常節，萌芽律屈。咸達出生，各樂其類。

詳漸之旅。

大有

衣宵夜遊，與君相遭。除解煩惑[一]，使心不憂。

乾爲衣。說文，衣，依也。伏坤爲帛，故曰衣宵。宵、綃同。士昏禮，宵衣。注，宵讀爲詩素衣朱綃之綃。綃，綺屬也。又，特牲饋食禮，主婦宵衣南面。鄭注，宵，綺屬也。此衣染之以黑，其繒本名曰宵。詩有素衣朱宵，記有玄宵衣。然則衣宵夜遊者，即衣錦夜遊也。伏坎爲夜。乾爲君。坎爲心，爲憂惑。坎伏，故解除。○衣，

[一]“除解”二字，稿本、刻本誤倒，據宋、元、汲古及所見其他各本改。

各本皆作依。依小過之否校。

謙

死友絕朋，巧言爲讒。覆白污玉，顏叔哀暗。

　　艮爲朋友，坤爲死，故曰死友絕朋。正反震，故曰巧言，曰讒。震爲白，爲玉，坤黑，故曰覆白污玉。艮爲顏，爲少子，故曰顏叔。坎爲悲哀。顏叔未詳。

　　【補校】首句，汲古作無有絕明。暗作音。均依宋、元本。

豫

逐利三年，利走如神。展轉東西，如鳥避丸。

　　震爲逐，伏巽爲利。坤爲歲，震數三，故曰三年。震爲神，爲東。坎位西，爲丸，爲隱伏。艮爲鳥，故曰如鳥避丸。

　　【補校】展，宋本作輾。元本訛轘。依汲古。按，輾轉，同展轉。

隨

隄防壞決，河水泛溢。傷害禾稼，君孤獨宿，没溺我邑。

　　艮爲隄防。兌附決，故曰壞決。互大坎，故曰河水泛溢。震爲禾稼，兌毀折，故曰傷害禾稼。震爲君，坎爲孤，坤爲寡，故曰君孤獨宿。艮爲邑。○泛溢，宋、元本作放逸。稼下，汲古多民流去室四字。宋、元本無。君，宋、元本作居。依汲古。

　　【補校】泛溢，依汲古。又，禾稼，各本皆作稼穡。此作禾稼，於義較勝。惟未詳所本，謹紀存俟考。

蠱

陰陽隔塞，許嫁不答。旄丘新臺，悔往嘆息。

　　詳晉之无妄。旄，无妄作宛。宛丘，陳詩。旄丘，衛詩。姑兩存之。

　　【補校】嘆,依宋本。元本、汲古作歎。同嘆。

臨

伯夷叔齊,貞廉之師。以德防患,憂禍不存。

　　詳泰之乾。

觀

陽爲狂悖,拔劍自傷,爲身生殃。

　　詳明夷之井。

噬嗑

進士爲官,不若服田,獲壽保年。

　　艮爲官。震爲士,爲進,故曰進士。艮爲田,爲壽,爲保。震爲年。

　　【補校】若,汲古訛苦。依宋、元本。服,宋、元本作復。依汲古。

賁

耕石不生,棄禮無名。縫衣失針,襦袴不成。

　　震爲耕,上艮,故曰耕石。離爲禮,艮爲名,坎隱伏,故曰棄禮,曰無名。震爲衣,坎爲針,伏巽繩,故曰縫衣。坎失,故曰失針。震爲襦,伏巽爲袴。坎破,故不成。

　　【補校】針,從宋本、汲古。元本作鍼。同針。不成,各本皆作弗成。依咸之益校。

剝

靈龜陸處,一旦失所。伊子復耕,桀亂無輔。

　　艮龜,處坤上,故曰陸處。

復

室當源口,漂溺爲海。財産殫盡,衣食無有。

坤水,故曰漂溺。

【補校】源,汲古作原。依宋、元本。漂溺,宋、元本作溺漂。從汲古。殫,元本作單。衣食作食衣。均依宋本、汲古。

无妄

雞方啄粟,爲狐所逐。走不得食,惶懼喘息。

巽爲雞。震爲粟,爲逐。艮爲狐。乾惕,故口惶懼。

大畜

家在海隅,橈短流深。豈敢憚行,無木以趨。

詳觀之明夷。○橈短,依校。各本多作繞旋。繞形訛,旋音訛字。

【補校】流深,各本皆作深流。依觀之明夷校。

頤

他山之錯,與璆爲仇。來攻吾城,傷我肌膚,國家騷憂。

艮爲山,爲錯。禹貢,厥貢磬錯。注,治玉之石曰錯。詩小雅,他山之石,可以爲錯。惟錯玉,故曰與璆爲仇。璆亦玉也。坤爲仇,爲城,爲國,爲傷。艮手爲攻,爲肌膚,爲家。坤爲憂也。○璆,宋、元本作環。吾作我。均依汲古。

【補校】錯,宋、元本作儲。依汲古。吾,元本作我。肌作飢。均依宋本、汲古。

大過

弊鏡無光,不見文章。少女不嫁,棄於其公。

離爲鏡,卦上下皆半離,故曰弊鏡。互大坎,故無光。坤爲文章,坤伏,故曰不見文章。巽爲少女。震爲歸,爲嫁,爲公。震伏,故曰不嫁,曰棄于其公也。易大過以巽爲少女,兑爲老婦,故易林本之。

坎

大蛇巨魚,相搏於郊。君臣隔塞,戴公廬漕。

　　詳噬嗑之訟。○廬漕,依校。各本多作出廬,不協。第二句,汲古作相輔殺之,第四句作郭公失廬。按,鄭有内蛇外蛇鬭之事,未有魚相搏者。據此林似爲郭國將亡之事,而今不能攷。

　　【補校】第二句,依宋、元本。第四句,宋本作戴公出廬。元本作郭公出廬。

離

絶世無嗣,福禄不存。精神涣散,離其躬身。

　　艮爲世,震爲子。艮震皆伏,而兑爲附决,故曰絶世無嗣,曰福禄不存。震又爲福禄也。震爲精神,互巽風,故曰涣散。艮爲身,艮伏不見,故曰離。○不,元本作無。從宋本、汲古。

咸

文君之德,養人致福。年無胎夭,國富民實。憂者之望,曾參盗息。

　　通損。坤爲文。震爲德,爲君,爲人,爲福。坤爲養,爲年歲。震爲胎,坤爲死,爲夭,震福故無。坤爲國民,爲富實。下二語有訛字,難解。○曾,宋本作憎。元本作增。姑從汲古。以俟再攷。

　　【補校】人,從汲古。宋、元本作仁。人、仁通。實,汲古訛寶。依宋、元本。

恒

合歡之國,喜爲我福。東岳南山,朝躋成恩。

通益。坤爲國,初至五正反震相對,故曰合歡之國。震爲東,又爲南,上艮,故曰東岳南山。震爲朝,爲隮,爲恩德。案,周禮眡祲,注云,隮,虹也。鄘風,朝隮于西,崇朝其雨。疏亦訓隮爲虹,言虹見於西方,則雨氣應也。隮、隮同字。然易林數見,皆作隮。朝隮成恩者,言山岳虹見雨應,以成其恩澤也。○隮,汲古作濟。依宋、元本。恩,宋、元本作息。依汲古。恩與山韻。

【補校】岳,元本作嶽。依宋本、汲古。岳同嶽。

遯

憂人之患,履悖易顔,爲身禍殘。率身自守,與喜相抱。長子成老,封受福祉。

乾爲畏惕,故曰憂患。伏震爲履,坤爲悖,艮爲顔。坤爲身,爲禍。艮爲守,爲抱。震爲喜,爲長子。坤爲老。後四句與前三句吉凶相反,定爲衍文。本林至第三句而止。○老,汲古作考,義同。

【補校】老,依宋、元本。祉,汲古作祐。從宋、元本。

大壯

太公避紂,七十隱處。卒逢聖文,爲王室輔。

詳明夷之坤。○逢,宋、元本作受。依汲古。

晉

江漢上流,政逆民憂。陰代其陽,雌爲雄公。

互坎爲水,坤亦爲水,爲江漢,爲流。坤爲政,爲民,逆行,故曰政逆民憂。坎爲憂也。坤爲陰,爲雌。五陽位,陰居之,故曰代陽,曰雌爲雄。○代,宋、元本作伐。非。依汲古。

明夷

縮緒亂絲,舉手爲災。越畝逐兔,喪其衣袴。

伏巽爲緒，爲絲。震爲反，故曰縮緒。坤亂，故曰亂絲。坤爲
敝，爲喪。震爲兔，爲越，爲衣。伏巽爲袴，坤喪，故曰喪其衣
袴。○緒，汲古作縮。非。依宋、元本。

【補校】喪，汲古作濡。依宋、元本。

家人

臭巇腐木，與狼相輔。亡夫失子，憂及父母。

巽爲臭，坎豕，故曰臭巇。巽爲木，爲腐。狼象未詳。震爲夫，
爲子，震伏，故曰亡失。坎爲憂，巽爲母，伏震爲父。○木，宋、元本
作水。依汲古。

睽

刲羊不當，女執空筐。兔跋鹿蹄，緣山墜墮，讒佞亂作。

此用歸妹象。上二句，歸妹上六意也。兌爲羊，坎爲刺，故曰
刲羊。兌爲女，震爲筐，震虛，故曰女執空筐。震爲兔，爲鹿，互坎，
故曰跋蹄。伏艮爲山，伏巽爲墜墮。兌口震言，故曰讒佞亂作。

蹇

拔劍傷手，見敵不喜。良臣無佐，困憂爲咎。

艮爲劍，爲手，坎爲傷，故曰拔劍傷手。坎憂，上坎，中爻坎，坎
遇坎爲敵，故曰見敵不喜。離爲見。坎病，故不喜。艮爲臣，爲佐，
坎爲孤，故曰無佐。坎爲困憂。艮象傳云上下敵應，即以艮見艮爲
敵也。○喜，宋、元本作善。困作國。均依汲古。

解

三殺五牂，相隨俱行。迷入空澤，循谷直北。徑涉六駮，爲
所傷賊。

詳无妄之觀。○賊，宋本、汲古作敗。依元本。徑皆作經，依

汲古无妄之觀校。

【補校】牂，依元本。宋本、汲古作牂。同牂。谷，汲古作入。所作德。均依宋、元本。

損

争雞失羊，亡其金囊，利得不長。陳蔡之患，賴楚以安。

詳恒之夬。

益

三驪負衡，南取芷香。秋蘭芬馥，盈滿神匱，利我仲季。

震爲馬，數三，故曰三驪。艮爲負，爲衡。巽爲香，爲蘭芷。震爲南，故曰南取。伏兑爲秋，故曰秋蘭。震爲神，爲匱。坤多，故曰盈滿。巽爲利，艮爲季。〇衡，宋、元本作銜。取芷作芷取。均依汲古。驪，汲古訛灑。

【補校】衡，元本作銜。依宋本、汲古。驪，依宋、元本。

夬

孟夏己丑，哀呼尼父。明德訖終，亂虐滋起。

詳睽之恒。〇夏，汲古作春。非。

【補校】夏，依宋、元本。

姤

履不容足，南山多葉。家有芝蘭，乃無病疾。

震爲履，爲足。震伏，故不容足。乾爲山，爲南。巽爲芝蘭。坤爲疾病，坤伏，故無。〇葉，宋本作草。元本作革。芝，宋、元本作芳。均依汲古。

萃

三足無頭，不知所之。心狂睛傷，莫使爲明，不見日光。

　　伏震,故曰三足。乾爲頭,乾伏,故曰無頭。三至上正反震,故曰不知所之。坤爲心,巽風,故曰心狂。兑爲半離,易履卦謂之眇,故此曰睛傷。艮爲日,爲光。互巽爲伏。故曰不見。○日,宋、元本作月。非。依汲古。心狂睛傷,汲古作心在精傷。依宋、元本。

　　【補校】不知,宋、元、汲古諸本皆作弗知。狂,宋、元本作强。汲古作在。均依小畜之復校。睛,汲古作精。依宋、元本。

升

載堯扶禹,松喬彭祖。西過王母,道路夷易,無敢難者。

　　詳師之離。○松,汲古訛從。依宋、元本。

　　【補校】路,宋、元本作里。依汲古。

困

式微式微,憂禍相絆。隔以巖山,室家分散。

　　詳小畜之謙。○絆,汲古作半。依宋、元本。

　　【補校】巖,元本作崑。依宋本、汲古。崑即巖。

井

靈龜陸處,一旦失所。伊子復耕,桀亂無輔。

　　詳剥林。

革

仁德覆洽,恩及異域。澤被殊方,禍災隱伏。蠶不作室,寒無所得。

　　通蒙。震爲恩德。坤爲異域,爲殊方。兑爲恩澤。坤爲禍災,坎爲隱伏。巽爲蠶。坎爲室,坎伏,故曰不作室。坎爲寒。室,繭也[一]。

〔一〕"室、繭也"三字,稿本無。兹依刻本。

【補校】蠶,宋、元本作蚕。依汲古。蚕即蠶。

鼎

夏麥辭辮,霜擊其芒。疾君敗國,使年夭傷。

　　詳泰之賁。○辭辮,汲古作孅孅。依宋、元本。

震

火雖熾,在吾後。寇雖多,在吾右。身安吉,不危殆。

　　詳大有之需。

　　【補校】在吾右,宋、元本作出我右。依汲古。

艮

遼遠絕路,客宿多悔。頑嚚相聚,生我畏惡。

　　詳明夷之小畜。○遼遠,元本作遠遼。依宋本、汲古。

漸

懸懸南海,去家萬里。飛兔腰裏,一日見母,除我憂悔。

　　詳晉之坎。○腰裏,各本作裏駿。依晉之坎校。

豐

困而後通,雖厄不窮。終得其願,姬姜相從。

　　震爲姬,巽爲姜。

　　【補校】雖,汲古作難。依宋、元本。厄,宋、元本作危。依汲古。

旅

西賈巴蜀,寒雪至轂。欲前不得,還反空屋[一]。

　　詳家人之解。○空,元本作窒。依宋本。

―――――――――

〔一〕"欲前"至"空屋"八字,刻本作"欲前不還,得反空屋",據稿本改。

【補校】至毂,汲古作已没。依宋、元本。空屋,元本作室屋。
汲古作空室。依宋本。

巽

新作初陵,爛陷難登。三駒摧車,躓頓傷頤。

伏艮爲陵。巽爲爛,伏震爲登,坎陷,故難登。震爲駒,數三,
坎破,故曰三駒摧車。伏坎爲蹇,初至四互頤,故曰躓頓傷頤。

【補校】新作,宋、元、汲古諸本皆作作新。依明夷之咸校。
陷,汲古作焰。摧作推。均依宋、元本。

兌

延頸望酒,不入我口,深目自苦。利得無有,幽人悦喜。

詳无妄之大畜。

涣

仲春孟夏,和氣所舍。生我嘉福,國無殘賊。

坎爲仲,互震,故曰仲春。對卦離爲夏,震爲長,故曰孟夏。坎
爲和。震出,故曰舍。震爲生,爲嘉福。艮爲國。坎爲賊,風散,故
無賊。舍,發也[一]。

【補校】嘉,宋、元、汲古諸本皆作喜。依家人之大有及局本
校。

節

張網捕鳩,兔離其災。雌雄俱得,爲罥所賊。

通旅。離爲網,爲鳩,艮爲捕。震爲兔,旅下卦震覆,故曰兔罹
其災。離、羅通用。艮爲雄,互巽爲雌,離罥在上,故曰雌雄俱得。

〔一〕"舍,發也"三字,稿本無。茲依刻本。

巽爲賊也。

中孚

三人俱行，一人言北。伯仲欲南，少叔不得。中路分爭，道
鬭相賊。

> 詳剝之巽。○爭、道，汲古作道、爭。依宋、元本。
>
> 【補校】路，汲古作欲。依宋、元本。

小過

然諾不行，欺紿誤人。使我露宿，夜歸溫室。神怒不直，鬼
擊其目。欲求福利，適反自賊。

> 詳恒之觀。○後三句，宋、元本作鬼欲求獨，刺擊其目，反言自
> 賊。依汲古。

既濟

陳辭達誠，使安不傾。增祿益壽，以成功名。

> 詳明夷之晉。

未濟

火燒公床，破家滅亡。然得安昌，先憂重喪。

> 半艮爲床。重離，故曰燒。坎爲破，爲憂。
>
> 【補校】床，汲古作牀。破家作家破。重作後。均依宋、元本。
> 床、牀同。

豐之第五十五

豐

諸孺行賈,經涉山阻。與狄爲市,不憂危殆,利得十倍。

孺,説文,乳子也。震爲子,兑少。諸,爾雅釋詁,諸諸便便,辯也。震爲言,故曰諸孺。震爲商賈,故曰行賈。伏艮爲山。兑爲狄。按,吕覽,有西翟。翟、狄通用。周語,自竄于戎翟之間是也[一]。爾雅注稱,東夷、西戎、北狄。然觀各書,戎狄於西北實不分。故林以兑西爲狄也。巽爲市。坎爲憂,坎伏,故不憂不殆。巽爲利,爲倍。兑數十,故曰十倍。林意言諸孺行賈,當危殆而竟得利也。○山,宋、元本作大[二]。狄作杖。均依汲古。

【補校】諸孺,汲古作清懦。經作徑。均依宋、元本。

乾

鼎足承德,嘉謀生福。爲王開庭,得心所欲。

詳晉之大壯。

【補校】開,汲古作閒。依宋、元本。

坤

曳綸江海,釣魴與鯉。王孫列俎,以饗仲友。

此用豐卦。互巽爲綸,兑爲江海。巽爲魚,故曰魴鯉。伏艮爲王孫,伏震爲俎。兑食,故曰饗。兑爲朋友,伏坎,故曰仲友。○列俎,宋、元本作利得。皆形訛字。依汲古。第二句,宋、元本作釣挂

〔一〕"戎",刻本訛"戒",據稿本改。
〔二〕"大",稿本、刻本誤"火",據宋、元本改。

鲂鲤。依汲古。

　　【補校】江,宋、元本作河。依汲古。第二句,元本作釣挂鲂
鲤。依宋本、汲古。

屯

東山皋落,叛逆不服。興師征討,恭子敗覆。

　　　　艮山,震東。皋,亦小山,故曰東山皋落。皋落,赤狄別種。坤
　　爲叛逆,爲師。震爲征討,爲子。坤順,故曰恭子。坤爲敗覆。恭
　　子,太子申生也。閔二年,晉侯使太子申生伐東山皋落氏。後申生
　　卒,被譖死。

　　【補校】落,元本作洛。叛作畔。均依宋本、汲古。

蒙

千里騄駒,爲王服車。嘉其麗榮,君子有成。

　　　　坤爲千里,震馬,故曰千里騄駒。震爲王,爲車,爲榮。艮爲君
　　子,爲成。爲王服車,即爲王駕車也。

　　【補校】麗,汲古作驪。依宋、元本。

需

二龍北行,道逢六狼。莫宿中澤,爲禍所傷。

　　　　乾爲龍,兑卦數二,故曰二龍。坎北,故曰北行。伏艮爲道,爲
　　狼,坎數六,故曰六狼。坎爲莫,爲宿,兑爲澤。坤爲禍。〇二,宋
　　本、汲古作三。非。依元本。莫,宋、元本作暮。亦非。西漢時多
　　作莫,暮爲後人妄改,故依汲古。

訟

天災所遊,凶不可居。轉徙獲福,留止危憂。

　　　　乾爲天,離爲災凶。伏震爲轉徙,爲福。坎陷,故曰留止。坎

爲危，爲憂也。

師

狐狸雉兔，畏人逃去。分走竄匿，不知所處。

> 詳益之解。○知，宋、元本訛如。非。
>
> 【補校】知，依汲古。

比

雨師娶婦，黃巖季女。成禮既婚，相呼南去。膏潤田里，年歲大喜。

> 詳損之益。女，汲古作子。去作上。均依宋、元本。喜，各本皆作有。依損之益校。田里，各本皆作下土。依恒之晉校。

小畜

外樓野鼠，與雉爲伍。瘡痍不息，即去其室。

> 伏坎爲鼠，離爲雉。坎離夫婦，故曰爲伍。伏艮爲瘡痍，坤死，故不息。坎爲室，震爲去。言將死而去其室也。○雉，宋、元本作雞。依汲古。
>
> 【補校】樓，依宋本、汲古。元本作栖。同樓。

履

天命絕後，孤陽無主。彷徨兩社，獨不得酒。

> 乾天巽命，巽下斷，故曰絕後 [一]。乾陽巽寡，故曰孤陽 [二]。震爲主，震伏，故曰無主。伏坤爲社，兌卦數二，故曰兩社。元本注，春社、秋社也。坎爲酒，坎伏，故不得酒。古者社祭飲食宴樂，故曰得酒。或謂周社亳社，亦爲兩社。然下曰得酒，似指春秋社祭

〔一〕“絕”下，刻本脫“後”字。據稿本補。
〔二〕“孤陽”二字，刻本誤倒，又“孤”上脫“曰”字。據稿本校改。

也。〇天，宋、元本訛夭。

【補校】天，宋、元本、汲古皆訛夭。依學津、局本。陽，各本皆作傷。疑爲陽之形訛。馬生新欽謂似依乾之屯陽孤亢極，及泰之艮陽孤無輔校。

泰

鵠思其雄，欲隨鳳東。順理羽翼，出次須日。中留北邑，復反其室。

詳需之離。〇理，宋、元本作里。依汲古。須日、中，汲古作日中、傾〔一〕。依宋、元本。留，元本訛苗。

【補校】理，元本作里。依宋本、汲古。中留，元本作中苗。汲古作傾流。依宋本。

否

螝蛇九子，長尾不殆。均明光澤，燕自受福。

巽爲蛇，震數九，故曰九子。艮爲尾，巽爲長，故曰長尾。乾大明，艮光明，故曰均明光澤。伏兑爲燕，乾爲福。殆，音以。

【補校】蛇，宋、元本作虵。依汲古。虵即蛇。

同人

日走月步，趨不同舍。夫妻反目，君主失國。

詳小畜之同人。

大有

定房户室，枯薪除毒。文德淵府，害不能賊。

通比。艮爲星，艮止，故曰定。定，星名也。房、方通用。詩小

〔一〕"傾"，稿本、刻本誤"須"，據汲古本改。

雅,既方既皁。鄭箋,方,房也。定方者,離乾皆在南,坎坤皆在北。
廊詩,定之方中,作于楚宫。言定星中,四方定,可作宫作室也。艮
爲室。坤爲毒,爲薪,離爲枯。枯薪除毒者,按管子,萩室熯造,注
,熯,謂火乾之也。三月之時,陽氣盛發,易生瘟疫,楸樹鬱臭以辟毒
氣,故燒之於新造之室,以爲禳祓。枯薪除毒即此事也。離爲文。
坤爲淵,爲府,爲害。坎爲賊。〇定,宋、元本作宣。薪作期。兹依
汲古。宣字疑爲後人所改,謂武帝築宫於瓠子河上,名曰宣房。獨
不思下曰除毒,確非治河之事,而被除之事也。枯,汲古作括。依
宋、元本。定房户室,應爲定方作室。此林皆以詩爲本。詩,定之
方中,作于楚室。注,定昏中,四方正是也。詩,秉心塞淵。兹曰淵
府。皆依附詩詞。故知定房必爲定方,户室必爲作室。丁宴依宋
本,作宣房,以爲宣房與史記合。豈知宣爲訛字,方、房通用。然各
本皆作房户,亦不敢竟改爲方作。論定以俟知者。

謙

齊東郭盧,嫁於洛都。駿良美好,利得過倍〔一〕。

　　　　詳坤之坎。〇盧,宋本、汲古作廬。依元本。嫁,往也。見
列子。

　　　　【補校】齊東,汲古作東齊。依宋、元本。良,元本訛艮。依宋
本、汲古。利得,宋、元本作謀利。依汲古。又,汲古好下多多好讓
主四字。依宋、元本删。

豫

病篤難醫,和不能治。命終期訖,下即蒿里。

　　　　詳臨之益。

────────────

〔一〕“良美”二字,稿本、刻本誤倒。又,“得”字誤“彼”。均據宋、元、汲古諸本改。

隨

開廓緒業,王迹所起。姬德七百,報以八子。

　　定四年,武王之母弟八人。又,卜年七百。震爲開廓。爲王,爲足,故曰王迹。震爲姬,數七,故曰姬德七百。艮數八,故曰八子[一]。○廓,宋本、汲古訛郭。依元本。緒,汲古訛聚。依宋、元本。

　　【補校】報,汲古作振。依宋、元本。

蠱

豐年多儲,河海饒魚。商客善賈,大國富有。

　　震爲年,艮止,故曰儲。巽爲魚,兌澤,故曰河海饒魚。巽爲商賈。艮爲國,震爲富。○河,宋、元本作江。依汲古。

臨

鵠求魚食,過彼射邑。繒加我頸,繳挂羽翼。欲飛不能,爲羿所得。

　　震爲鵠,爲口,坤爲魚,故曰鵠求魚食。坤爲邑,震爲射,故曰射邑。伏巽爲繒繳,伏艮爲頸。震爲羽翼,爲飛。坤閉兌折,故不能飛。坤惡,故曰羿。坤喪,故爲所得。

　　【補校】射,汲古作食。依宋、元本。繒,元本作繪。依宋本、汲古。繒通繪。頸,宋、元本作頭。挂作掛。均依汲古。挂、掛同。

觀

望城抱子,見邑不殆。公孫上堂,文君悅喜。

─────────

〔一〕"震爲開廓"至"八子"三十字,稿本、刻本在"依宋、元本"下。茲依例移置。

艮爲望，爲城，爲抱。坤爲邑，爲文。艮爲孫，爲堂。伏震爲君，故曰文君。伏震爲喜，兌爲悦。○文，宋、元本作大。非。依汲古。悦，元本作歡。依宋本。殆音以。

【補校】悦，依宋本、汲古。

噬嗑

左指右麾，邪淫侈靡。執節無良，靈君以亡。

震左坎右，艮手爲指麾。坎爲邪淫，震富，故曰侈靡。艮爲執，爲節。震爲君。坎爲棺槨，故曰亡。靈君謂陳靈公，通夏姬，爲夏微舒所弑也。○君，宋、元本作公。依汲古。

【補校】第二句，汲古作邪侈靡靡。依宋、元本。

賁

日中爲市，各持所有。交易資賄，函珠懷寶，心悦歡喜。

詳泰之升。

【補校】末句，宋、元本無。依汲古增。

剥

山没丘浮，陸爲水魚，燕雀無廬。

艮爲山丘，在坤水上，故曰山没丘浮。艮爲陸，坤爲水，爲魚，故陸爲水魚。艮爲廬，伏兌爲燕雀。水大，故廬圮也。

復

馬服長股，宜行善市。蒙祐諧偶，獲利五倍。

震爲馬，伏巽爲長，爲股。服，猶駕也。巽爲市。馬而長股，必得善市。伏巽爲市，爲利，爲倍。巽卦數五，故曰獲利五倍。

【補校】偶，汲古作偊。依宋、元本。又，元本下多四句：終日在市，詰朝獲利。既享嘉福，得之以義。依宋本、汲古删。按，宋本、汲古以雙行小字夾註此四句,唯汲古末句作得久乃幾。

无妄

三狸捕鼠,遮遏前後。死於圍城,不得脱走[一]。

　　　　詳離之遯。○圍城,宋本作環城。元本作環域。依汲古。

　　　【補校】圍城,宋、元本作環域。汲古作國城。依離之遯校。

大畜

鬼舞國社,歲樂民喜。臣忠於君,子孝於父。

　　　　伏坤爲鬼,爲國,爲社,震爲舞。乾爲年歲,坤爲民,震爲喜樂。
乾爲君父,艮爲臣,震爲子。坤順,故曰孝,曰忠[二]。

　　　【補校】忠,汲古作禮。依宋、元本。

頤

慈母望子,遙思不已。久客外野,我心悲苦。

　　　　詳咸之旅。

大過

雨師娶婦,黄巖季女。成禮既婚,相呼南去。膏澤田里,年
歲大喜。

　　　　校詳本林比。

　　　【補校】去,汲古作上。依宋、元本。女,宋、元本、汲古皆作
子。田里作下土。喜作有。均依本林比而校。

坎

兩狗同室,相嚙争食。枉矢西流,射我暴國。高宗鬼方,三

─────────────────

〔一〕“得”,稿本、刻本作“能”,據宋、元、汲古及所見其他各本改。
〔二〕“曰忠”二字,稿本無。兹依刻本。

年乃服。

　　艮爲狗,爲室,中爻正反艮,故曰兩狗同室。震爲口,爲食,正反震相對,故曰相嚙,曰爭食。坎爲矢,爲曲屈,故曰枉矢。枉矢,星名。史記天官書,枉矢如大流星。坎位西,故曰西流。震爲射。艮爲國,震健躁,故曰暴國。震爲宗,坎爲鬼。震爲年,數三,故曰三年。〇兩,宋、元本作百。依汲古。同,汲古作圍。嚙作咬。茲依宋、元本。

　　【補校】鬼方,汲古作伐鬼。依宋、元本。

離

早霜晚雪,傷禾害麥。損功棄力,饑無可食。

　　詳離之蠱。

　　【補校】禾害,宋、元本作害禾。依汲古。麥,汲古作黍。依宋、元本。損,元本作捐。依宋本、汲古。捐通損。

咸

腐臭所在,青蠅集聚。變白爲黑,敗亂邦國。君爲臣逐,失其寵祿。

　　巽爲腐臭,爲青蠅。青蠅,小雅篇名,戒王信讒也。伏坤爲集聚。巽爲白,爲敗亂。艮黔,故曰黑。艮爲邦國,爲臣。乾爲君,在艮外,故曰君爲臣逐。乾爲寵祿,兌毀折,故曰失。〇第三句,宋本作變㪅白黑。元本作辯㪅白黑。㪅,疑爲更訛。依汲古。

　　【補校】所,汲古作何。蠅訛繩。祿作光。均依宋、元本。第三句,元本作辯變白黑。依宋本、汲古。

恒

牽羊不前,與心戾旋。聞言不信,誤紿丈人。

　　兌爲羊。震爲後,故曰不前。伏坤爲心。正反兌,故曰戾旋。

戾旋,不合也。兑口爲言,正反兑,故曰不信。兑爲耳,故曰聞。夬九四,聞言不信,以兑口與乾言背也。恒二至四,與夬體同也。不信,故曰誤紿。震爲丈人。○元本作牽羊不與,心戾旋聞。言語不畜[一],誤紹丈人。今依宋本、汲古。

【補校】不前,宋本作不與。依汲古。

遯

甘忍利害,還相克賊。商子酷刑,靳喪厥身。

互巽爲利,巽隕落,故曰害。巽伏,故曰賊。言甘於利害[二],還自賊也。巽爲商賈,故曰商子。伏坤爲酷,坤殺,故曰酷刑。坤爲身,爲喪,故曰靳喪厥身。言商靳用酷刑,終自害也。巽爲繩,爲靳。說文,靳,頸係也。○害,元本作癭。酷作造。靳作鞭。均依宋本、汲古。賊,宋本、汲古作敵。依元本。

大壯

刲羊不當,血少無羹。女執空筐,不得採桑。

○採桑,汲古作桑根。依隨之艮校。元本下三句作女執空筐,兔跛鹿踦,緣山墜墮。依汲古。

【補校】宋本下三句同元本。

晉

齺齺囓囓,貧鬼相責。無有懽怡,一日九結。

詳震之既濟。

【補校】囓囓,汲古作譖譖。依宋、元本。譖與囓同。懽,從元本。宋本、汲古作歡。歡即懽。

〔一〕"畜",稿本、刻本作"信"。據元本改。
〔二〕"利",稿本、刻本作"刻"。疑形誤。依前後文義改。

明夷

兩足四翼,飛入嘉國。寧我伯姊,與母相得。

> 詳賁之同人。
>
> 【補校】與,汲古作子。依宋、元本。

家人

文山紫芝,雍梁朱草。生長和氣,王以爲寶。公尸侑食,福祿來處。

> 詳師之夬。○文,宋、元本作天。依汲古。
>
> 【補校】生長,宋、元本作長生。從汲古。

睽

絕世遊魂,福祿不存。精神渙散,離其躬身。

> 互坎爲魂。兌決,故曰絕。震爲福祿,爲精神。兌折震,故曰福祿不存,曰精神渙散。艮爲身,艮伏,故曰離。京房以七世卦爲遊魂卦。繫辭云,精氣爲物,遊魂爲變。鄭云,九六爲遊魂。

蹇

北辰紫宮,衣冠立中。含和建德,常受大福。

> 詳坤之解。○和,宋本、汲古作弘。依元本。

解

伯蹇叔盲,莫爲守裝。失我衣裘,代爾陰鄉。

> 詳鼎之離。○盲,宋、元本作瘖。爲作與。裝作株。今依汲古。
>
> 【補校】裝,宋、元本、汲古皆作株。依局本、翟本。失,元本訛矢。依宋本、汲古。

損

兩女共室，心不聊食。首髮如蓬，憂常在中。

　　詳艮之剝。○首，艮象。汲古作亂。非。依宋、元本。

益

去辛就蓼，毒愈酷甚。避穽遇坑，憂患日生。

　　說文，蓼，辛菜。震爲草莽，故曰蓼。震納庚，巽納辛，庚辛西方，味辛，故曰去辛就蓼。詩周頌，自求辛螫。未堪家多難，予又集于蓼。坤爲毒，爲酷。兌爲穽，兌伏，故曰避穽。坤爲淵，故曰坑，曰憂患。震生，艮爲日，故曰日生。○酷，宋、元本作苦。依汲古。

夬

初病終凶，季爲死喪，不見光明。

　　通剝。坤爲病，坤死，故曰凶，曰喪。艮爲終，爲季，爲光明。坤黑，故不見。

姤

三鳥飛來，是我逢時。俱行先至，多得大利。

　　詳同人之大有。

　　【補校】是我，宋、元、汲古諸本皆作自到。依同人之大有校。

萃

鹿食山草，不思邑里，雖久无咎。

　　伏震爲鹿，兌食，艮山，巽草。坤爲思，爲邑里。艮爲久。

升

羊腸九縈，相推稍前。止須王孫，乃能上天。

　　詳履之師。

【補校】推稍,汲古作摧併。依宋、元本。

困

管仲遇桓,得其願歡。膠目啓牢,振冠無憂。笑戲不莊,空言妄行。

〇膠目二句,依明夷之旅校。宋本作膠目振冠,冠帶无憂。元本作膠牢振寇,寇帶無憂。汲古作膠目膠口。

【補校】膠目二句,宋本作膠牢振冠,冠帶无憂。汲古作膠日殺糾,振冠無憂。歡,依宋本、汲古。元本作懽。同歡。

井

桀跖並處,民困愁苦。旅行遲遲,留連齊魯。

詳復之離。

【補校】旅行,宋、元本作行旅。依汲古。留,汲古作晉。依宋、元本。

革

魂孤無室,銜指不食。盜張民饋,見敵失肉。

乾爲魂,巽爲寡,故曰魂孤。坎爲室,坎伏,故無室。兌爲銜,爲食,伏艮爲指。伏坤爲閉,故不食。伏坎爲盜,坤爲民。民畏盜,故饋之。坎爲肉,坤喪,故失肉。〇民饋,宋、元本作民餌。汲古作氏饋。今民字從宋、元本,饋從汲古。

【補校】指,汲古作損。從宋、元本。肉,宋、元本作福。依汲古。

鼎

讒言亂國,覆是爲非。伯奇乖離,恭子憂哀。

詳巽之觀。

【補校】離,宋、元本作難。依汲古。

震

衛侯東遊,惑於少姬。亡我考妣,久迷不來。

　　詳乾之升。

艮

雞鳴同興,思配無家。執佩持鼍,莫使致之。

　　詳漸之鼎。○配,宋、元本作邪。佩作珮。依汲古。

　　【補校】佩,從宋本、汲古。元本作珮。義同。

漸

義不勝情,以欲自縈。覬利危躬,摧角折頸。

　　詳坤之豐。

　　【補校】縈,宋、元本作榮。躬作竆。均依汲古。

歸妹

臣尊主卑,權力日衰。侵奪無光,三家逐公。

　　詳升之巽。○權,宋、元本作攤。依汲古。

旅

叔仲善賈,與喜爲市。不憂危殆,利得十倍。

　　通節。艮爲叔,坎爲仲。震爲商賈,爲喜。巽爲市。坎爲危
　殆,爲憂。震解,故不憂。巽爲利,爲倍。兌數十,故曰十倍。

巽

六蛇奔走,俱入茂草。驚於長路,畏懼啄口。

　　詳井之兌。

　　【補校】蛇,從汲古。宋、元本作虵。即蛇。

兑

水壞我里,東流爲海。黿鼉讙囂,不得安居。

　　詳泰之兑。○鼉,宋、元本作黿。依汲古。得,汲古作可。依
宋、元本。

渙

飛不遠去,卑斯内侍,禄養未富。

　　互震爲飛,艮止,故飛不遠去。互艮爲斯。旅初六云,旅瑣瑣,
斯其所。注,斯,賤役也。故曰卑斯。

　　【補校】斯,汲古作厮。養作食。均依宋、元本。按,斯、厮
義同。

節

陰變爲陽,女化爲男。治道大通,君臣相承。

　　詳屯之離。

中孚

踐履危難,脱厄去患。入福喜門,見誨大君。

　　詳震之家人。

小過

罟密網縮,動益蹶急,困不得息。

　　伏大離爲網罟。縮,束縛也,卦象似之。互大坎,故曰蹶,曰
困。○罟、網,汲古作網、綱。蹶作憨[一]。均依宋、元本。

既濟

負牛上山,力劣行難。烈風雨雪,遮過我前,中道復還。

────────────

〔一〕“憨”,稿本、刻本誤“懸”。據汲古本改。

詳同人之无妄。○汲古多憂者得歡四字。依宋、元本。○此
用豐象。

未濟

喁喁嘉草，思降甘雨。景風升上，沾洽時澍，生我禾稼。

　　此仍用豐象。兌口震言，故曰喁喁。喁，嚮慕之義。震爲嘉
草，爲禾稼。巽風坎雨。坎伏，故曰思降。

旅之第五十六

旅

羅網四張，鳥無所翔。征伐困極，飢渴不食〔一〕。

　　詳革之泰。

　　【補校】渴，宋、元本作窮。依汲古。

乾

寄生無根，如過浮雲。立本不固，斯須落去，更爲枯樹。

　　詳小畜之蠱。此用旅象。以艮爲寄生，象形。艮下陰，故無
根。坎爲雲，互巽爲枯。

坤

人無足，法緩除。牛出雄，走羊驚。陽不制陰，男失其家。

　　○前四句，從既濟之屯。下二句，從觀之臨。各本原作人無
定法，緩降牛出。蛇雄走趨，陽不制陰，宜其家困。非。解詳觀
之臨。

屯

衆鳥所翔，中有大怪，九身無頭。魂驚魄去，不可以居。

　　詳漸之蒙。○翔，宋、元本作聚。依汲古。

蒙

封豕溝瀆，灌瀆國邑。火宿口中，民多病疾。

〔一〕“困”，稿本、刻本作“窮”。據宋、元、汲古及所見其他各本改。按革之泰，
　　即作“困”，可資參考。

史記天官書,奎曰封豕,爲溝瀆。正義曰,奎,一名天豕,亦曰封豕,主溝瀆。故曰灌瀆國邑。坎爲豕,爲溝瀆。坤爲國邑。火,熒惑也。箕爲口舌。火宿口中,言熒惑守箕也。艮爲火,震爲口,艮止,故曰火宿口中。坤爲民,坎爲疾病。又案,艮爲星,故林辭多即星言〔一〕。

【補校】豕,汲古作涿。火作人。均依宋、元本。病疾,宋、元本作疾病。依汲古。

需

奮翅鼓翼,翱翔外國。逍遥徙倚,來歸温室。

詳損之觀。

【補校】徙,汲古作徒。依宋、元本。

訟

秋蠶不成,冬種不生。殷王逆理,棄其寵榮。

巽爲蠶,旅互兌爲秋。兌毀,故不成。坎爲冬,爲種。震爲生,震伏,故不生。震爲王,爲子,故曰殷王。殷,子姓也。伏坤爲理,爲逆。震爲榮,震伏,故曰棄。○榮,汲古作名。依宋、元本。

【補校】蠶,從汲古。宋、元本作蚕。同蠶。殷,汲古訛設。依宋、元本。

師

衛侯東遊,惑於少姬。忘我考妣,久迷不來。

詳乾之升。○忘,汲古作亡。依宋、元本。此林屢見,而事不見於左傳。疑邶風日居月諸之詩,齊詩家説如此。

〔一〕"又案"至"星言"十二字,稿本無。兹依刻本。

比

烏合卒會，與惡相得。鷗鶍相酬，爲心所賊。

　　艮爲烏，爲鷗鶍。坤坎皆爲聚，故曰會合。坤爲惡。坎爲心，爲賊。○首句，元本作烏合卒會。汲古作烏會雀合。茲依宋本。

　　【補校】鶍，元本作梟。依宋本、汲古。梟、鶍，一物異名。

小畜

眵雞無距，與鵲格鬭。翅折目盲，爲鳩所傷。

　　巽爲雞。兌半離，故曰眵。說文，目眥傷也。震伏，故曰無距。伏震爲鵲，爲鬭，爲翅。坎爲折，故曰翅折。離爲目，兌半離，易曰眇，故此曰目盲。離爲鳩，兌毀故傷。○鵲，汲古作雀。依宋、元本。眵，各本皆作鳴〔一〕。鳩作仇。今依乾之遯校。

履

木內生蠱，上下相賊，禍亂我國。

　　巽爲木，爲蠱，爲賊。天上兌下，正反巽，故上下相賊。離爲亂，伏坤爲國。

　　【補校】上下，元本作下上。依宋本、汲古。

泰

延陵適魯，觀樂太史。車轔白顛，知秦興起。卒兼其國，一統爲主。

　　詳大畜之離。○其，爲六之形訛字。各本六，往往訛其。

　　【補校】轔，元本作驎。依宋本、汲古。

否

輔相之好，無有休息。時行雲集，所在遇福。

〔一〕"鳴"，刻本訛"鵙"。據稿本改。

艮爲時,坤爲雲,爲集。乾爲福。

同人

牀傾簀折,屋漏垣缺,季姬不悷。

> 巽爲牀簀,巽隕,故傾折。巽爲垣墉,伏坎爲室,爲屋。巽下缺,故曰漏。伏震爲姬。易林本大過,每以巽爲少,故曰季姬。

> 【補校】牀,依宋本、汲古。元本作床。即牀。

大有

東入海口,循流北走。一高一下,五邑無主。七日六夜,死於水浦。

> 詳睽之蹇。

> 【補校】邑,宋、元本作色。依汲古。無,汲古作失。七日六夜,作七夜六日。均依宋、元本。

謙

羣虎入邑,求索肉食。大人守禦,君不失國。

> 正反艮,故曰羣虎。伏巽爲入,坤爲邑。艮爲求,坎爲肉,故曰求索肉食。伏乾爲大人。艮爲守禦,爲國。震爲君,故曰君不失國。○虎,宋、元本訛需。依汲古。不失,汲古作失其。依宋、元本。

> 【補校】虎,元本訛需。依宋本、汲古。守禦,宋本作禦守。元本作御守。依汲古。

豫

四亂不安,東西爲患。退身止足,無出邦域。乃得完全,賴其生福。

> 詳大有之睽。○止,汲古作山。依宋、元本。

隨

叔肸抱冤,祁子自邑,乘遽解患。羊舌以免,賴其生全。

　　　詳蹇之乾。

　　　【補校】肸,宋、元本作胏。生作福。均依汲古。胏、肸同。
祁,汲古作祈。依宋、元本。

蠱

延頸望酒,不入我口。深目自苦,利得無有。

　　　詳訟之益。

臨

仁政之德,參參日息。成都就邑,人受厥福。

　　　震爲仁德。坤爲都邑。參參,多貌。束晳補亡詩,參參其
稼。○宋本作恭恭。依汲古。史記,舜陶河濱,三年成都邑[一]。

　　　【補校】參參,宋、元本作恭恭。人,汲古作日。依宋、元。

觀

牽頭繫尾,屈折幾死。周世無人,不知所歸。

　　　詳升之大畜。○周,汲古作彫。人作仁。依宋、元本。

　　　【補校】繫,汲古作擊。依宋、元本。屈,元本作詘。依宋本、
汲古。

噬嗑

教羊逐兔,使魚捕鼠。任非其人,費日無功。

　　　詳需之噬嗑。○捕鼠,宋、元本作相捕。依汲古。

―――――――

〔一〕“史記”至“都邑”十一字,稿本無。茲依刻本。

賁

生角有尾,張孽制家,排羊逐狐。張氏易公,憂禍重凶。

　　震爲生。艮爲角,爲尾,爲家。坎爲孽,與震連,故曰張孽。左傳昭十年,蘊利生孽。注,孽,妖害也。震爲羊,艮爲狐。震爲張,爲公。上艮爲反震,故曰易公。坎爲憂禍,爲凶。生,疑爲牛之訛。

　　【補校】羊,汲古作揚。依宋、元本。

剥

去安就危,墜陷井池,破我玉螭。

　　坤爲安,孤陽在坤上,故曰去安就危。坤爲淵,故曰井池。震爲玉,爲螭。上卦震覆,故曰破我玉螭。○螭,丁本作蝸。失韻。依宋、元、汲古本。

　　【補校】螭,宋、元本作蝸。依汲古、局本。按,丁晏釋文未及此林,兹云丁本作蝸,似偶誤。

復

茹芝餌黄,塗飲玉英。與神流通[一],長無憂凶。

　　震爲芝,爲玄黄。震食,故曰茹,曰餌。黄,黄精也。二者皆延年益壽之草。震爲大塗。爲玉,爲萌芽,故曰玉英。震爲神,坤爲憂凶。

　　【補校】流通,汲古作通流。似非。依宋、元本。

无妄

體重飛難[二],未能越關,不離室垣。

－－－－－－－－－－

〔一〕“流通”二字,稿本、刻本倒。據宋、元本改。按,豫之蠱、既濟之蹇二林皆作“流通”,可參考。又按此林“黄”、“英”協,“通”、“凶”協,韻甚明。若汲古作“通流”,疑失其韻。

〔二〕“飛難”二字,稿本、刻本誤倒。據宋、元、汲古及所見其他各本校正。

詳震之鼎。○宋、元本無末句。依汲古。

大畜

巢成樹折，傷我彝器。伯踦叔跌，亡羊乃追。

艮爲巢，爲成。震木，兌毀，故曰樹折。震爲器，艮虎，故曰彝器。書，宗彝。釋文引鄭云，彝，虎也。兌毀，故傷。震爲伯，艮爲叔。兌折，故曰踦[一]，曰跌。兌爲羊。震往，故曰亡羊，曰追。

頤

六人俱行，各遺其囊。黃鵠失珠[二]，無以爲明。

詳賁之噬嗑。

大過

播梅折枝，與母分離，絕不相知。

詳大有之坤。○播，種也。宋、元本作蟠。依汲古。梅折枝，汲古作枝遷岐。依宋、元本。

坎

迎福開户，喜隨我後。曹伯愷悌，爲宋國主。

中爻震爲福，艮爲户，震爲開，故曰迎福開户。震爲喜，爲後，爲伯，爲主。艮爲宋，爲國。元本舊注，宋以曹師殺公子游，立桓公。依此注，則國字似爲立字方適。

離

既痴且狂，兩目又盲。箕踞喑啞，名爲無中。

巽進退不果，故曰痴狂。中互大坎，坎黑，故曰目盲。伏震爲

〔一〕“曰踦”二字，刻本無，據稿本補。
〔二〕“鵠”，稿本、刻本作“鶴”。據宋、元、汲古及所見其他各本改。

箕,兑爲喑啞。○箕,宋、元本作跙。集韻,跙,長踞也,兹依汲古。
中,汲古作用。喑啞作坐喑。依宋、元本。

　　【補校】喑啞,元本作啞喑。依宋本。痴,元本作癡。依宋本、
汲古。癡、痴同。

咸

金梁鐵柱,千年牢固。完全不腐,聖人安處。

　　　　乾爲金鐵,艮爲梁柱。乾爲千年。艮堅,故曰牢固。互巽爲
腐。乾爲聖人,艮止,故曰安處。

　　【補校】千,汲古作十。依宋、元本。

恒

裹糗荷糧,與跖相逢。欲飛不得,爲罔所獲。

　　　　巽爲糗糧,艮爲荷。巽爲盜賊,故曰與跖相逢。震爲飛,坤爲
網罟。○罔,宋本作網。依元本。

　　【補校】罔,宋本、汲古作網。裹,宋本、汲古作裏。疑爲俗訛
字。依元本。

遯

彭生爲豕,暴龍作災。盜堯衣裳,聚跖荷兵。青禽照夜,三
旦夷亡。

　　　　○首句,依比之蒙校。各本多作彭名爲妖[一],或彭生爲妖。

大壯

獨夫老婦,不能生子,鰥寡居處。

　　　　震爲夫,兑爲老婦。震爲子,兑折,故不能生子。伏巽爲寡,故

〔一〕“妖”,刻本訛“夭”。據稿本改。

曰獨夫。伏艮爲鰥。○獨,汲古訛褐。依宋、元本。

【補校】居,宋、元本作俱。依汲古。

晉

鷦鷯竊脂,巢於小枝。搖動不安,爲風所吹。心寒慄慄,常憂殆危。

○慄慄,依謙之遯[一]。各本多作飄搖。

【補校】心,汲古作内。依宋、元本。殆危,宋、元本作危殆。依汲古。

明夷

素車木馬,不任負重。王子出征,憂危爲咎。

震爲白,坤爲車,故曰素車。震爲木,爲馬。坤爲重,下互坎,坎險,故不任負重。震爲王子,爲出征。坎爲憂危。○馬,汲古作輿。危作疑。均依宋、元本。

家人

土陷四維,安平不危。利以居止,保有玉女。

未詳。

【補校】有,汲古作其。依宋、元本。

睽

負牛上山,力劣行難。烈風雨雪,遮遏我前,中道復還。

詳訟之剥。

蹇

金城鐵郭,上下同力。政平民親,寇不敢賊。

―――――――

〔一〕“遯”下,稿本有“校”字。

艮爲金鐵，爲城郭。坎爲平，爲賊寇，爲民。

解

清潔淵塞，爲人所言。證訊詰情，繫於枳溫。甘棠聽斷[一]，昭然蒙恩。

　　詳師之蠱。

　　【補校】人，汲古作讒。訊作訓。均依宋、元本。情，宋、元本作問。依汲古。

損

皋陶聽理，岐伯悅喜。西登華首[二]，東歸无咎。

　　艮爲山，爲火，故曰皋陶。舜時士官，故曰聽理。兌爲耳，爲聽，坤爲理也。震爲伯，艮山，故曰岐伯。本草經，黃帝問岐伯。漢書人物表，上古之時有岐伯，中古有扁鵲。蓋與黃帝創製醫藥者。兌爲西，艮山，故曰華首。震爲東，爲歸。華，華山。首，雷首山，在蒲阪[三]。

　　【補校】首，宋、元、汲古各本皆作道。依无妄林及翟本校。

益

低頭竊視，有所畏避，行作不利。酒酸魚敗，衆莫貪嗜。

　　詳鼎之解。○不，宋、元本作未。依汲古。衆，宋本作重。依元本、汲古。

　　【補校】嗜，汲古作嘖。依宋、元本。

〔一〕“棠”，刻本訛“裳”。據稿本改。
〔二〕“首”，稿本作“道”。茲依刻本。注同。
〔三〕“華，華山”至“蒲阪”十字，稿本無。茲依刻本。

夬

十雞百雛，常與母俱。抱雞搏虎[一]，誰肯爲侶。

此用旅象。旅互巽爲雞，兌數十，故曰十雞。伏震爲雛，爲百，故曰百雛。巽爲母，故曰常與母俱。艮爲虎，爲抱，爲搏。巽爲寡，故曰無侶。

【補校】十雞，宋、元、汲古各本皆作十雉。謙之賁作十雌。茲作十雞，義似尤勝。惟未審所本，謹録存俟考。按馬生新欽以爲，似依下文抱雞搏虎而改。姑可備爲一説。又，侶，汲古作誤。從宋、元本。

姤

高阜山陵，陂陁顛崩。爲國妖祥，元后以薨。

左傳僖十四年，沙麓崩，晉卜偃曰，期年將有大咎，國幾亡。次年，惠公被執。又九年，懷公殺于高梁。姤通復。艮爲山陵，初至三艮覆，故曰顛崩。坤爲國，爲妖祥。爲喪，故曰薨。震長，故曰元。震爲君，故曰元后。〇陂，汲古作峻[二]。依宋、元本。又，國語，岐山崩，三川竭，幽王亡。

萃

六鷁退飛，爲襄敗祥。陳師合戰，左股夷傷。遂以崩薨，霸功不成。

詳蹇之蠱。

【補校】夷，宋本、汲古作疾。依元本。成，元本作終。從宋

〔一〕"搏"，稿本、刻本作"捕"。疑誤。據宋、元、汲古各本改。注同。按謙之賁即作"搏"，可參考。
〔二〕"峻"，稿本、刻本誤"峻"。據汲古本校改。

本、汲古。襄,宋、元本作衰。崩薨作薨崩。均依汲古。

升

異國殊俗,情不相得。金木爲仇,百賊擅殺。

　　○末句,依夬之比校。宋、元本作百戰檀穀。汲古作酋賊
擅役。

　　【補校】末句,宋本作百戰檀穀。元本作百戰檀穀。

困

鴉噪庭中,以戒災凶。重門擊柝,備憂暴客。

　　詳大過之渙。左傳襄十三年,有鳥叫於宋太廟,曰譆譆出出。
後果災。

　　【補校】鴉噪,元本作鴉叫。依宋本、汲古。鴉同鴉。備,汲古
訛僃。依宋、元本。

井

慈母念子,享賜得士。蠻夷來服,以安王室,側陋逢時。

　　巽爲母,巽順,故曰慈母。坎爲念,伏震爲子,故曰念子。兌
爲享。伏震爲士,爲王。艮爲室,爲時。坎爲側陋。○念,各本
皆作赤。第三句,皆作獲夷服除。兹依漸之咸校。士,宋、元本
作仕〔一〕。依汲古。室,宋本、汲古作家。兹依元本。

　　【補校】享,元本作饗。士作仕。均依宋本、汲古。室,各本皆
作家。依小畜之既濟汲古本校。

革

遷延惡人,使德不通。炎旱爲殃,年穀大傷。

―――――――

〔一〕“仕”,刻本訛“士”,據稿本改。餘詳“補校”。

○遷延，依坤之大有校。宋、元本作剗迹。汲古作迹造。殃，宋、元本作災。不協。依汲古。

鼎

躬履孔德，以待束帛〔一〕。文君獠獵，呂尚獲福。號稱太師，封建齊國。

> 通屯。坤爲躬，震爲履，爲德，爲孔。孔，大也。本卦巽爲帛。離爲文，乾爲君。文君，文王也。震爲獵，艮火，故曰獠獵。言文王出獵，遇呂尚也。乾爲福，爲師。巽齊，坤國，故曰封建齊國。○第二句，汲古作以帶束帶。

> 【補校】第二句，宋、元本作以待束帶。兹作束帛，音義尤協。惟未詳所據，馬生新欽疑依坎之同人束帛玄圭，及周易賁六五束帛戔戔校。説似可取。

震

征將止惡，鼓鞞除賊。慶仲奔莒，子般獲福。

> 震爲征，爲鼓鞞。坎爲邪，爲惡，爲賊。月令，仲夏命樂師修鞀鞞鼓。坎爲仲，震喜，故曰慶仲。互艮爲邑，震往，故曰奔莒。按左傳莊三十二年，共仲使圉人犖，賊子般於黨氏。共仲即慶父。閔二年，奔莒。兹云獲福，於事正反。疑福爲偪之訛字。抑如丁宴説，般爲穀之訛。穀，共仲孫。文十四年，魯人立之〔二〕。所謂穀也豐下，必有後於魯國也。般、穀形近，疑丁説是也。

艮

艮夫淑女，配合相保。多孫衆子，懽樂長久。

〔一〕 "帛"，稿本作"帶"。兹依刻本。注同。
〔二〕 "十"下，稿本、刻本脱"四"字，據阮刻《左傳正義》校補。

艮爲夫,伏兑爲女,震爲善,故曰良夫淑女。坎爲合,艮爲保,艮兑爲夫婦,故曰配合相保。艮爲孫,震爲子,坎衆,故曰多孫衆子。震樂艮久。○衆,汲古作壽。依宋、元本。

漸

蝃蛇四牡,思念父母。王事靡鹽,不得安處。

漸上巽,巽爲蛇,伏震爲馬,卦數四,故曰蝃蛇四牡。坎爲思念,震父巽母。震爲王,巽隕落,故曰王事靡鹽。鹽,惡也。前漢息夫躬傳,器用鹽惡。艮爲安,坎險,故曰不得安處。按,林辭皆詩小雅語。○蝃蛇,汲古作逶迤。依宋、元本。牡,宋本訛壯。依元本、汲古。得,元本作我。依宋本。

【補校】得,宋、元本作我。依汲古。思,宋本作恩。依元本、汲古。

歸妹

水壞我里,東流爲海。龜黽讙囂,不得安居。

詳泰之兑。○龜黽,汲古作龜鼀。宋、元本作黽龜。依泰之兑校。

豐

束帛戔戔,賻我孟宣。徵召送君,變號易字。

巽爲帛,伏艮爲手,故曰束帛。戔戔,馬云委積貌。子夏傳作殘。茲曰賻我孟宣,是焦義與馬同也。伏震爲孟,爲宣,爲君。事實未詳。○第四句,汲古作處號易子。依宋、元本。

【補校】宣,汲古作空。依宋、元本。

巽

乾行天德,覆贍六合。嘔煦成熟,使我福德。

　　二五皆陽,故曰乾行天德。覆贍六合者,言乾天覆徧六合也。贍,說文,給也。玉篇,周也。伏坎爲合,數六,故曰六合。嘔煦,猶吹噓養育也。兌口,故曰嘔煦。伏艮爲成,爲我。伏震爲福德。〇覆贍,局本作履贍[一],象亦合。茲依宋、元、汲古本。煦,元本作呴。依宋本、汲古。嘔煦,音歐詡。

　　【補校】天,宋本、汲古作大。依元本。

兌

秦晉大國,更相尅賊。獲惠質圉,鄭被其咎。

　　兌西爲秦,伏震爲晉,艮爲國。互巽爲賊,兌毀折,三至上正反兌巽,故曰更相尅賊。伏震爲德惠,艮爲圉守也。詩大雅,孔棘我圉。左傳,亦聊以固吾圉。惠,晉惠公。僖十五年爲秦所獲,後秦放惠公歸,以子圉質于秦。伏艮,故曰獲,曰質。伏坎爲鄭。慶鄭也。慶鄭以惠公違諫,不救惠公。及被釋,殺慶鄭而後入。〇首句,汲古作秦併六國。非。依宋、元本。

　　【補校】尅,從元本。宋本、汲古作克。義通。

渙

晦昧昏冥,君無紀綱。甲午成亂,簡公喪亡。

　　坎隱伏,故曰晦冥。震爲君,巽爲繩,爲紀綱。艮爲時,爲甲。納丙,故曰甲午。春秋哀十四年,甲午,齊陳恒弒其君壬于舒州[二]。壬,簡公名也。陳恒,陳成子也。甲午成亂者,言成子作亂,弒簡公也。震爲簡,爲公。巽隕,故喪亡。〇冥,宋、元本作明。依汲古。午,元本、汲古作子。依丁本。

　　【補校】午,宋、元、汲古各本皆作子。

〔一〕"局",刻本訛"周",據稿本改。
〔二〕"壬",刻本訛"王",據稿本改。

節

三足無頭,不知所之[一]。心狂睛傷,莫使爲明,不見日光。

　　詳小畜之復。○日,宋、元本作月。非。依汲古。睛,汲古作
　精。依宋、元本。兌半離,故曰睛傷。

　　【補校】不知,宋、元、汲古諸本作弗知。依小畜之復校。睛,
　各本皆作精。依歸妹之萃宋、元本校。

中孚

長夜短日,陰爲陽賊。萬物空枯,藏於北陸。

　　詳謙之漸。

　　【補校】於,宋、元本作在。依汲古。

小過

依宵夜遊,與君相遭。除煩解惑,使我無憂。

　　詳歸妹之大有。○依,小過之否作衣。説文,衣,依也。義同。

　　【補校】第二句,宋、元本作與大君俱。煩解,作解煩。均依
　汲古。

既濟

逐鹿南山,利入我門。陰陽和調,國無災殘。長子出遊,須
其仁君。

　　此皆用半象。陰陽和調,謂陰陽爻相等而當位也。

　　【補校】首句,元本作逐麋西山。依宋本、汲古。第二句,汲古
　作知我入門。遊作逃。均依宋、元本。

─────────────

〔一〕“不”,稿本、刻本作“莫”,兹依小畜之復校。

未濟

請騁左耳，嗇不我與，驅我父母。

　　未詳。〇騁，宋、元本作冀。與、驅作驅、與。均依汲古。左，汲古作作。依宋、元本。按周禮夏官大司馬，大獸公之，小獸私之，獲者取左耳以計功。然曰騁，則左耳或爲緑耳。

焦氏易林注卷十五

巽之第五十七

巽

温山松柏,常茂不落。鸞鳳以庇,得其歡樂。

　　詳需之坤〔一〕。

　　【補校】庇,從宋、元本。汲古作芘。通庇。歡,依宋本、汲古、元本作懽。同歡。

乾

采唐沬鄉,要期桑中。失信不會,憂思約帶。

　　詳師之噬嗑。○期,汲古作我。思約作在鉤。均依宋、元本。

　　【補校】鄉,宋本、汲古作卿。依元本。

坤

有鳥飛來,集于宮樹。鳴聲可惡,主將出去。

　　詳屯之夬。○可惡,汲古作畏惡。依宋、元本。

――――――――――

〔一〕“坤”,稿本、刻本誤“恒”。據諸本林辭改。

【補校】可惡，宋、元本作可畏。依屯之夬校。

屯

仁政之德，參參日息。成都就邑，日受厥福。

　　詳旅之臨。○參參，局本作恭恭。

　　【補校】參參，從宋、元本、汲古。日受，宋、元本作入受。依汲古。

蒙

他山之錯，與瑈爲仇。來攻吾城，傷我肌膚，邦家搔憂。

　　詳明夷。○錯，宋、元本作儲。來，汲古作夾。依宋、元本。

　　【補校】錯，依汲古。

需

齎貝贖狸，不聽我辭。繫於虎須，牽不得來。

　　詳否之革。

　　【補校】須，各本皆作鬚。依否之革及翟本校。須通鬚。

訟

一簧兩舌，佞言諂語。三奸成虎，曾母投杼。

　　詳師之乾。○佞，宋、元本作妄。依汲古。

　　【補校】奸，元本、汲古作姦。依宋本。姦、奸同。成虎，宋、元本作惑虛。依汲古。

師

魁行搖尾，逐雲吹水。汙泥爲陸，下田宜稷。

　　詳同人之漸。○首句，宋、元本、汲古皆作薄行搖尾。依同人之漸校。

　　【補校】吹，宋、元本作除。汲古作涂。依同人之漸校。

比

天門九重，深內難通。明登至莫，不見神公。

　　艮居戌亥，故曰天門。內經以戌亥爲天門，辰巳爲地戶是也。坤爲重，數九，故曰天門九重。漢上易謂，坤納癸，自乙至癸，故數九也。重坤，故曰深。坤閉，故曰難通。艮爲光明，坎爲莫。震爲神，爲公。三五震覆，又坎爲隱，故不見也。後漢郎顗傳，神在天門，出入聽候。言神在戌亥，司候帝王興衰得失。○深，汲古作澤。登，宋、元本作坐。依汲古。至，汲古作到。依宋、元本。

　　【補校】深，依宋、元本。莫，宋、元本作暮。依汲古。莫即暮。

小畜

闇目失明，耳闋不聰。陷入深淵，滅頂憂凶。

　　二至四兌，易以兌爲眇，故曰闇目失明。又離爲目，伏坎，故曰闇目也。伏坎爲耳，爲塞，故曰耳闋不聰。闋，音遏，壅塞也。伏坤爲淵，坎陷。艮爲頂，坤爲滅，爲凶，故曰滅頂憂凶。坎水，坤水，故有此象。○目失，汲古作眛不。闋作聾。憂作成。均依宋、元本。不聰，宋、元本作聽聰。非。依汲古。頂，元本訛頃。

　　【補校】目失，宋本作目不。依元本。頂，從宋本、汲古。

履

霧露早霜，日暗不明。陰陽孼疾，年穀大傷。

　　伏坎爲霧露，坤爲霜。離爲日，伏坎，故不明。但林辭似全用旁通。艮亦爲日，與坎連體，故曰不明也。坎爲疾。震爲穀，坤爲年歲，爲喪，故曰年穀大傷。

泰

三階土廊，德義明堂。交讓往來，享燕相承。箕伯朝王，錫我玄黄。

　　漢書東方朔傳注，泰階者，天之三階也。上階爲天子，中階爲諸侯、公卿、大夫，下階爲士、庶人。坤爲階，震數三，故曰三階。艮爲廊，爲明堂。兌爲燕享。震爲伯，爲箕，乾爲王。天玄地黃，故曰錫我玄黃。○階，宋、元本訛諧。依汲古。

　　【補校】廊，汲古作廓。依宋、元本。燕，元本作讌。依宋本、汲古。燕通讌。

否

爭雞失羊，利得不長。陳蔡之患，賴楚以安。

　　巽爲雞。兌爲羊，兌伏，故失羊。巽爲利，爲長，坤喪，故曰不長。震爲陳，爲蔡，爲楚。坤爲患，艮爲安。史記，孔子厄於陳蔡，楚昭王發兵救之，得免。

同人

天旱水涸，枯槀無澤，未有所獲。

　　火在天下，故曰天旱。坎伏，故曰水涸。離爲枯槀。

大有

陶朱白圭，善賈息貲。公子王孫，富利不貧。

　　乾爲大赤，離火，故曰陶朱。乾爲玉，乾金色白，故曰白圭。遇卦巽爲商賈，爲利，故曰善賈息貲。伏震爲公，爲子，爲王，艮孫，故曰公子王孫。重巽，故曰富利不貧。○貲，宋、元本作資。依汲古。

　　【補校】圭，元本作珪。依宋本、汲古。圭、珪同。

謙

龜厭江海，陸行不止。自令枯槀，失其都市，憂悔无咎。

　　詳泰之節。

【補校】无，宋、元本作爲。依汲古。

豫

黄鳥採蓄，既嫁不答。念吾父兄，思復邦國。

　　詩小雅黄鳥篇，言旋言歸，復我諸兄，復我諸父。我行篇，言采
其蓫，爾不我畜，復我邦家〔一〕。皆刺禮教不行，婦中道見棄之詩。
蓫，釋文云，本又作蓄。今易林即作蓄，是焦與毛詩異讀也。震爲
黄，艮爲鳥，爲采，震爲蓄。蓄，冬菜也。震爲嫁。二至四震反，故
云不答。坎爲思念，伏乾爲父，震爲兄。坤爲吾，爲邦國。震反，故
曰復。

　　【補校】嫁，宋、元本、汲古皆作稼。依學津、局本、翟本。

隨

田鼠野雞，意常欲逃。拘制籠檻，不得動搖。

　　詳需之隨。

　　【補校】雞，宋、元本、汲古皆作雛。依需之隨及翟本校。

蠱

平國不君，夏氏作亂。烏號竊發，靈公殞命。

　　詳臨之晉。

臨

巨蛇大鮒，戰於國郊。上下閉塞，君主走逃。

　　詳剥之艮。

　　【補校】蛇，從元本、汲古。宋本作虵。即蛇。主，宋、元本作
道。依汲古。

_____

〔一〕“家”，稿本、刻本誤“族”，據阮刻《毛詩正義》改。

觀

讒言亂國，覆是爲非。伯奇流離，恭子憂哀[一]。

> 詳豐之鼎。
>
> 【補校】流，汲古作留。依宋、元本。

噬嗑

鬱映不明，爲陰所傷。衆霧集聚，共奪日光。

> 詳噬嗑之艮。○映，宋、元本訛映。依汲古。
>
> 【補校】映，宋本作怏。元本訛映。

賁

望城抱子，見邑不殆。公孫上堂，大君歡喜。

> 離爲望，艮爲城，爲抱，震子，故曰望城抱子。艮爲邑，坎爲殆。震解，故不殆。艮爲孫，爲堂，震爲公，故曰公孫上堂。震爲君，爲喜。殆音以。

剝

三虫爲蠱，劓迹無與。勝母盜泉，君子弗處。

> 詳觀之困。○虫，從宋、元。汲古作蟲。爲，宋、元本作作。茲依汲古。
>
> 【補校】迹，從宋本、汲古。元本作跡。同迹。

復[二]

車馳人趨，卷甲相求。齊魯寇戰，敗於犬丘。

[一]"恭"，稿本、刻本作"共"，據宋、元、汲古及所見其他各本改。檢豐之鼎亦作"恭"，可參考。又，"共"通"恭"。

[二]"復"，刻本訛"後"，據稿本改。

詳坤之兑。○戰，宋、元本作戎。依汲古。

【補校】趨，元本作趐。依宋本、汲古。趐即趨之俗字。

无妄

欲訪子車，善相欺紿。桓叔相迎，不見所期。

初至四正反震，故曰欺紿。艮爲叔，爲木，故曰桓叔。説文，
桓，郵亭表也。其事未詳。

大畜

爭雞失羊，亡其金囊，利得不長。陳蔡之患，賴楚以安。

詳恒之夬。

【補校】雞，汲古作雉。依宋、元本。

頤

歲暮花落，陽入陰室。萬物伏匿，利不可得。

坤候卦爲亥，故曰歲暮。兑爲華，兑伏不見，故曰花落。乾本
居亥，坤行至亥，陰牝陽，故曰陽入陰室。艮爲室。即文言所謂陰
凝于陽也。坤爲萬物，爲藏〔一〕，故曰伏匿。巽爲利，巽伏，故曰利
不可得。○匿、利，宋、元本作藏、匿。依汲古。

【補校】暮，汲古作莫。依宋、元本。莫即暮。花，元本作華。
依宋本、汲古。華、花同。

大過

晨風文翰，大舉就温。昧過我邑，羿無所得。

詳小畜之革。○翰，宋、元本作翮。依汲古。第三句，宋本、汲
古作過我成邑。元本作過我城邑。依小畜之革校。

〔一〕“爲”，刻本作“所”，據稿本改。

【補校】大,汲古作火。依宋、元本。

坎

時鵠抱子,見蛇何咎。室家俱在,不失其所。

詳否之鼎。

【補校】時,汲古作持。依宋、元本。蛇,從宋本、汲古。元本作虵。同蛇。

離

隱隱大雷,霑霈爲雨。有女癡狂,驚駭鄰里。

伏震爲雷。重坎,故曰霑霈爲雨。巽爲女。巽進退,故曰癡狂。伏震爲驚駭,艮爲里。

咸

無足斷跟,居處不安,凶惡爲患。

詳革之蹇。

恒

破筐敝筥,棄捐於道,不復爲寶。

震爲筐筥,爲道,爲寶。兌毀,故破敝,故棄捐。

【補校】敝筥,元本作弊筥。依宋本、汲古。

遯

三雞啄粟,十雛從食。飢鳶卒擊,亡其兩叔。

詳中孚之頤。

大壯

乘車七百,以明文德。踐土葵丘,齊晉受福。

詳兌之剝。

晉

百足俱行，相輔爲强。三聖翼事，王室寵光。

　　詳屯之履。

明夷

典册法書，藏閣蘭臺。雖遭潰亂，獨不遇災。

　　詳坤之大畜。○閣，汲古作在。依宋、元本。此以坤爲書册。
火在下，故不遇。

　　【補校】册，宋、元、汲古各本皆作策。依坤之大畜及翟本校。
遇，宋、元本作逢。依汲古。

家人

西誅不服，恃强負力。倍道趨敵，師徒敗覆。

　　詳需之屯。○西，宋、元本作四。依汲古。趨，汲古作奔。依
宋、元本。

睽

春陽生草，夏長條肆。萬物蕃滋，充實益有。

　　詳井之巽。

蹇

磽礊禿白，不生黍稷。無以供祭，祇靈乏祀。

　　此用遇卦巽象。巽爲白，寡髮，故曰禿白。艮山，故曰磽礊。
磽礊，山田小石也。巽爲黍稷，兑毁，故不生。震爲祭，爲神，故曰
祇靈。震伏，故乏祀。○磽礊，宋、元本作磽碻。依汲古。乏，汲古
作代。依宋、元本。

解

褰衣涉河[一],水深漬罷。幸賴舟子,濟脱無他。

　　詳坤之萃。○第二句,汲古作澗流浚多。依宋、元本。罷音
婆。唐韻正云,凡經傳中罷倦之罷,皆音婆。今人音皮而誤。按,
林以罷與河韻,正與韻正説合。

　　【補校】幸賴,宋、元本作賴幸。依汲古。

損

宜行賈市,所求必倍。戴喜抱子[二],與利爲友。

　　詳大過之恒。○戴,汲古作載。依宋、元本。

益

兄征東夷,弟伐遼西。大克勝還,封居河間。

　　震爲兄,爲東,爲征。互坤,故曰東夷。伏兑爲西,坤水,故曰
遼西,曰河間。艮爲封。○居,宋、元本作君。依汲古。

　　【補校】夷,汲古作燕。依宋、元本。克,元本作尅。依宋本、
汲古。居,宋、元本、汲古皆作君。依學津、局本、翟本。

夬

初雖驚惶,後乃無傷。受其福慶,相孝爲王。

　　乾爲福慶,爲王。相孝爲王,言輔相秦孝公,使秦稱王也。似
指商鞅。兑西,故曰商。

　　【補校】末句,宋、元本無。依汲古增。

姤

隨風乘龍,與利相逢。田獲三倍,商旅有功。憧憧之邑,長

〔一〕 "褰",稿本、刻本作"牽",疑音訛。據宋、元、汲古及所見其他各本改。
〔二〕 "戴",刻本訛"載",據稿本改。

安無他。

　　巽風,乾龍,故曰隨風乘龍。巽爲利,爲三倍,伏震爲田,故曰
田獲三倍。巽爲商旅。伏坤爲邑,爲安。巽爲長,故曰長安。他、
蛇古通。巽爲蛇。中孚初爻有他不燕,即以巽爲蛇。林本易也。

萃

魚擾水濁,寇圍吾邑。城危不安,驚恐狂惑。

　　坤巽皆爲魚,而坤爲水。坤黃,故曰水濁。風散,故曰魚擾。
坤爲吾,爲邑,巽爲寇,故曰寇圍吾邑。艮爲城,風隕,故曰城危。
坤爲憂懼,爲迷,故曰驚恐狂惑。

升

雖塞復通,履危不凶,保其明功。

　　坤爲閉塞。震爲通,爲履。互大坎爲危,故曰履危。坤爲凶,
震解,故不凶。○汲古多以道立宗四字。宋、元本無。塞,宋、元本
作窮。依汲古。

　　【補校】功,宋、元本作公。依汲古。

困

坤厚地德,庶物蕃息。平康正直,以綏大福。

　　巽爲庶物。伏震爲蕃鮮,故曰蕃息。伏坎爲平,爲正直。震爲
大福。

　　【補校】息,汲古作植。依宋、元本。

井

山水暴怒,壞梁折柱。稽難行旅[一],留連愁苦。

―――――――――――――――

〔一〕“旅”,稿本、刻本誤“旋”。據宋、元、汲古及所見其他各本改。

詳咸之豫。

革

使燕築室，身不庇宿。家無聊賴，瀸我衣服。

　　兌爲燕。伏艮爲室，爲築，爲身，爲庇。艮伏，故曰身無庇宿，
曰家無聊賴。坎爲宿，艮爲家也。伏震爲衣，坤水，故曰瀸我衣服。
瀸，濕也。○瀸，汲古作織。依宋、元本。

　　【補校】瀸，宋、元本作殲。翟本引牟庭云，當作瀸。兹從校。
燕，依宋本、汲古。元本作鷰。同燕。

鼎

矢石所射，襄公痾劇。吳子巢門，傷病不治。

　　通屯。坎爲矢，爲射，艮爲石。震爲公，爲輔佐，故曰襄公。
痾，病也。按〔一〕，宋襄公與楚戰，傷股而病。坤死，故曰痾劇〔二〕。
震爲子，爲言，故曰吳子。説文，吳，大言也。詩周頌，不吳不敖。
魯頌，不吳不揚。傳，吳，譁也。故震爲吳。坤爲門，艮爲巢，故曰
巢門。襄二十五年，諸樊伐楚，門于巢。巢牛臣射之，卒。坤死，故
曰傷病不治。○痾，公羊傳，大災者何？痾也。注，疾病也。元本
訛痾。依宋本、汲古。門于巢，杜注云，將攻巢門。

　　【補校】劇，汲古作據。依宋、元本。

震

**日月運行，一寒一暑。榮寵赫赫，不可得保。顛隕墜墮，更
爲士伍。**

　　詳中孚之晉。

〔一〕“按”，稿本作“言”。
〔二〕“痾”，稿本作“病”。

艮

宮門悲鳴,臣圍其君,不得東西。

　　艮爲宮門。互坎爲悲。震爲鳴,爲君。艮爲臣。上艮下艮,震君在中,故曰臣圍其君。震東坎西,坎陷艮止,故曰不得東西。

　　【補校】悲,宋、元本作愁。從汲古。

漸

戴盆望天,不見星辰。顧小失大,福逃牆外。

　　詳賁之蒙。

　　【補校】盆,元本作甕。依宋本、汲古。

歸妹

天之所明,禍不遇家。反目相逐,終得和美。

　　小畜以離爲反目,茲二至四互離,故亦曰反目。○震爲逐,坎爲和。目,宋、元本作自。美作鳴。均依汲古。

豐

天陰霖雨,塗行泥潦。商人休止,市無所有。

　　詳夬之大過。

旅

嘉門福喜,增累盛熾。日就有德,宜其家國。

　　艮爲門。伏震爲福喜,爲盛熾。離爲日,艮爲家國。○第四句,宋、元本作宜民宜國。茲依汲古。

　　【補校】嘉,汲古作善。德作得。均依宋、元本。得、德古通。

兌

南山之陽,華葉將將。嘉樂君子,爲國寵光。

詳革之大有。此皆用旁通象。

　　【補校】將將，依宋、元本。汲古作鏘鏘。義同。嘉，元本作喜。依宋本、汲古。

渙

畫龍頭頸，文章未成。甘言美語，詭辭無名。

　　詳蒙之噬嗑。〇詭，宋、元本作説。兹依汲古。

節

嬰兒孩子，未有知識。彼童而角，亂我政事。

　　詳損之大畜。以震爲孩子，可證明夷五爻非箕子也。

　　【補校】知，宋、元本作所。依汲古。政，元本作正。依宋本、汲古。

中孚

陰作大奸，欲君勿言。鴻鵠利口，發其禍端。荆季懷憂，張伯被患。

　　通小過。坎爲奸，互大坎，故曰大奸。震爲君，爲言，艮止，故曰勿言。震爲鴻鵠。兌爲口，互巽，故曰利口。震爲荆，爲張伯。艮季，坎爲憂患。〇其，宋、元本作患。依汲古。端，汲古作亂。依宋、元本。

　　【補校】奸，依宋本。元本、汲古作姦。同奸。

小過

德之流行，利之四鄉。雨師灑道，風伯逐殃。巡狩封禪，以告成功。

　　詳益之復。

　　【補校】灑，依汲古。宋、元本作洒。同灑。

既濟

禹將爲君,裝入崑崙。稍進陽光,登見温湯,功德昭明。

　　坎爲湯,下離,故曰温湯。離爲陽光,爲昭明。餘皆用半震半艮。

未濟

五岳四瀆,含潤爲德。行不失理,民賴恩福。

　　詳頤之明夷。

兑之第五十八

兑

班馬還師，以息勞疲。役夫嘉喜，入户見妻。

> 詳觀之既濟。○役，宋、元本作後。依汲古。
>
> 【補校】喜，汲古作言。依宋、元本。

乾

踐履危難，脱厄去患。入福喜門，見誨大君。

> 詳震之家人。○厄去，宋本作危去。汲古作去危[一]。依元本。
>
> 【補校】危難，汲古作厄難。依宋、元本。

坤

子鉏執麟，春秋作經。元聖將終，尼父悲心。

> ○經、元，宋、元本作元、陰。汲古作陰、元。茲依汲古訟之同人校。

屯

夾河爲婚，期至無船。摇心失望，不見所歡。

> 詳屯之小畜。○摇，汲古作淫。非。依宋、元本。
>
> 【補校】船，元本作舡。歡作懽。均依宋本、汲古。舡即船。懽同歡。

〔一〕“危”，稿本、刻本誤“厄”。據汲古本改。

蒙

天孫帝子,與日月處。光榮於世,福祿祉祉。

　　詳解之臨。○祉祉,宋本、汲古作繁祉。依元本。

需

三羊爭雌,相隨奔馳。終日不食,精氣勞疲。

　　○羊、雌,依乾之大畜校。宋本、汲古羊作年,元本作人。雌皆
作妻。

　　【補校】爭,宋本作人。依元本、汲古。疲,元本作罷。依宋
本、汲古。罷通疲。

訟

禹召諸侯,會稽南山。執玉萬國,天下康安。

　　○康安,宋、元本作康寧。汲古作安寧。皆不協。依損之
旅校。

　　【補校】侯,汲古作神。依宋、元本。

師

早霜晚雪,傷害禾麥[一]。損功棄力,飢無所食。

　　詳比之遯。○損,元本、汲古作捐。依宋本。

　　【補校】損,從宋本、汲古。元本作捐。義通。

比

嵩融持戟,杜伯荷弩。降觀下國,誅逐無道。夏商之季,失
福逃走。

―――――

〔一〕“害”,稿本、刻本作“我”。據宋、元、汲古及所見其他各本改。檢比之遯亦
作“害”,可互參考。

艮爲山,爲戟,艮手,故曰嵩融持戟。翟云升云,國語,祝融降于崇山。崇即嵩字。按下文曰誅逐無道,其事必與杜伯相類。翟説非也。墨子非攻下云,湯之時,有神來告曰,夏德大亂,往攻之,予必使汝大堪之。予既受命於天,天命融隆火于夏之城。疑融隆即嵩融。又國語云,夏之亡也,以回禄。回禄仍火神也。是墨子説與林辭誅除無道,夏商之季合。與國語亦合。惟墨子不言持戟,或焦氏別有所據。若其事,則無疑也。且嵩融與融隆皆音近字轉。又按楚辭云,吾令豐隆乘雲兮。王逸注,雲師。淮南子云,季春三月,豐隆乃出。許慎注,雷師。吳摯父先生云,墨子之融隆,即豐隆。依許注,則雷師也。墨子所謂火其城,以雷火燒其城也。然則融隆爲雷師,而非祝融,尤與國語合。以國語夏之興也,祝融降;其亡也,以回禄。明回禄非祝融也。艮爲弩,爲負何。杜伯似用覆震象。艮爲觀,爲國。坤殺,故曰誅。伏離爲夏,兑爲商,艮爲季。坤凶,故曰失福。國語,杜伯射王於鎬。注,宣王殺杜伯,而非其罪。後王獵,杜伯起於道左,以朱弓矢射王,中心而死。〇夏,汲古訛憂。依宋、元本。福,宋、元本作勢。逃作外。兹依汲古。

小畜

生有聖德,上配太極。皇靈建中,受我以福。

　　詳家人之需。

　　【補校】生,汲古作主。依宋、元本。

履

下田陸黍,萬華生齒。大雨霖集,波病潰腐。

　　通謙。坤爲下田,艮爲陸,震爲黍。兑爲華,爲齒,坤多,故曰萬華生齒。坤水,坎水,故曰大雨霖集。坎爲波,爲病,巽爲腐。

【補校】潰，汲古作漬。依宋、元本。

泰

子畏於匡，困厄陳蔡。明德不危，竟克免害[一]。

　　　詳大過之晉。

　　　【補校】克，從宋本、汲古。元本作剋。通克。

否

有兩赤鵒，從五隼噪。操矢無筈，趨釋爾射。扶伏聽命，不敢動搖。

　　　艮爲鵒，爲隼，乾爲大赤，故曰赤鵒。坤數二，故曰兩。巽卦數五，故曰五隼。艮爲矢，艮手爲操。筈，矢末受弦處也。按卦象，兑應爲筈。兑伏，故曰無筈。震爲射，震覆，故曰趨釋爾射。言矢既无筈，應釋矢不射，而扶伏聽命也。巽爲命。艮手在地，故曰扶伏。扶伏，匍匐也。説文，伏地也。詩大雅，誕實匍匐。傳，以手行也。前漢霍光傳，扶服叩頭。扶伏、扶服，義皆同也。艮止，故不動。動亦有去聲，與命爲韻。動搖，應作搖動。〇黄丕烈云，俯當從无妄之中孚，作扶。豈知前四句皆當依之，不止此一字也。鵒，各本皆作頭。隼噪作岳遊，或作岳來。三四句，汲古作謠言无祐[二]，趨爾之丘。宋、元本同，惟丘作林。若依汲古，搖與頭、遊、丘爲韻，亦協。惟義皆不適。且爾趨等字，皆仍舊。謠言无祐，无爲矢之譌，祐爲括之譌。以宋、元本筈作括也。故全林皆依无妄之中孚校。鵒與噪韻，筈與射韻，命與動韻。且卦象皆符合。

同人

當得自知，不逢凶災。衰者復興，終無禍來。

〔一〕“克”，稿本、刻本作“得”。據宋本、汲古及所見其他各本改。

〔二〕“祐”，稿本、刻本作“佑”。據宋、元、汲古諸本改。

離爲災,乾福,故不逢,故無禍。〇知,宋、元本作如。依汲古。無禍,汲古作得福。依宋、元本。

【補校】者,汲古作來。依宋、元本。

大有

朽根刖樹,華葉落去。卒逢火焱,隨風僵仆。

詳屯之坎。惟此用遇卦兌象,須知。

【補校】刖,汲古作枯。仆訛什。均依宋、元本。火,宋、元本作大。依汲古。僵,元本作偃。依宋本、汲古。

謙

葛生衍蔓,絺綌爲願。家道篤厚,父兄悦喜。

震爲葛,爲蕃鮮,故曰衍蔓。坤爲帛,爲絺綌,爲願。艮爲家,爲篤厚。震爲公,故曰父。爲兄,爲喜。詩周南葛覃篇,爲絺爲綌,服之無斁。

豫

東行求玉,反得弊石。名曰無直,字曰醜惡,衆所賤薄。

詳家人之否。

隨

瞻白用弦,駕屍恐怯。任力墮劣,如蝟見鵲。偃視恐伏,不敢拒格。

互大坎,故曰恐怯,故曰蝟。震爲鵲。巽伏,故曰偃。巽爲弦,爲白。然首句恐有訛字。〇用,宋、元本作因。按,兌爲月,兌月上弦。白或爲月之訛。

【補校】弦,從宋本、汲古。元本作絃。通弦。墮劣,汲古作隨身。恐伏作怒腸。均依宋、元本。

蠱

瘑痍多病,宋公危殆。吴子巢門,隕命失所。

　　艮爲節,故曰瘑痍。艮爲宋,震爲公。巽爲病,正反巽,故曰多病,曰危殆。宋襄公戰泓傷股。震爲吴,爲子。艮爲巢,爲門。巽爲命,爲隕落,故曰隕命。詳巽之鼎。○隕,各本皆作無。依小過之睽校。

臨

東山西岳,會合俱食。百喜送從,以成恩福。

　　伏艮爲山岳,震東兑西,故曰東山西岳。兑爲食。坤爲會,爲百。震爲喜福。○百喜,汲古作爲吴。送從作從送。依宋、元本。

觀

舞非其處,失節多悔,不合我意。

　　巽進退,故曰舞。舞在山上,故曰非其處。艮爲節,坤爲亡,故曰失節。坤爲悔,爲意。

噬嗑

南循汝水,伐樹斬枝。過時不遇,怒如周飢。

　　離爲南。互坎,故曰汝水。震爲樹,二至四互艮,艮爲刀劍,故曰斬枝。詩周南,遵彼汝墳,伐其條枚。未見君子,怒如調飢。艮爲時,坎隱伏,故不遇。怒,思也,憂也,坎象也。離虚,故曰飢。周,毛詩作調。傳云,朝也。丁晏云,周,釋文作輖。周即輖之省文。按,震爲周,爲旦。是焦詩與毛異文,猶韓詩怒作溺也。○第四句,怒,元本作俩。周作旦。依宋本、汲古。

　　【補校】伐,宋、元本作茂。依汲古。

賁

公孫駕驪,載遊東齊。延陵説産,遺季紵衣。

詳艮之未濟。〇季,宋、元本作我。依汲古。

剥

乘輿八百,以明文德。踐土葵丘,齊晉受福。

詳巽之大壯[一]。

復

雄處弱水,雌在海濱。別離將食,悲哀於心。

詳剥之同人。

【補校】濱,各本皆作邊。悲哀作哀悲。均依剥之同人及翟本校。

无妄

結網得鮮,受福安坐,終無患禍。

巽爲繩,故曰結網。巽爲魚,故曰得鮮。乾爲福,艮爲坐。

【補校】鮮,宋、元本作解。從汲古。患禍,汲古作禍患。依宋、元本。

大畜

秋南春北,隨時休息。處和履中,安無憂凶。

兌爲秋,震爲春,乾南坤北。艮爲時,艮止,故曰休息。兌悦,故曰和。震足,故曰履。坤爲憂凶,坤伏,故無。〇安無,汲古作無有。依宋、元本。

頤

啓户開門,巡狩釋冤。夏臺羑里,湯文悦喜。

坤爲門户。震爲啓,爲巡狩。坤爲憂,爲冤,震解,故曰釋冤。

〔一〕"詳巽之大壯",刻本誤作"詳剥之同人"。據稿本改。

艮爲臺,納丙,故曰夏臺。坤爲里。震爲帝,故曰湯文悦喜。○羑,
宋、元本作牖。

　　【補校】羑,元本作牖。依宋本、汲古。

大過

符左契右,相與合齒。乾坤利貞,乳生六子。長大成就,風
言如母。

　　　詳大畜之未濟。大過通頤。艮節震符,震爲左,兑爲右,故曰
　　　符左契右。兑爲齒,正反兑,故曰合齒。大過爲亥月卦,坤與乾相
　　　遇於亥,陰牝陽,故曰乾坤利貞。艮爲乳,震爲生,爲子。乾數六,
　　　故曰六子。巽爲風,震爲言。巽亦爲母,故曰如母。坤上六,龍戰
　　　于野,其血玄黄。即林所言之義。詳《焦氏易詁》。

　　【補校】齒,汲古作屬。風作夙。均依宋、元本。

坎

飢蠶作室,絲多亂緒,端不可得。

　　　詳豫之同人。

　　【補校】蠶,依汲古。宋、元本作蚕。同蠶。

離

東壁餘光,數暗不明。主母嫉妬,亂我事業。

　　　詳謙之屯。

　　【補校】餘,宋、元本作餙。事業作業事。均依汲古。

咸

白茅縮酒,靈巫拜禱。神嗜飲食,使君壽考。

　　　詳小畜之坎。○縮,元本作醩。汲古作醮。依宋本。

恒

范公陶朱,巧賈貨資。東之營丘,易字子皮。抱珠載金,多得利歸。

　　巽爲蟲,故曰范。震爲公。乾爲大赤,伏艮火,故曰陶朱。巽爲利,爲商賈,故曰巧賈貨資。震爲東。伏艮,故曰營丘。坤爲字,艮爲皮,震爲子。坤艮皆伏,故曰易字子皮。言陶朱公范蠡後適齊,改名曰鴟夷子皮,隱居貿易也。事見史記。震爲珠,艮爲金。艮手,故曰抱珠。震車,故曰載金。巽爲利,震爲歸。〇朱,宋、元本作夷。依汲古。營,汲古訛榮。依宋、元本。

遯

三羖五牂,相隨俱行。迷入空澤,循谷直北。經涉六駁,爲所傷賊。

　　詳同人之蒙。〇汲古,澤下多經涉虎廬,賊下多死於牙腹二句。依宋、元本。

　　【補校】牂,從元本。宋本、汲古作牪。同牂。直,宋、元本作宜。依汲古。

大壯

雄鵠延頸,欲飛入關。雨師灑道,灃我袍裘。車重難前〔一〕,侍者稽首。

　　震爲鵠,爲飛。伏艮爲關。兌爲雨,震爲道,故曰雨師灑道。乾爲衣,故曰袍裘。坤爲車,爲重。艮止,故難前。艮爲斯役,故曰侍者。艮爲首,艮止,故曰稽首。末二句皆伏象。〇首,宋、元本作

〔一〕"前",稿本、刻本作"遷"。據宋、元、汲古及所見其他各本改。注同此。

止〔一〕。依汲古。

　　【補校】灑,宋、元本作洒。車重作重車。均依汲古。洒同灑。瀸,汲古作纖。依宋、元本。

晉

中年蒙慶,今歲受福。必有所得,榮寵受禄。

　　互坎爲中,坤爲年歲。艮爲榮,伏乾爲福禄。○寵,依宋、元本。汲古無此句。局本寵作慶。

明夷

禄如周公,建國洛東,父子俱封。

　　詳革之明夷。

家人

安床厚褥,不得久宿。棄我嘉讌,困於東國。投杼之憂,不成災福。

　　詳家人之睽。○災福,汲古作禍災。不韻。依宋、元本。

　　【補校】床,依宋、元本。汲古作牀。同床。

睽

蓄積有餘,糞土不居。

　　○汲古多利有所得四字,依宋、元本。

蹇

心願所喜,乃今逢時。得我利福,不離兵革。

　　坎爲心願。艮爲時,爲兵革。

　　【補校】得我,汲古作我得。依宋、元本。

───────

〔一〕“止”,刻本訛“上”,據稿本改。

解

目不可合，憂來搔足。怵惕危懼，去其邦族。

詳萃之睽。

損

福德之士，懽悦日喜[一]。夷吾相桓，三歸爲臣，賞流子孫。

震爲福德，爲士[二]，爲歡悦。艮爲桓。桓，木表也。言管仲
相齊桓公也。艮爲臺，爲臣，故曰三歸爲臣。震爲歸，數三，三歸亦
震象。論語曰，管氏有三歸，官事不攝，焉得儉？朱注，三歸，臺名。
後儒不知朱注本説苑，頗訝與古注異。今易林以艮爲三歸，是亦以
三歸爲臺也。

益

夏姬附耳，心聽悦喜，利以博取。

巽爲夏，震爲姬，伏兑爲耳。坤爲心，震爲喜。巽爲利。〇末
句，汲古作利後博取。兹以字從宋、元本，博從汲古。

【補校】博，宋、元本作傅。

夬

叔迎伯兄，遇巷在陽。君子季姬，並坐鼓簧。

此用兑象。伏艮爲叔，伏震爲伯兄。艮震相對，故曰迎。艮爲
君子，兑爲季姬。重兑，故曰並坐。震爲鼓簧。〇伯兄，宋、元本、
汲古皆作兄弟。依咸之震校。巷，宋、元本作恭。仍不愜。恐有訛
字。詩秦風，既見君子，並坐鼓簧。

【補校】巷，依汲古。

[一]"士"，刻本訛"土"，據稿本改。
[二]"士"，刻本訛"上"，據稿本改。

姤

徙巢去家,南遇白烏。東西受福,與喜相得。

> 此仍用兌象。伏艮爲巢,爲家。伏震爲南。艮爲烏,互巽,故曰白烏。震爲東,爲喜福,兌爲西。○烏,元本作鳥。非。依宋本、汲古。烏與家爲韻。家音姑。

萃

舜登大禹,石夷之野。徵詣王庭,拜治水土。

> 詳乾之中孚。○王庭,宋、元本作玉闕。依汲古。

升

江河淮海,天之都市。商人受福,國家富有。

> 坤爲江河淮海,爲都。巽爲市,伏乾,故曰天之都市。震爲商人,爲福。坤爲國家,爲富有。

困

隱隱填填,火燒山根。不潤我鄰,獨不蒙恩。

> 詳賁之蹇。○填填,汲古作煩煩。不作下。依宋、元本。

井

闇昧不明,耳聾不聰。陷入深淵,滅頂憂凶。

> 詳巽之小畜。○頂,元本作傾。依宋本、汲古。
>
> 【補校】聰,元本作聽。憂凶作凶憂。均依宋本、汲古。

革

鳥鳴喈喈,天火將下[一]。燔我館舍,災及妃后。

〔一〕“將”,刻本誤“降”。據稿本改。

詳屯之晉。○嗜嗜,局本作譆譆,與中孚林同[一]。宋、元、汲古本皆作嗜嗜。嗜音稽,譆同嘻[二],疑嗜嗜與嘻嘻通用。焦即作嗜,不必定爲訛字也。

【補校】舍,元本作屋。依宋本、汲古。

鼎

十雞百雛,常與母俱。抱雞搏虎,誰肯爲侶。

詳旅之夬。○雞與第四句,皆依校。各本皆作雉,皆作誰敢難者。均非。

【補校】十雞,宋本、汲古作十雉。元本作十雌。又,第三句,汲古作抱虎搏雞。依宋、元本。

震

營城洛邑,周公所作。世建三十,年歷八百。福祐盤結,堅固不落。

詳井之升。○盤結,宋、元本作盟執。依汲古。

【補校】八,宋、元本作七。依汲古。

艮

三人俱行,別離將食。一身五心,反覆迷惑。

詳坤之賁。

【補校】反覆,從汲古。宋、元本作反復。義同。

漸

三虎搏狼,力不相當。如鷹格雉,一擊破亡。

[一] "嗜嗜"至"林同"十二字,稿本、刻本僅作"譆譆"二字,據上下文意增。蓋林辭原訂爲"譆譆",後改定"嗜嗜",然注未隨改,兹爲補足。
[二] "嘻",刻本誤"喜",據稿本改。

　　艮爲虎狼,納丙,故曰三虎搏狼。艮爲鷹,離爲雉。格,敵也。
史記張儀傳,驅羣羊,攻猛虎,不格明矣。注,格,敵也。坎爲破,艮
爲擊。○第三句,元本作如雉鷹格,則格宜訓爲鬬。國語,穀洛鬬。
韋昭曰,二水格。雉鷹格,即雉鷹鬬也。亦可從。擊,宋、元本作
發。依汲古。

　　【補校】第三句,依宋本、汲古。

歸妹

養虎畜狼,還自賊傷。無事招禍,自取災殃。

　　　詳井之蠱。○宋、元、汲古下二句皆作年歲息長,疾君拜禱,雖
危不凶。與上文意不屬,定爲由他林竄入,故依井之蠱校。

豐

後時失利,不得所欲。

旅

雉兔之東,以野爲場。見鷹驚走,死於谷口。

　　　離爲雉,伏震爲兔,爲東。艮爲野,爲場。兌爲見,艮爲鷹,伏
震,故曰見鷹驚走。兌毀,故曰死。兌爲口,艮爲谷。○野、場,宋、
元本作理、傷。依汲古。驚,汲古作奔。依宋、元本。

巽

秋蛇向穴,不失其節。夫人姜氏,自齊復入。

　　　詳臨之損。

　　【補校】向,汲古作見。依宋、元本。

渙

鳥鳴葭端,一呼三顚。搖動東西,危魂不安。

　　　詳復之井。

【補校】葭，宋、元本、汲古皆作巢。依復之井及翟本校。一，元本作壹。依宋本、汲古。壹、一同。魂，汲古作鬼。依宋、元本。

節

命夭不遂，死多鬼祟。妻子啼喑，早失其雄。

> 伏巽爲命。兌毀，故曰死。坎爲鬼。兌爲妻，震爲子。兌口爲啼，啼失聲曰喑。坎失，故曰啼喑。震爲雄。○鬼，汲古作爲。依宋、元本。

中孚

茆屋結席，崇我文德。三辰旂旗，家受其福。

> 巽爲茆，互艮，故曰茆屋。互震爲席，巽爲結。艮爲崇，爲我，震爲德，故曰崇我文德。震爲旗，爲辰。數三，故曰三辰。艮爲家，震爲福，故曰家受其福。○其，汲古作行。依宋、元本。

> 【補校】旂，汲古作斾。依宋、元本。其，宋、元本、汲古皆作行。依學津、局本、翟本。

小過

羅網四張，鳥無所翔。征伐困極，飢窮不食。

> 巽爲繩，故曰羅網。震爲張，卦數四，故曰四張。艮爲鳥，止於網下，故曰鳥無所翔。震爲征伐。互大坎爲勞，故曰困極。伏大離，離虛，故曰飢。兌爲食，艮止，故不食。○四，汲古作一。所亦作一。兹依宋、元本。

既濟

天成地安，積石爲山。潤洽萬里，人賴其歡。

> 乾坤爻皆當位，故曰天成地安。三半艮，故曰積石爲山。坎爲

潤洽。半震爲歡。○首句，宋、元本作天地城安[一]。兹依汲古。
汲古洽訛給。又按，此林似用兑象。

　　【補校】首句，元本作天地城安。歡作懽。均依宋本、汲古。
懽、歡同。洽，依宋、元本。

未濟

銅人鐵柱，暴露勞苦。終月卒歲，無有休止。

　　此用兑象。伏艮爲銅鐵，爲柱。伏坎爲勞苦。艮爲終，爲時，
故曰終月卒歲。艮爲休止，艮伏，故曰無。

　　【補校】月，宋、元本作日。依汲古。

〔一〕“地城”二字，刻本誤倒。據稿本校正。

渙之第五十九

渙

望幸不到，文章未就。王子逐兔，犬踦不得。

> 詳謙之既濟。○王，汲古作羊。非。依元本。
>
> 【補校】王，依宋、元本。

乾

猋風阻越，車馳揭揭。棄古追思，失其和節，憂心惙惙。

> 詳需之小過。○第三句，汲古作棄名追亡。元本作棄古退思。茲依宋本。又，揭揭，汲古訛竭竭。依宋、元本。
>
> 【補校】猋，宋、元本、汲古皆作焱。依局本。憂心，宋、元本作心憂。依汲古。

坤

蛇得澤草，不憂危殆。

> 此用渙象。巽爲蛇。震爲草，草在坎中，故曰澤草。坎爲危殆，震解，故不危。
>
> 【補校】蛇，從宋本、汲古。元本作虵。同蛇。

屯

兩犬爭鬭，股瘡無處。不成仇讐，行解郤去。

> 互艮爲犬，正反艮，故曰兩犬爭鬭。艮爲節，爲瘡，巽爲股，巽伏，故曰股瘡無處。坎爲仇，巽爲隙。震解，巽伏，故曰不仇，曰解隙。○郤同隙。宋、元本作邪。汲古作却。依局本。

蒙

因禍受福,喜盈其室,求事皆得。

　　坤爲禍,震爲福喜。艮爲室,坤多,故曰喜盈其室。

需

江有寶珠,海多大魚。亟行疾去,可以得財。

　　乾爲江河。爲玉,故曰寶珠。伏坤爲海,爲魚,爲疾,爲財。○
有,宋、元本作多。亟、疾作疾、亟。依汲古。

　　【補校】去,宋、元本作至。依汲古。

訟

三牛生狗,以戌爲母。荆夷上侵,姬伯出走。

　　詳坤之震。○三牛,宋、元本作二牛〔一〕。依汲古。

師

安息康居,異國穹廬。非吾習俗,使伯憂惑。

　　詳蒙之屯〔二〕。○末句,宋、元本作使我心憂〔三〕。兹依汲古。
惑與俗韻。憂則不協〔四〕。

比

行觸天罡,馬死車傷。身無聊賴,困窮乏糧。

〔一〕“二牛”,稿本、刻本誤“三年”,據宋、元本改。按,此林何本、學津、局本、翟
　　本等皆作“三年”。
〔二〕“屯”,刻本誤“比”,據稿本校改。
〔三〕“我”,稿本、刻本誤“伯”,據宋、元本改。
〔四〕“憂”,刻本下脱“則”字,據稿本補。

參同契,二月榆落,魁臨于卯,八月麥生,天罡據酉[一]。注,天罡即北斗。睽之漸曰,魁罡所當,初爲敗殃。是天罡所指之處亡也。艮爲星,故曰天罡。艮卦數七,北斗七星象尤切也。坤爲車馬,爲死傷,爲身,爲窮乏,震爲糧,震覆,故曰乏糧。○罡,汲古訛綱。局本又訛網。依宋、元本。

【補校】乏,宋、元本作乞。依汲古。

小畜

裸裎逐狐,爲人觀笑。牝雞司晨,主母亂門。

詳大有之咸。○母,元本作作。非。

【補校】母,宋、元本作作。依汲古。又,裸,元本作贏。司作雄。均依宋本、汲古。

履

爲季求婦,家在東海。水長無船,不見所歡。

詳屯之蹇。

【補校】船,從宋、元本。汲古作舡。同船。歡,依宋本、汲古。元本作懽。即歡。

泰

男女合室,二姓同食。婚姻孔云,宜我多孫。

乾男坤女。伏艮爲室,乾坤交,故曰合室。坤爲姓,兌爲食,兌卦數二,故曰二姓同食。震爲嫁,故曰婚姻。伏艮爲孫。○末句,元本作宜室我家。茲依宋本、汲古。

〔一〕“二月”至“據酉”十六字,稿本、刻本作:“二月榆,魁臨于卯,麥生,天罡據西。”其文頗有脫落,“西”宜作“酉”。茲據《漢魏叢書》本《周易參同契通真義》校補。

否

太微帝室,黃帝所直。藩屏周衛,不可得入。常安長在,終無禍患。

　　太微即紫微。史記天官書,中宮天極星,其一明者,太一常居也。注云,紫微,大帝室。太微帝室者,言紫微垣爲天帝之中宮也。天官書又云,填星,中央土。主季夏,日戊、己。黃帝,主德。茲曰黃帝所直,黃帝即軒轅星。言黃帝直中宮,中宮即中央。藩屏周衛者,天官書,太一旁,三星三公。後句四星,末大星正妃,餘三星後宮之屬。環之匡衛十二星,藩臣。皆曰紫宮。言各星藩衛太微,周環紫宮,故曰不可入也。否互艮爲星,而與乾連。乾爲帝,艮爲室,故曰帝室。坤爲黃,爲直,故曰黃帝所直。艮爲屏藩,爲衛。艮堅,故不得入。○長在,宋、元本作常存。茲依汲古。

　　【補校】太微,汲古作天門。依宋、元本。

同人

齎金觀市,欲買騮子。猾偷竊發,盜我黃寶。

　　乾爲金。互巽爲市,下離,故曰觀市。乾爲馬,伏震爲子,故曰騮子。巽爲盜,爲偷竊。離爲黃,乾爲金玉,故曰黃寶。

　　【補校】齎,依汲古。宋、元本作賷。同齎。買,汲古作置。依宋、元本。

大有

三人俱行,欲歸故鄉。望邑入門,拜見家親。

　　此用涣象。震爲人,數三,故曰三人。震爲行,爲歸。艮爲鄉邑,爲門,爲拜,爲家。爲觀,故曰望。○人,汲古作思[一]。依宋、

──────────

〔一〕“人”,刻本訛“入”,據稿本改。

元本。親，宋、元本作懂。依汲古。

謙

娶於姜呂，駕迎新婦。少齊在門，夫子悦喜。

詳否之涣。

【補校】呂，汲古作女。依宋、元本。悦，元本作懂。依宋本、
汲古。

豫

伯仲旅行，南求大羘。長孟病足，倩季負糧。柳下之寶，不
失我邦。

震爲伯，坎爲仲。爲衆，故曰旅行。旅，衆也。震爲南，艮爲
求。伏兑爲羊，故曰大羘。震爲長，爲孟，爲足。互坎，故曰病足。
家語，叔梁紇取施氏生九女[一]，其妾生孟皮，孟皮病足。長孟即
謂孟皮也。艮爲季，爲負。伏巽爲糧，故曰負糧。季，季路也。家
語，子路爲親負米百里之外。震爲柳，坤下，故曰柳下。艮爲邦。
事詳同人之豐。○長孟，汲古作孟長。依宋、元本。寶，各本皆作
貞。依同人之豐校。我邦，宋、元本作驪黄。獨汲古存其真，於事
實皆切。糧，各本皆作囊。獨汲古革之恒作糧，故依校。

【補校】羘，從元本。宋本、汲古作牂。同羘。病，汲古作痛。
依宋、元本。倩，元本作請。依宋本、汲古。

隨

潔身白齒，衰老復起。多孫衆子，宜利姑舅。

艮爲身，兑爲齒，巽白，故曰潔身白齒。艮爲壽，故曰衰老。下
卦艮覆爲震，故曰衰老復起。艮爲孫，震爲子。巽爲姑，震爲舅。

〔一〕“紇”下，刻本脱“取”字，據稿本補。

蠱

獨宿憎夜,嫫母畏晝。平王逐建,荆子憂懼。

巽爲寡,巽伏,故曰獨宿。互大坎爲夜,爲憎。巽爲母,兌魯,故曰嫫母。互大離,故曰畏晝。坎爲平,震爲王,爲逐,爲建。言楚平王逐太子建也。震爲子,爲草莽,故曰荆子。○憎,與下畏對文。汲古作深,雖與大坎象切,於文終不適,故依宋、元本。獨宿無耦,故憎夜長。嫫母貌醜,故畏晝見。

臨

追亡逐北,至山而得。稺叔相呼,反其室廬。

○依需之渙校。各本下三句,皆作呼還幼叔,至山而得,復歸其室。

觀

鳥飛無翼,兔走折足。雖欲會同,未見其功。

震爲翼,爲足,爲兔。震覆,故無翼,故折足。艮爲鳥。由此證明夷初爻之垂其翼,以六四震爲翼。諸家以離爲翼,皆非。○見其,宋、元本作得豎。兹依汲古。

噬嗑

抱空握虛,鴞驚我雛,利去不來。

詳離之家人。○去、來,汲古作出、成。依宋、元本。
【補校】第二句,宋、元本作鳴教我賈。依汲古。

賁

山作大池,陸地爲海。

艮爲山,爲陸地。坎爲池,爲海。○汲古多各得其所四字。宋、元本無。大,宋、元本作天。依汲古。

剥

爲虎所嚙，太山之陽[一]。衆多從者，莫敢救藏。

　　艮爲虎，伏兌爲嚙。艮爲山，納丙，故曰山陽。坤爲衆多。丁
云，事見檀弓。按檀弓記孔子過泰山，謂苛政猛於虎，於此亦不
甚合。

　　【補校】嚙，從宋本、汲古。元本作齧。同嚙。

復

逶迤四牡，思歸念母。王事靡盬，不得安處。

　　詳旅之漸。

无妄

獼猴所言，語無成全。誤我白馬，使乾口來。

　　艮爲獼猴，震言。乾馬，巽色白，故曰白馬。震爲口，艮火，故
曰乾口。

　　【補校】末句，汲古作使口不至。依宋、元本。

大畜

飛不遠去，卑斯内侍，禄養未富[二]。

　　詳豐之涣。○斯，汲古作厮。非。

頤

大尾細要，重不可摇。陰權制國，平子逐昭。

　　艮爲尾，震爲大，故曰大尾。坎爲腰，今中爻皆陰，故曰細腰。
莊子，細要者化。謂蜂也。坤爲重。震爲摇，艮止，故不可摇。坤

〔一〕“太”，稿本、刻本作“泰”。據宋、元、汲古諸本改。太山，即泰山。
〔二〕“未”，刻本訛“豐”，據稿本校改。

爲國,伏巽爲權,故曰陰權制國。坤爲平,震爲子,爲逐。震爲光明,故曰平子逐昭。○要,汲古作腰。非。依宋、元本。西漢時,腰多作要,故知要爲本字。腰是後人所改。

【補校】要,宋本、汲古作要。依元本。

大過

旦生夕死,名曰嬰鬼,不可得祀。

詳小畜之升。○祀,宋、元本訛視。依汲古。

【補校】鬼,汲古作兒。從宋、元本。

坎

子畏於匡,困於陳蔡。明德不危,竟免厄害。

坎爲畏。艮邑,故曰匡。坎爲困。震爲陳,爲蔡,爲德。艮爲光明,故曰明德。坎爲困厄,震解,故曰免[一]。○厄,元本作危。非。依汲古。

【補校】厄,依宋本、汲古。困於,元本作困在。從宋本、汲古。

離

畏昏潛處,候時昭朗。卒逢白日,爲世榮主。

詳前。○昭朗,元本作朗昭。依汲古。

【補校】昭朗,宋本作朗昭。元本作昭昭。按,此依汲古作昭朗,似未協。疑當從大有之中孚校作煦煦,煦、主韻協。

咸

白鳥銜餌,鳴呼其子。旋枝張翅,來從其母。

詳晉之震。○旋枝,宋、元本作施翼。依汲古。

〔一〕"免",刻本訛"危",據稿本改。

【補校】鳥,宋、元本作烏。依汲古。

恒

宮商角徵,五音和起。君臣父子,弟順有序。唐虞襲德[一],
國無災咎。

伏坤,故曰宮。兌秋,故曰商。巽居巳,故屬夏。樂書,徵配
夏。月令,孟春之月,其音角。故震爲角。宮商角徵,皆卦象也。
震爲音,巽卦數五,故曰五音。震爲君,伏艮爲臣,乾父震子,故曰
君臣父子。巽順,故曰悌。震爲帝,故曰唐虞。伏坤爲國。

【補校】序,元本作敍。依宋本、汲古。敍、序義同。

遯

季姬踟躕,望孟城隅。終日至暮,不見齊侯。

詳同人之隨。

大壯

鬼哭於社,悲商無後。甲子昧爽,殷人絕祀。

詳大過之坤。

【補校】商,宋、元、汲古各本皆作傷。依大過之坤校。

晉

天之所予,福禄常在,不憂危殆。

詳小畜之遯。○之,宋、元本作子。依汲古。

明夷

比目四翼,相恃爲福。姜氏季女,與君合德。

離爲目,坤偶,故曰比目。震爲翼,卦數四,故曰四翼爲福。伏

〔一〕"襲",刻本訛"龍",據稿本改。

巽爲姜。坎爲合,震爲君,爲德。左傳桓九年,紀季姜歸於京師,爲桓王后。

【補校】四,各本皆作附。依節之隨校。恃,汲古作待。依宋、元本。

家人

翕翕輖輖,稍崩墜顚。滅其令名,長没不全。

詳泰之謙。○元本無第四句〔一〕。

【補校】輖輖,汲古作輖輖。依宋、元本。墜,元本作墮。依宋本、汲古。宋、元本無第四句,從汲古。

睽

折若蔽目,不見稚叔。三足孤烏,遠去家室。

詳師之蒙。○若,汲古作葉。稚作雉。孤烏作飛鳥。均依宋、元本。此用渙象。

【補校】烏,元本、汲古作鳥。依宋本。

蹇

羊腸九縈,相推稍前。止須王孫,乃能上天。

詳履之師。

解

坤厚地德,庶物蕃息。平康正直,以綏大福。

詳泰之解。

損

有莘外野,不逢堯主。復歸窮處,心勞志苦。

〔一〕“元本無第四句”六字,刻本脱落。據稿本校補。

震爲莘。莘,草名也。坤爲野。震爲主,爲帝,故曰堯主。震爲歸。坤爲心志,爲勞苦。鯀取有莘氏女,本在野之人,後堯用以治水。倘鯀不逢堯,則窮老於有莘之野耳。○歸,宋、元本作居。依汲古。

【補校】莘,元本作莘。依宋本、汲古。

益

畕長景行,來觀柘桑。土伯有喜,都叔允臧[一]。

畕,爲邑之譌字。禮檀弓,以吾爲邑長於斯也。震爲長,爲行,爲柘桑。艮爲觀,故曰來觀柘桑。言邑長出巡也。震爲伯,互坤,故曰土伯。土伯,即周禮地官之土訓。土訓,掌辨地物而原其生。震樂,故曰有喜。坤爲都,艮爲叔,故曰都叔。都叔,蓋都士、都則之屬。○畕音緝,篆書作𢎘。而邑,篆作𢎘。形近,故邑譌爲畕[二]。宋、元本作胸,依汲古。土,宋、元本作上[三]。汲古作止。依周本[四]。

【補校】柘桑,宋、元本作桑柘。臧作藏。均依汲古。有,宋、元本作日。汲古作自。此作有,義頗通,然未審所本。疑依宋、元作日亦善。惟馬生新欽云,有字,或依同人之明夷王者有喜校。似亦可存一説。

夬

周師伐紂,戰於牧野。甲子平旦,天下大喜。

〔一〕"臧",刻本作"藏",據稿本改。
〔二〕"畕音"至"爲畕"十九字,稿本作:"畕音緝。説文,聶語也。玉篇,口舌聲。廣韻,譖言也。益初至五正反震言相對,正畕象。詩,緝緝幡幡。説文引作畕畕。然無此官名。"兹依刻本。
〔三〕"土",刻本譌"士"。據稿本改。
〔四〕"周",刻本譌"局",據稿本改。

詳謙之噬嗑。○戰，宋、元本作勝。依汲古。大，依宋、元本。
汲古作喜悅。

姤

踰江求橘，并得大栗。烹羊食豕，飲酒歌笑。

乾爲木果，故曰橘，曰栗。乾爲河，爲江。爲大，故曰大栗。伏
震爲羊，巽爲豕。震爲歌笑。○豕，宋、元本作炙。依汲古。酒，汲
古作食。依宋、元本。

萃

敝笱在梁，魴逸不禁。漁父勞苦，焦喉乾口，虛空無有。

○第四句，宋、元本作筐筥乾口。汲古作口燋喉乾〔一〕。茲依
遯之大過校。

【補校】敝，元本作弊。漁作魚。均依宋本、汲古。虛空，宋、
元本作空虛。依汲古。第四句，宋本作筐筥乾口。元本筥作莒。

升

生有陰孽，制家非陽，遂送還牀〔二〕。張氏易公，憂禍重凶。

○送，汲古作受。牀作作。公作休。均依宋、元本。禍，元本
作福。依宋本、汲古。然仍有譌字，故義皆不能通。

困

絕域異路，多有畏惡。使我驚懼，思吾故處。

詳漸之无妄。○思吾，依校。各本皆作思我。

【補校】畏，各本皆作怪。依漸之无妄校。

〔一〕“燋”，稿本、刻本作“焦”，據汲古本改。
〔二〕“遂”，刻本譌“逐”，據稿本改。

井

迷行失道,不得牛馬。百賈逃亡,市空無有。

坎爲失,爲隱伏,故曰迷行失道。伏震爲行,爲道也。艮爲牛,震爲馬,艮震伏,故不得。巽爲市賈。離虛,故曰空。○牛馬,汲古作馬牛。依宋、元本。

【補校】百,汲古作伯。空作没。均依宋、元本。

革

雌鷟生雛,神異興起。乘雲龍騰,民戴爲父。

通蒙。艮爲鷟。震爲生,爲雛,爲神,爲起。坤爲雲。震爲龍,爲乘,爲騰,爲父。坤爲民,艮爲戴。○鷟,宋本、汲古皆作鷟。兹依元本。乘,宋、元本訛束。依汲古。

【補校】雛,汲古作雕。依宋、元本。神,宋、元本作祥。依汲古。

鼎

疊疊纍纍,如岐之室。畜一息十,古公治邑。

詳恒之小過。○疊,宋、元本作疉。治作始。均依汲古。

【補校】岐,元本作歧。依宋本、汲古。

震

瘡瘍疥瘙,孝婦不省。君多疣贅,四牧作去。

互艮多節,故曰瘡瘍疥瘙。瘙,亦瘡也。巽爲婦,巽順,故曰孝婦。巽伏,故曰不省。艮爲疣贅,震君,故曰君多疣贅。震爲馬,卦數四,故曰四牧。震往,故曰去。○瘙,宋、元本作搔。非。依汲古。牧、去,汲古作時、災。不協。依宋、元本。

【補校】牧,宋、元諸本皆作牡。義不協,似爲牧之形訛字。然未獲所本。馬生新欽疑依尚書堯典四岳而改。姑可備存一說。

艮

羊頭兔足，羸瘦少肉。漏囊敗粟，利無所得。

　　　　詳剝之恒。

漸

孼薆徙靡，空無誰是。言季不明，樂減少解。

　　　　○字既多訛，義都未解。孼、徙，宋、元本作薛、從[一]。不作
子。亦未知孰是。

　　　　【補校】孼、徙、不，皆依汲古。薆，宋、元本作篗。依汲古。篗
通薆。

歸妹

妹爲貌慹，敗君正色。作事不成，自爲心賊。

　　　　震爲嫁，兌爲妹，伏艮爲須。以女而有須，故曰貌慹。莊子田
子方，老聃新沐，被髮而乾，慹然似非人。慹，音慴，言可怖也。坎
爲畏懼，故曰慹。震爲君。兌毀，故曰敗，曰不成。艮爲成，艮伏，
故不成。坎爲心，爲賊。○慹，宋、元本、汲古均作熟。局本作熱。
蓋由慹訛爲熱，又由熱訛熟。茲依周本[二]。又，爲貌，汲古作貌
親。是又因熟字而妄改。局本熱字，即是慹字而微異耳。

　　　　【補校】貌，從宋本、汲古。元本作兒。即貌。

豐

四馬共轅，東上太山。駢驪同力，無有重難，與君笑言。

　　　　詳剝之解。

〔一〕“徙”，刻本訛“徙”，“薛”誤“孼”。均據稿本改。
〔二〕“周”，刻本訛“局”。據稿本改。

【補校】太，汲古作泰。難作艱。均依宋、元本。太山即泰山。

旅

陰變爲陽，女化作男。治道得通，君臣相承。

　　詳屯之離[一]。渙之旅中四爻，艮爲兌，震爲巽。震爲巽，亦巽爲震，故曰女化男。左傳，震之離亦離之震，是其例也[二]。君臣相承者，言陽爲君，陰爲臣。卦形上一陰承一陽，下二陰承二陽也。○作，汲古作爲。依宋、元本。

　　【補校】承，汲古作衛。依宋、元本。

巽

南國少子，材略美好。求我長女，賤薄不與。反得醜惡，後乃大悔。

　　詳比之漸。

　　【補校】材，汲古作才。依宋、元本。才、材通。

兌

昭公失常，季氏悖狂。遜齊處野，喪其寵光。

　　詳遜之蠱。

　　【補校】氏，宋本作女。依元本、汲古。

節

文山紫芝，雍梁朱草。生長和氣，王以爲寶。公尸侑食，福禄來處。

─────────────

〔一〕"屯"，刻本訛"比"，據稿本改。
〔二〕此節注文中，稿本又夾書數行小字："以左傳震之離亦離之震例之，則渙之旅亦旅之渙。旅之渙，則中爻兌變艮，巽變震，故曰陰變爲陽，女化男。"茲録存參考。

詳同人之剝。

【補校】文，宋、元本作天。生長作長生。侑作宥。均依汲古。宥通侑。

中孚

牽羊不前，與心戾旋。聞言不信，誤紿丈人。

兌羊，艮手，故曰牽羊。艮止，故曰不前。兌爲耳，中爻正反震，故曰聞言不信，曰誤紿丈人。震爲丈人。

【補校】丈，宋、元本作大。依汲古。

小過

東山西山，各自止安。心雖相望，竟未同堂。

詳姤之坤。艮爲望，爲堂。正反艮，故曰相望，曰未同堂。

【補校】未，汲古作不。依宋、元本。

既濟

鹿求其子，虎廬之里。唐伯李耳，貪不我許。

詳隨之否。

【補校】李，宋、元本作季。依汲古。

未濟

三虎上山，更相喧喚。心志不親，如仇與怨。

詳姤之小過。首二句，用半象。

【補校】喧喚，汲古作跑哮。依宋、元本。心志，宋、元本作志心。從汲古。怨，元本作怒。依宋本、汲古。

節之第六十

節

海爲水王,聰聖且明。百流歸德,無有叛逆,常饒優足。

> 詳蒙之乾。○汲古下多不利攻玉,所求弗得二句。注云,疑衍。今從宋、元本。

乾

虎豹怒咆,愼戒外憂。上下俱搔,士民無聊。

> 此用節象。艮爲虎豹,震怒。坎爲憂。艮爲上。震爲下,爲士。坎爲民。
>
> 【補校】豹,宋、元本作呴。依汲古。按,呴,音義同吼。

坤

探巢得雛[一],鳩鵲俱來,使我心憂。

> 此仍用節象。艮爲巢,艮手,故曰探巢。震爲鵲,爲雛。坎爲心憂。
>
> 【補校】鳩,宋、元本作仇。依汲古。

屯

日望一食,常恐不足,禄命寡薄。

> 艮爲日,爲望,震爲食。坤虛,故不足。乾爲禄,巽爲命,坤爲寡,坎爲薄。乾巽伏,故曰禄命寡薄。

〔一〕"巢",刻本訛"穴"。據稿本改。

蒙

良馬疾走,千里一宿。逃難它鄉,誰能追復。

　　震爲馬,爲走。下坎,故曰疾走。坤爲千里,爲宿。坎數一,故
曰一宿。坎爲難。坤爲鄉,爲蛇,故曰它鄉。它、蛇同字。蛇鄉有
毒〔一〕,故不能追復。震爲追,爲歸,故曰追復。〇逃難,汲古作離
逃。兹依宋、元本。

　　【補校】它,元本、汲古作他。依宋本。

需

鵲巢鳩成,上下不親。外內乖畔,子走失願。

　　互離爲巢,爲鳩。詩,維鵲有巢,維鳩居之。鵲巢鳩成者,言鵲
營巢成,爲鳩居也。坎水性下,乾陽上升,故曰不親。〇鳩成,宋、
元本作烏城〔二〕。汲古作鳩城。兹從局本。外內,汲古作內外。
依宋、元本。失願,宋、元本作矢頑。依汲古。

　　【補校】外內,宋本、汲古作內外。依元本。

訟

雲龍集會,征討西戎。招邊定衆,誰敢當鋒。

　　坎雲,乾龍。坎爲積,故曰集會。伏震爲征討。坤爲戎,坎爲
西,故曰西戎。坤爲邊,爲衆。坤安,故曰定。坎爲矢,故曰鋒。

師

春多膏澤,夏潤優渥。稼穡成熟,畝獲百斛。

　　詳臨之明夷。

〔一〕“蛇”,刻本作“它”,據稿本改。
〔二〕“烏”,稿本、刻本誤“鳥”,據宋、元本改。

比

僮妾獨宿,長女未室,利無所得。

　　詳豫之益。

　　【補校】僮,宋、元本作童。依汲古。

小畜

四野不安,東西爲患,退身止足。無出邦域,乃得全完,賴其
生福。

　　詳大有之睽。○野,宋、元本作亂。第三句,宋、元本作退止我
　　足。茲依汲古。

履

長寧履福,安我百國。嘉賓上堂,與季同牀。

　　通謙。震爲履,爲福。坤爲安,爲百國,故曰安我百國。震爲
　　賓。艮爲堂,爲季,爲牀。○履福,宋、元本作理福。依汲古。

　　【補校】履福,元本作理福。依宋本、汲古。國,汲古作穀。依
　　宋、元本。

泰

騏驥綠耳,章明造父。伯夙奏獻,衰續厥緒。佐文成霸,爲
晉元輔。

　　詳革之夬。○騏綠,宋、元本作騏騄。伯夙奏獻,宋、元本作伯
　　夙成季。汲古作夙伯奏獻。宋、元無第四句。第五句作共成霸功。
　　茲依汲古。奏,進也,言進仕獻公也〔一〕。祇伯夙依宋、元。奏獻

〔一〕 "茲依"至"公也"十三字,稿本已標刪節號。似付刻時又恢復刻入。茲依
　　刻本。

以下依汲古〔一〕。

【補校】綠，元本作騄。依宋本、汲古。伯夙，局本作夙伯。依宋、元本、汲古。

否

張陳嘉謀〔二〕，贊成漢都。主歡民喜，其樂休休。

伏震爲張，爲陳，爲嘉。坤爲謀。爲都，爲水，故曰漢都。坤爲民。震爲主，爲歡樂。言張良、陳平主張都關中也。○歡，元本訛權。從汲古〔三〕。

【補校】歡，依宋本、汲古。

同人

大面長頭，來解君憂。

乾爲頭，互巽，故曰長頭。○汲古下多遺吾福善，與我嘉惠二句。依宋、元本。

【補校】頭，宋、元本作頸。來作未。均依汲古。

大有

畏昏不行，待旦昭明。燎獵受福，老賴其慶。

詳夬之損。

謙

伯去我東，首髮如蓬。長夜不寐，輾轉空牀。內懷惆悵，憂摧肝腸。

詳姤之遯。○宋、元本無下二句。第四句作憂繫心胸。茲依

〔一〕“奏獻以下依汲古”七字，刻本無。據稿本補。
〔二〕“謀”，稿本、刻本作“譟”。疑形訛。據宋、元、汲古及所見其他各本改。
〔三〕“歡”至“汲古”八字，刻本無。據稿本補。

汲古。

【補校】第四、五句,宋、元本無。末句,宋、元本作憂繫心胸。

豫

朽條腐索,不堪施用。安静候時,以待親知。

伏巽爲索,爲腐,故曰朽條腐索。艮爲時,坤爲安。艮止,故曰候時。

隨

比目四翼,相倚爲福。姜氏季女,與君合德。

詳渙之明夷。○女,宋、元本作氏。非。依汲古。

蠱

履階升墀,高登崔嵬。福禄洋溢,依天之威。

艮爲階墀。震爲履,爲登。巽爲高。震爲福禄。艮爲天。

【補校】升,從宋本、汲古。元本作昇。同升。高登,元本、汲古作登高。依宋本。

臨

奢淫呇嗇,神所不福。靈祇憑怒,鬼瞰其室。

坤多,故曰奢。坤閉,故曰呇嗇。震爲神,爲福,爲靈祇,爲怒。坤爲鬼,伏艮爲室,爲觀,故曰鬼瞰其室。○呇,宋、元本作愛。瞰作障。靈祇,元本作祇靈。均依汲古。

【補校】靈祇,依宋本、汲古。

觀

大步上車,南到喜家。送我狐裘,與福載來。

伏震爲步,坤爲車。震爲南,爲喜。坤爲家,爲狐。○上,宋、元本作小。狐作豹。兹依汲古。

噬嗑

南行西步,失次後舍。乾侯野井,昭公失居。與彼作期,不覺至夜。

震爲東,坎爲西。震爲後,艮爲舍,坎失,故曰失次後舍。震爲諸侯,上離,故曰乾侯。坎爲井,艮爲野,故曰野井。震爲公,上離,故曰昭公。坎爲夜。言昭公爲季氏所逐,次於乾侯野井也。○舍,汲古訛合〔一〕。依宋、元本。彼,元本作陂。覺作真。依宋本、汲古。三四與五六兩句,宋、元本倒置。不協。依汲古。

賁

喜樂踴躍,來迎名家。鵲巢百兩,以成嘉福。

震爲踴躍,爲樂。艮爲名,爲家,故曰名家。震爲鵲,艮爲巢。震爲車,故曰百兩。詩周南,維鵲有巢,維鳩居之。之子于歸,百兩御之。艮爲成,震爲嘉福。○踴,宋、元本作抃。名家,汲古作歡客。依宋、元本。宋、元本第四句作獲利養福。均依汲古。惟汲古下多多獲利益四字,茲從宋、元本刪。名家與大家同,與福亦協。

剥

非理所求,誰敢相與。往來不獲,徒勞道路。

艮爲求,坤爲理。艮止,故不與。艮爲道路。離虛,故不獲而徒勞也。坤役萬物,故亦曰勞。○所求,宋、元本作後來。依汲古。

【補校】來,宋、元本作而。依汲古。

復

北虜匈奴,數侵邊境。左衽爲長,國猶未慶。

〔一〕"合",稿本誤"舍",刻本訛"含"。據汲古本改。

坤爲北,爲夷,故曰匈奴。坤爲境。震爲侵,爲左,爲衽,爲長。坤爲國。末句疑有訛字。

【補校】宋、元本無三、四句。依汲古。

无妄

征不以理^{〔一〕},伐乃無名。縱獲臣子,伯功不成。

震爲征伐,爲子,爲伯。艮爲臣,爲拘繫,故曰獲。○汲古作續事康域,鍼折不成。嬰兒短舌,説辭無名。兹依宋、元本。

【補校】理,宋、元本作禮。依學津、局本。伐,宋本作辭。依元本。名,元本作咎。縱作從。伯作霸。均依宋本。按,從、縱,伯、霸,皆通用。

大畜

景星照堂,麟遊鳳翔。仁施大行,頌聲作興。

詳豫之節。

【補校】照,汲古作明。依宋、元本。頌,依宋本、汲古。元本作訟。義通。

頤

文明之世,銷鋒鑄耜。以道順民,百王不易。

坤爲世,爲文,艮爲明,故曰文明之世。艮爲鋒,爲耜,艮火,故曰銷鋒鑄耜。坤爲民,爲順,震爲大塗,故曰以道順民。震爲王,坤爲百。艮止,故不易。○耜,宋、元本作鏑。依汲古。民,汲古作昌。依宋、元本。

【補校】耜,元本作鏑。依宋本、汲古。

〔一〕"征",刻本訛"狂"。據稿本改。

大過

鳥飛無羽，雞鬭折距。徒自長嗟，誰肯爲侶。

　　震爲鳥，爲飛。巽寡髮，故曰無羽。巽爲雞，震爲距。震伏不見，故曰折距。巽爲長，兌口爲嘆。巽寡，故無侶。

坎

羣隊虎狼，嚙彼牛羊。道路不通，妨農害商。

　　互艮爲虎狼，正反艮，故曰羣隊。伏兌爲嚙，離爲牛，兌爲羊。震爲道路，坎塞，故不通。震爲商旅，坎爲害。

　　【補校】嚙，宋、元本作齧。依汲古。齧、嚙同。農，汲古作人。依宋、元本。

離

商伯沉酒，庶兄奔走。淫女蕩夫，仁德並孤。

　　伏震爲商，爲伯，坎爲酒，故曰商伯沉酒。震爲兄，坎爲眾，故曰庶兄。庶，眾也。震爲奔走。言商紂沉湎於酒，庶兄微子抱祭器奔周也。兌爲媚，正反兌，故曰淫女。謂妲己也。伏坎爲夫，坎水，故曰蕩夫。謂紂也。震爲仁德，坎爲孤。

　　【補校】酒，宋本、汲古作醉。從元本。走，汲古作遠。淫作遊。均依宋、元本。夫，元本訛失。依宋本、汲古。

咸

三狸搏鼠，遮遏前後。當此之時，不能脫走。

　　通損。震爲狸，數三，故曰三狸。艮爲鼠，故曰三狸搏鼠。艮爲前，震爲後。二至上正反艮，艮止，故曰遮遏前後，不能脫走。

　　【補校】遮，汲古作路。從宋、元本。能，元本作得。依宋本、汲古。

恒

陶叔孔圍，不處亂國。初雖未萌，後受福慶〔一〕。

陶叔，謂陶朱公去越適齊，以避勾踐。孔圍，未詳。按，史記孔子世家，孔防叔畏華氏之亂，奔魯。疑圍或防叔之名。恒通益。艮爲叔，艮火，故曰陶叔。震爲孔，艮止，故曰孔圍。坤爲國，爲亂。震爲福慶，爲後。萌，疑爲明字。

遯

奮翅鼓翼，翶翔外國。逍遥北域，不入溫室。

伏震爲翼。坤爲國，爲北。本卦艮爲室，艮火，故曰溫室。

【補校】翅，依宋本。元本、汲古作趐。同翅。

大壯

德音孔博，升在王室。八極蒙祐，受其福禄。

震爲德，爲音，爲孔，爲升，爲王。伏艮爲室。伏坤數八，故曰八極蒙祐。乾爲福禄。

晉

當變立權，摘解患難。渙然冰釋，大國以安。

詳升之震。○渙，宋、元本作霍。依汲古。

【補校】摘，從元本。宋本、汲古作擿。同摘。

明夷

羽動角，甘雨續。草木茂，年歲熟。

坎爲冬，故曰羽。月令，冬月，其音羽。震爲春，故曰角。月令，春月，其音角。羽動角者，言羽音發動以後，角音繼之，至春而

〔一〕"福慶"二字，稿本、刻本倒。據宋、元、汲古及所見其他各本校改。

有甘雨也。坎爲雨。震爲草木。坤爲年歲。三字句。

家人

天所祐助，福來禍去，君王何憂。

　　此用節象。艮爲天。震爲福，在内，故曰福來。坎爲禍，在外，
故曰禍去。震爲君王，坎爲憂。禍去，故不憂。

　　【補校】祐，宋本、汲古作佑。依元本。佑、祐同。

睽

方喙宣口，聖智仁厚。釋解倒懸，唐國大安。

　　詳小畜之噬嗑。

　　【補校】喙，宋、元本作啄。從汲古。宣，汲古作廣。依宋、元
本。

蹇

葛藟蒙棘，華不得實。讒佞亂政，使恩壅塞。

　　詳師之中孚。○華，元本作棘。從宋本、汲古。

解

皇母多恩，字養孝孫。脫於襁褓，成就爲君。

　　○褓，元本作抱。依宋本、汲古。

損

積冰不温，北陸苦寒。露宿多風，君子傷心。

　　詳睽之巽。○首句，汲古作積水下淫〔一〕。依宋、元本〔二〕。

〔一〕"水"，刻本訛"冰"。據稿本改。
〔二〕"宋"下，刻本脫"元"字。據稿本補。

益

伯夷叔齊，貞廉之師。以德防患，憂禍不存。

　　　詳革之否。○禍，元本作福。存作凶。茲依宋本、汲古。

夬

一雌三雄，子不知公。亂我族類，使吾心憒。

　　　此用節象。下兌爲一雌，上坎、互艮、震爲三雄。震爲子，爲
　　公。坎隱，故不知。坎爲心。○知，汲古作得。依宋、元本。憒，
　　宋、元本作憤。依汲古。

　　　【補校】三雄，各本皆作二雄。此蓋疑二爲三之訛字。惟未審
　　所據馬生新欽謂或依九宮數震三校；然又謂履之未濟有一雌兩雄
　　句，則似可證二雄是。茲姑存疑可也。

姤

主安多福，天禄所伏。居之寵昌，君子有光。

　　　詳剝之觀。

萃

千歲槐根，身多斧瘢。樹維枯屈，枝葉不出。

　　　詳家人之乾。

　　　【補校】身，宋、元本作利。依汲古。瘢，元本作盤。依宋本、
　　汲古。

升

周師伐紂，勝殷牧野。甲子平旦，天下大喜。

　　　詳謙之噬嗑。

困

日走月步，趨不同舍。夫妻反目，主君失居[一]。

　　詳小畜之同人。

　　【補校】趨，從汲古。宋、元本作趍。即趨之俗字。

井

宣髮龍叔，爲王主國。安土成稷，天下蒙福。

　　巽爲髮，爲白，故曰宣髮。宣，明也。說卦，巽爲寡髮。釋文云，本又作宣。黑白雜爲宣髮。易林遇巽多謂秃，是讀爲寡。茲曰宣，是兼讀也。伏震爲龍，艮爲叔，故曰龍叔。震爲王，爲主。艮爲國，爲土，爲稷。言築土立稷以祭也。左傳昭二十九年，共工氏有子曰勾龍，爲后土，后土爲社。又曰，有烈山氏之子曰柱，爲稷。自夏以上祀之。周棄亦爲稷，自商以來祀之。龍叔即勾龍。言勾龍爲社稷神，築土爲壇祀之，而天下蒙福也。艮爲天，震爲福。○首句，汲古作宣勞就力。依宋、元本。

　　【補校】福，元本作恩。依宋本、汲古。

革

諷德誦功，美周盛隆。奭旦輔成，光濟沖人。

　　詳明夷之蒙。

　　【補校】美周，宋、元本作周美。從汲古。奭，宋本作惠。依元本、汲古。

鼎

三夜不寢，憂來益甚。戒以危懼，棄其安居。

————————————

[一]“居”，稿本、刻本作“禮”。據宋、元、汲古及所見其他各本改。檢小畜之同人，正作“居”，可資參考。

通屯。坤爲夜，震數三，故曰三夜。坤爲寢，震動，故不寢。坎爲憂懼，爲險，故曰棄其安居。○寢，元本作寐。其作去。茲依宋本、汲古。

【補校】棄，宋、元本作弃。茲依汲古。弃、棄同。

震

思願所之，乃今逢時。洗濯故憂，拜其懽來。

詳睽之艮。○濯，元本作宅。依宋本。拜，汲古作并。依宋、元本。

【補校】思，宋本作恩。從元本、汲古。濯，元本作澤。依宋本、汲古。

艮

噂噂囁囁，夜作晝匿。謀議我資，來竊吾室。空盡己財，幾無以食。

三至上正反震，故曰噂噂囁囁。噂、囁，對語也。坎爲夜，與震連，故曰夜作。對象離爲晝，與巽連，故曰晝匿。巽爲伏也。坎爲謀議，爲竊，爲室。○作，汲古作行。竊作攻。均依宋、元本。宋、元本無下二句。依汲古。

【補校】囁囁，汲古作懾懾。依宋、元本。匿，各本作伏。以作所。均依蒙之益校。

漸

騂牛無子，鳴於大野。申復陰徵，還歸其母，說以除悔。

離爲牛，坎赤，故曰騂牛。震伏，故曰無子。左傳，介葛盧來朝，聞牛鳴，曰，是生三犧，皆用之矣。艮爲大野，震巽同聲，故曰鳴於大野。三四句，或謂申者申后，先爲幽王所廢，後平王立后，復還。然第三句終難解，疑有訛字。又比之蹇有申生見母之語。蓋自虞初志亡後,故事多遺失,故莫定其是非也。

【補校】騂牛,元本作牛騂。依宋本、汲古。無,各本皆作亡。
依恒之師校。亡即無。復,汲古作後。以作我。均依宋、元本。

歸妹

王良善御,伯樂知馬。周旋步驟,行中規矩。止息有節,延
命壽考。

　　詳遯之豫。○驟,宋、元本作趡。依汲古。

　　【補校】驟,宋本作趡。元本作趂。即趡之俗字。

豐

釋然遠咎,避患害早。田獲三狐,以貝爲寶。

　　詳賁之謙。

　　【補校】害早,汲古作革害。依宋、元本。

旅

仁獸所處,國無凶咎。市賈十倍,復歸惠里。

　　艮爲獸,互巽,故曰仁獸。艮爲國。巽爲市賈,爲倍。兌數十,
故曰十倍。艮爲里,伏震爲歸,爲仁,故曰復歸惠里。

巽

六目俱視,各欲有志。一言不同,乖戾生訟。

　　互離爲目,數六,故曰六目。伏坎爲心志。兌爲言,初至四正
反兌,故曰一言不同,乖戾生訟也。○一言,宋、元本作心意。非。
依汲古。

兌

傅說王良,驂御四龍。周徑萬里,無有危凶。

　　傅說、王良,皆星名。莊子,傅說相武丁,奄有天下。騎箕尾,

上比於列星。故張衡周天六象賦云，天江爲太陰之主，傅説奉中闈之祠。史記天官書，天駟旁一星，曰王良。王良策馬，車騎滿野。故下云驂御四龍。惟星經云，傅説一星在尾後，主子嗣。茲與王良並言，似亦與天駟有關。抑以傅説騎箕尾，箕主風，喻馬行之神速歟？兑通艮，艮爲星。互震爲龍，爲驂駕，爲周，爲萬。艮爲里，故曰萬里。互坎爲危，震解，故不危。

【補校】王良，汲古作休明。依宋、元本。

渙

伯仲叔季，日暮寢醉。醉醒失明，喪其貝囊，卧拜道旁。

詳謙之蠱。○首句，宋本作仲伯季叔。非。依汲古。寢醉，宋本、汲古作寢寐。依元本〔一〕。第三句，元本作醒失期明。宋本、汲古作醉醒失明。明與囊、旁韻。元本非。卧拜，謙之蠱作衔却，拜或爲却之形訛字。

【補校】首句，宋、元本作仲伯叔季。旁，元本作傍。依宋本、汲古。

中孚

江有寶珠，海多大魚。亟行疾至，可以得財。

詳渙之需。○可，宋本作所。依元本、汲古。

小過

遠視千里，不見所持。離婁之明，無益於耳。

艮爲視，艮手爲持。艮爲光明，兑爲耳。巽伏〔二〕，故不見所持。○持，汲古作視。依宋、元本。

〔一〕“本”下，稿本、刻本衍“汲古”二字。據前後文意及宋、元、汲古諸本删。
〔二〕“巽伏”，刻本作“伏巽”。據稿本改。按需之小畜、豫之漸皆有“寡處”語，蓋從稿本是也。

既濟

弱足削跟，不利出門。市賈無贏，折亡爲患。

　　詳乾之鼎。

　　【補校】贏，依宋本、汲古。元本作盈。義同。

未濟

利盡得媒，時不我來。鳴雌深涉，寡宿獨居。

　　似用半象。而語特難解。

焦氏易林注卷十六

中孚之第六十一

中孚

鳥鳴譆譆,天火將下。燔我屋室,災及妃后〔一〕。

　　詳兌之革。○鳥鳴,宋、元本作烏烏。依汲古。譆譆,汲古作
嗜嗜。茲依宋、元本。

乾

黃虹之野,賢君所在。管叔爲相,國無災咎。

　　此用中孚象。震爲玄黃,爲虹,爲君。艮爲野,爲叔。孝經援
神契,黃虹抱日,輔臣納忠。帝王世紀,少昊生,虹流華渚〔二〕。洛
書,黃帝起,黃雲扶日。又東方朔別傳,凡占,長吏下車,當視天有
黃雲來覆車。震爲竹,故曰管叔。艮爲國。○叔,汲古作仲。非。

────────

〔一〕"妃",稿本、刻本訛"姤",據宋、元、汲古及所見其他各本改。按兌之革亦
　　作"妃",可參考。
〔二〕"孝經"至"華渚"二十四字,稿本作:"宋書符瑞志,堯母慶都生于斗維之
　　野,常有黃雲覆護其上。"茲依刻本。惟"抱日"二字,刻本訛"抱曰"。據
　　《漢學堂叢書》本《孝經援神契》改。

中孚無仲象也。兹依宋、元本。

坤

符左契右，相與合齒。乾坤利貞，乳生六子。長大成就，風言如母。

> 詳兑之大過。○宋、元本右下多梁叔有若四字[一]。斷爲衍文。兹依汲古。
>
> 【補校】首句，汲古作叔梁有名。依宋、元本。末句，宋、元本作抛吾如母。依汲古。

屯

蝗齧我稻，驅不可去。實穗無有，但見空藁。

> 詳小畜之大壯。

蒙

嬰孩求乳，母歸其子，黃麕悅喜。

> 詳履之同人。○孩，元本作孫。依宋本。
>
> 【補校】孩，汲古作兒。

需

折若蔽目，不見稚叔。失旅亡民，遠去家室。

> 詳師之蒙。○第二句，元本作父旅相逐。父乃失之訛。第四句，元本作不見衛國。均依宋本、汲古。若，汲古作葉。非。
>
> 【補校】若，依宋、元本。

訟

牂羊羵首，君子不飽。年飢孔荒，士民危殆。

〔一〕“右”，刻本訛“石”，據稿本改。

詩小雅,牂羊墳首。兹作豶。按,魯語云,土之怪曰豶。注,
豶,羊雌雄未成者,亦作墳。然則豶、墳古通用。是焦詩與毛詩異
字,非訛字也。伏震爲羊。豶,大也。乾爲首,爲大,故曰豶首。乾
爲君子。離虚,故不飽,故飢。乾爲年。坎爲民,爲危殆。○牂,汲
古作牸。從宋、元本。豶,宋、元本作肥。依汲古。

【補校】牂,宋本、汲古作牸。從元本。牂、牸同。

師

靈龜陸處,盤桓失所。伊子退耕,桀亂無輔。

詳歸妹之剥。

比

威約拘囚,爲人所誣。皋陶平理,幾得脱免。

○脱免,元本作免脱。依宋本、汲古。

【補校】平,元本作評。依宋本、汲古。平、評通。

小畜

烏升鵲舉,照臨東海。龙降庭堅,爲陶叔後。封於英六,福
履綏厚。

詳需之大畜。

【補校】烏,汲古作鳥。英六作蓼丘。均依宋、元本。龙,宋、
元本作厖。依汲古。厖通龙。履,元本作禄。依宋本、汲古。

履

四目相視,稍近同軌。日昳之後,見吾伯姊。

詳益之需。○近,汲古作延。軌作執。均依宋、元本。

【補校】昳,汲古訛映。依宋、元本。

泰

大步上車，南至喜家。送我狐裘，與福載來。

　　詳節之觀。

　　【補校】至，宋、元本作到。依汲古。

否

穿都相合，未敢面見。媒妁無良，使我不鄉。

　　坤爲都。○穿，元本作卒。相作和。鄉作香。均依汲古。然
義皆難解，恐仍有訛字。

　　【補校】穿，宋、元本作卒。相作和。鄉作香。

同人

鴻飛遵陸，公出不復，伯氏客宿。

　　詳剥之升。○出，汲古作母。依宋、元本。

　　【補校】遵，宋、元本作循。依汲古。

大有

代戍失期，患生無知。懼以發難，爲我開基，邦國憂愁。

　　左傳莊八年，齊侯使連稱、管至父戍葵丘，瓜時而往，曰及瓜而
代。期戍，公問不至。故與無知等作亂。伏艮爲守，爲戍，爲期。
坎爲失，故曰失期。坎爲患，爲憂懼。坤爲我，爲邦國。全用旁
通。○生，汲古作至。依宋、元本。知，各本皆作聊。依比之大壯
校[一]。

謙

伯氏爭言，戰於龍門。搆怨結禍，三世不安。

〔一〕“比之大壯”，稿本、刻本誤作“漸之謙”。據諸本林辭校改。

詳坤之離。正反震相背,故爭言。震爲伯,故曰伯氏。○伯
氏,宋、元本作齊魯。兹依汲古。

【補校】搆,元本作構。依宋本、汲古。構、搆通。

豫

周政養賊,背生人足。陸行不安,國危爲患。

震爲周,坎爲賊,坤爲政,爲育,故曰周政養賊。震爲足,艮爲
背,足在背上,故曰背生人足。坤爲陸,坎險,故不安。坤爲國,坎
爲患也。此全由卦象製辭〔一〕,未必有故實。○賊,宋、元本作賤。
兹依汲古。

隨

蜩螗歡喜,草木嘉茂〔二〕。百果蕃生,日益富有。

詳謙之解。○喜,宋、元本作翹。富作多。依汲古。

【補校】歡,依宋本、汲古。元本作懽。同歡。

蠱

魃爲災虐,風吹雲卻。欲止不得〔三〕,復歸其宅。

○首句,汲古作薄災暴虎。宋、元本作薄災暴虐。依小畜之中
孚校。薄,爲魃之音訛字。

臨

乘騮駕驪,遊至東齊。遭遇行旅,逆我以資,厚得利歸。

―――――――

〔一〕“由”,刻本訛“用”,據稿本改。
〔二〕“嘉”,稿本、刻本作“暢”,據宋、元、汲古及所見其他各本改。按謙之解亦
　　作“嘉”,可參考。
〔三〕“欲止不得”,刻本作“止不得復”。據稿本改。按,小畜之中孚亦作“欲止
　　不得”,可資參考。

震爲馬,坤亦爲馬,故曰乘騧駕驪。震爲東,伏巽爲齊,故曰東齊。震爲行旅。坤爲資財,逆行,故曰逆我以資。坤多,故曰厚得利。

【補校】資,汲古作貨。依宋、元本。

觀

鳳生七子,同巢共乳,歡悅相保。

坤文,故曰鳳。艮數七,故曰七子。艮爲巢,爲乳。伏震爲歡悅。

【補校】七,汲古作十。依宋、元本。

噬嗑

桃雀竊脂,巢於小枝。動搖不安,爲風所吹。心寒漂搖,常憂殆危。

詳損之渙。

【補校】動搖,宋、元本作搖動。依汲古。漂,汲古作慄。依宋、元本。

賁

東山西山,各自止安。雖相登望,竟未同堂。

詳姤之坤。〇竟未,汲古作不得。依宋、元本。

剝

匍匐出走,驚懼惶恐。白虎生孫,蓐收在後。

匍匐,以手行也。艮爲手,手在地上,故曰匍匐。陽在上,故曰出。坤爲恐懼。艮爲虎,爲孫。伏兌爲西方,色白,故曰白虎。兌爲秋,故曰蓐收。月令,孟秋之月,其神蓐收是也。〇匍,宋、元本作伏。依汲古。惶,宋本、汲古作皇。依元本。

復

重弋射隼,不知所定。質疑蓍龜,告以肥牡。明神答報,宜利止居。

> 詳困之蹇。○弋,元本訛或。牡作性。依宋本、汲古。四五句,宋、元本倒。依汲古。

> 【補校】答,宋、元本作祭。依汲古。

无妄

開門内福,喜至我側。加以善祥,爲吾室宅。宮城洛邑,以昭文德。

> 震爲開,艮爲門。上乾,故曰納福。震爲喜,爲善祥。艮爲室宅,爲宮城,爲邑。乾爲王,故曰洛邑。洛邑,王城也。伏坤爲文。○加以,宋、元本作嘉門。依汲古。室,汲古作家。昭作招。依宋、元本。

> 【補校】昭,宋本、汲古作招。依元本。

大畜

鳥飛狐鳴,國亂不寧。下强上弱,爲陰所刑。

> 艮爲鳥,爲狐,震爲飛,爲鳴,故曰鳥飛狐鳴。艮爲國,兑毀,故曰不寧。四五陰爻,乾爲艮所畜,故曰爲陰所刑。

頤

三雞啄粟,八雛從食。飢鷹卒擊,失亡兩叔。

> 伏巽爲雞,震數三,故曰三雞。伏兑爲啄,巽爲粟。震爲雛,坤數八,故曰八雛。震爲從,爲食。艮爲鷹,坤虚,故曰飢鷹。艮爲擊,爲叔。坤數二,坤喪,故曰失亡兩叔。

> 【補校】鷹,宋、元本作鳶。依汲古。

大過

歎息不悦,憂從中出。喪我金罌,无妄失位。

　　兑口,故曰歎息。互大坎,故不悦,故憂從中出。乾爲金,震爲
罌,震伏,故曰喪我金罌。○罌,宋、元本作嬰。依汲古。從,汲古
作逆。依宋、元本。

坎

剛柔相呼,二姓爲家。霜降既同,惠我以仁。

　　詳家人之損。○二,宋、元本作三。依汲古。

離

襄送季女,至於蕩道。齊子旦夕,留連久處。

　　詳屯之大過。○末句,元本作久留連處。依宋本、汲古。襄
送,各本多作送我。依屯之大過校。

　　【補校】於,依宋本、汲古。元本作于。同於。

咸

低頭竊視,有所畏避。行作不利,酒酢魚餒,衆莫貪嗜。

　　艮爲頭,澤下,故曰低頭。艮爲視,巽爲盜,故曰竊視。巽伏,
故曰畏避。兑毀,故不利。兑爲澤,爲酒。巽爲魚,爲木。木作酸,
故曰酒酢。酢,酸也。巽爲爛,故曰餒。餒,爛也。○畏,宋、元本
作遇。依汲古。酢,宋本、汲古作酸。餒,汲古作敗。依元本及宋、
元本。

恒

典册法書,藏閣蘭臺。雖遭亂潰,獨不遇災。

　　詳坤之大畜。○閣,汲古作在。依宋、元本。

　　【補校】遇,元本作逢。依宋本、汲古。

遯

旦醉病酒，暮即瘥愈，獨不及咎。

伏震爲旦，坤迷，故曰旦醉。坤爲病，爲暮。○即，宋、元本作多。末句作不反爲咎。均依汲古。

大壯

畫龍頭頸，文章未成。甘言美語，説辭無名。

詳蒙之噬嗑。

【補校】無，汲古作不。依宋、元本。

晉

日月運行，一寒一暑。榮寵赫赫，不可得保。顛躓殞墜，更爲士伍。

詳巽之震。

【補校】寵，汲古作光。依宋、元本。第五句，元本作顛隕墜墮。從宋本、汲古。

明夷

爭利王市，朝多君子。蘇氏六國，獲其榮寵。

伏巽爲利市，震君，故曰王市。坤爲朝。震爲君子，爲蘇。坤爲國，坎卦數六，故曰六國。言蘇秦説六國，佩六國相印也。

家人

六蛇奔走，俱入茂草。驚於長途，畏懼啄口。

詳豐之巽。

【補校】途，從元本。宋本、汲古作塗。義同。

睽

懸鉏素餐，食非其任。失輿剥廬，休坐徙居。

詳頤之益。

【補校】豟，元本訛桓。餐作飱。均依宋本、汲古。飱、餐同。

蹇

歡欣九子，俱見大喜。攜提福至[一]，王孫是富。

此用中孚象。震爲歡欣，數九，故曰九子。艮手爲提攜，爲孫。震君，故曰王孫。○至，元本作善。依汲古。

【補校】至，宋、元本作善。

解

伯夷叔齊，貞廉之師。以德防患，憂禍不存。

詳革之否。

損

雄聖伏名，人匿麟驚。走鳳飛北，亂潰未息。

詳否之大過。

【補校】麟，元本作驎。依宋本、汲古。

益

久鰥無偶，思配織女。求其非望，自令寡處[二]。

艮爲鰥。坤女，巽爲繩，爲織，故曰織女。艮爲求，爲望。巽爲寡。言織女爲天孫，不能求也。

夬

破亡之國，天所不福，難以止息。

〔一〕“攜提”，稿本、刻本二字倒。據宋、元、汲古及所見其他各本改。

〔二〕“處”，刻本作“居”。據稿本改。按需之小畜、豫之漸皆有“寡處”語，蓋從稿本是也。

兑爲破,坤爲國。坤伏不見,故曰天所不福。乾爲天。

姤

老傭多邵,弊政爲賊。阿房驪山,子嬰失國。

伏坤爲老,坤柔,故曰老傭。巽爲隙。邵、隙同,巽伏爲賊,坤爲弊,爲政,故曰弊政爲賊。中孚艮爲房,爲山。震馬,故曰驪山。艮少,故曰子嬰。○邵,汲古訛欲。依宋、元本。

萃

二殺六牂,相隨俱行。迷入空澤,經沙虎廬。爲所傷賊,死於牙腹。

詳同人之蒙。○經,元本作遥。依汲古。

【補校】經,宋、元本作遥。牂,從元本。宋本、汲古作牸。同牂。

升

喋囁嗥嚁,昧冥相搏。多言少實,語無成事。

震言,正反兑亦爲言,故曰喋囁。喋囁,多言也。震爲笑樂,故曰嗥嚁。嗥,大笑。嚁音謹,誼譐也。坤爲黑,故曰昧冥。伏艮爲搏,正反艮,故曰相搏。正反兑,故曰多言。坤虚,故曰少實,語無成事。坤爲事。○喋,宋本訛囁。汲古訛噬。兹依元本。嗥嚁,宋、元本訛處懼。依汲古。嗥,汲古訛作嘘。於是宋、元本又由嘘而竟作處矣。以此證汲古所據之本,前於宋、元。嚁,汲古明夷之豫、謙之乾皆訛爲耀,獨此處存其真。而宋、元本則訛爲懼,明夷之豫、謙之乾則又皆訛爲曜。於此見汲古本之可貴也。搏,各本皆作搏,然與嚁不韻。故決其爲搏字。以搏與搏形太近也。且明夷之豫,宋本作傳,尤爲作搏確證。

【補校】喋,宋、元本訛囁。依局本、翟本及謙之乾、明夷之豫校。

困

舞陽漸離，擊筑善歌。慕丹之義，爲燕助軻。陰謀不遂，矐目死亡，功名何施。

　　史記刺客傳，荆軻奉樊於期首函，秦舞陽奉地圖。及事敗，秦人大索太子丹及荆卿之客。高漸離善擊筑，秦王乃矐其目，使擊筑於側。後以鉛實筑中擊秦王，乃被殺。伏震爲舞，爲筑，爲歌。艮手爲擊，故曰擊筑善歌。坎赤，故曰丹。兌爲燕，震爲軻，故曰爲燕助軻。坎爲陰謀。離爲目，坎爲失，故曰矐目。矐，索隱曰，以馬矢薰目令失明也。坎爲棺槨，故曰死亡。震爲功，艮爲名，艮震皆伏，故曰功名何施。○舞，宋、元本作武。依汲古。矐，汲古作霍。依宋、元本。目，宋、元本作自。何作賈。均依汲古。助，汲古作荆。依宋、元本。

　　【補校】矐，宋、元、汲古各本皆作霍。翟本注云，當作矐，見史記荆軻傳。茲依校。

井

尹氏伯奇，父子分離。無罪被辜，長舌爲災。

　　詳訟之大有。

革

五精亂行，政逆皇恩。湯武赫怒，共伐我域。

　　東京賦，辨方位而正則，五精帥而來摧。注，五精，五方星也。伏艮爲星，坤爲亂，震爲行，故曰五精亂行。伏坤爲政，坤逆行，故曰政逆。皇恩，爲怠遑訛字。詩商頌，不敢怠遑。箋，怠，惰；遑，暇也。怠遑，言怠惰敖嬉也。坤柔，故曰怠遑。震爲王，故曰湯武。震爲怒，爲伐。坤爲域。全用旁通象。

【補校】共，汲古作天。我作利。均依宋、元本。

鼎

西歷玉山，東入玉門。登上福堂，飲萬歲漿。

通屯。坎位西，震爲玉，互艮，故曰玉山，故曰玉門。震爲東也。震爲登，爲福，艮爲堂。坤爲萬歲，爲漿，震口，故曰飲萬歲漿。

震

行觸大忌，與司命忤。執囚束縛，拘制於吏，幽人有喜。

震爲行，坎爲忌諱。諱，避也。坎隱，故曰忌。伏巽爲命，坎爲忤，故與司命忤。艮爲執囚，爲拘制。伏巽爲束縛。艮爲官吏，爲幽人。震爲喜。○大忌，宋本作夫忌。元本作天忌。汲古作忌諱。依剝林校。因夫、天皆大之訛，故知決爲大字。忤，宋、元本作牾，似爲牾之訛字。茲依汲古。

【補校】幽，汲古作迷。依宋、元本。

艮

機父不賢，朝多讒臣。君失其政，保家久貧。

機，疑爲皇之訛。詩小雅，皇父卿士，讒口囂囂。林似本此。艮初至五正反震，故曰讒。互震爲君，艮爲臣。坎爲失。保，疑爲使之訛。○家，汲古作我。依宋、元本。艮爲家。

漸

三人俱行，北求大牂。長孟病足，倩季負糧。柳下之寶，不失我邦。

詳同人之豐〔一〕。不失我邦者，按家語，齊求岑鼎於魯，魯與

〔一〕"同人"，稿本、刻本誤"大有"。據諸本林辭改。

膺鼎。齊侯曰，柳下季謂是，則受之。魯侯請季。季曰，與齊鼎，求免君國也。但臣亦有國，免君之國，破臣之國，亦君之所惡也。魯乃以真鼎往。此林屢見，皆作驪黄，惟此作我邦，於事獨切。○長孟，汲古作孟長。依宋、元本。邦，宋、元本作糧。亦後人所改，以求協韻，獨汲古於此字存其真。負糧，依革之桓校。各本皆作囊。漸下艮爲季，爲負，上巽爲糧。事詳革之恒。

　　【補校】牂，依元本。宋本、汲古作牸。同牂。倩，宋、元本作請。依汲古。寶，各本皆作貞。依同人之豐校。

歸妹

鴶思其雄，欲隨鳳東。順理羽翼，出次須日。中留北邑，復反其室。

　　詳需之離。○須日、中，汲古作日中、須。依宋、元本。

　　【補校】鴶，宋、元本作鵠。依汲古。邑，元本訛色。依宋本、汲古。反，各本皆作歸。依需之離校。

豐

常德自如，不逢禍災。

　　離爲禍災。

旅

白鵠遊望，君子以寧。履德不忿，福禄來成。

　　互巽爲白，艮爲鵠，爲望，故曰白鵠遊望。艮爲君子，艮安，故曰寧。伏震爲履，爲福禄。

　　【補校】常，元本作嘗。依宋本、汲古。德，宋、元本作得。從汲古。得、德古通。

巽

膚敏之德，發憤晨食。虙豹禽説，爲王得福。

詳大有之困。○晨，汲古作忘。說作越。皆非。

【補校】晨、說，均依宋、元本。禽，宋本、汲古作擒。依元本。禽通擒。

兌

百足俱行，相輔爲强，三聖翼事，王室寵光，國富民康。

詳屯之履。○宋、元本無第四句。依汲古。

渙

生不逢時，困且多憂。年老衰極，中心悲愁。

艮爲時，震爲生。下坎，故曰困且多憂。艮爲壽，故曰年老。坎爲中心，爲悲愁。

【補校】老衰，宋、元本作衰老。依汲古。

節

出門蹉跌，看道後旅。買羊逸亡，取物逃走。空手握拳，坐恨爲咎。

艮爲門，震爲出。坎塞，故曰蹉跌。震爲大塗，爲後。兌爲羊，與震連體，故曰逸亡。艮爲手，正反艮相對，故曰空手握拳。坎爲恨。

【補校】取物，汲古作所謂。恨作狼。均依宋、元本。爲，宋、元本作相。從汲古。

小過

牧羊稻田，聞虎喧讙。畏懼悚息〔一〕，終無禍患。

詳隨之漸。

〔一〕“息”，稿本、刻本作“惕”。據宋、元、汲古及所見其他各本改。按隨之漸、否之節、屯之復等林皆作“息”，可參考。

【補校】讙,元本作嚄。依宋本、汲古。嚄、讙音義同。悚,宋本、汲古作惕。依元本。

既濟

龍潛鳳北,箕子變服,陰孼萌作。

　　○北,汲古作池。依宋、元本。箕,宋、元本作其。依汲古。其子,與蜀才讀同。且其、箕音同,非訛字。不過他林皆作箕,故從汲古。

未濟

國無比鄰,相與爭强。紛紛匈匈,天下擾攘。

　　○匈匈,汲古作凶凶。依宋、元本。攘,宋、元本作憂。依汲古。

小過之第六十二

小過

初雖驚惶，後乃無傷。受其福慶，永永其祥。

　　震爲驚，爲後，爲福慶。

　　【補校】乃，宋、元本、汲古作反。依學津、局本。傷，元本作憂。依宋本、汲古。第四句，宋、元本無。從汲古。

乾

積德累仁，靈祐順信[一]，福祉日增。

　　乾爲仁德，爲信，爲福，順行。純乾，故曰積，曰累。

坤

謹慎重言，不幸遭患。周召述職，脫免牢門。

　　此用小過象。艮爲謹慎。震爲言，正反震，故曰重言。互大坎爲患。震爲周，爲召。坎爲牢獄，艮爲門。震出在外，故曰脫免。○門，宋、元本作開。依汲古。

　　【補校】召，宋、元本作邵。依汲古。召、邵古通用。

屯

鳥飛鼓翼，喜樂堯德。虞夏美功，要荒賓服。

　　艮爲鳥，震爲翼，爲鼓，爲飛。爲帝，故曰堯，故曰虞夏。坤爲要荒。

　　【補校】美，汲古作著。從宋、元本。

──────────

〔一〕“祐”，稿本、刻本作“佑”。據宋、元、汲古及所見其他各本改。佑、祐同。

蒙

牙蘖生齒，室堂啟户。幽人利貞，鼓翼起舞。

　　詳臨之姤。

　　【補校】蘖，汲古作藥。依宋、元本。藥、蘖通。

需

使伯采桑，拒不肯行。與叔争訟，更相毀傷。

　　○依離之明夷校。采桑，各本皆訛東求。

訟

手足易處，頭尾顛倒。公爲雌嫗，亂其蠶織。

　　詳夬之蹇。惟此用小過象。艮爲手在下，震爲足在上，故曰易
處。艮爲頭在下，覆艮爲尾在上，故曰顛倒。震爲公，與兑連體，故
曰公爲雌嫗。巽爲蠶，爲織。巽隕，故曰亂。

　　【補校】蠶，依汲古。宋、元本作蚕。同蠶。

師

匠卿操斧，豫章危殆。袍衣脱剥，禄命訖已。

　　劉毓崧云[一]，左傳襄四年，匠慶用蒲圃之櫬[二]。慶、卿古通
用。匠卿即匠慶，魯匠人也。伏巽爲工，故曰匠卿。震爲木，故曰
豫章。坎爲危殆。震爲袍衣。伏巽爲命，坤喪，故曰訖已。訖，終
也。○卿或爲慶之音訛字。豫章，大木也。

　　【補校】脱，汲古作既。依宋、元本。

比

天女踞牀，不成文章。南箕無舌，飯多沙糠。虐衆盜名，雌

〔一〕“崧”，刻本訛“松”。據稿本改。

〔二〕“圃”，刻本訛“團”。據稿本改。

雄折頸。

　　詳大畜之益。○糠，元本訛糖。依汲古。

　　【補校】牀，依元本、汲古。宋本作床。同牀。沙，宋、元、汲古各本皆作砂。依大畜之益校。虛衆，宋、元本作虛象。依汲古。

小畜

大椎破轂，長舌亂國。牆茨之言，三世不安。

　　艮爲椎，震爲轂。兌毀，故曰破轂。兌爲舌，震爲大兌，故曰長舌。巽爲牆，坎爲茨。毛傳，茨，蒺藜也。震爲言，數三。艮爲世，故曰三世。

履

銜命辱使，不堪厥事。中墮落去，更爲斯吏。

　　巽爲兌口，巽爲命，故曰銜命。巽爲隕落，故曰中墮落去。伏艮爲僮僕，故曰斯吏。後漢左雄傳，職斯祿薄。注，斯，賤也。○墮，各本皆作墜。斯吏作負載。茲依未濟之坎校。

泰

三蛇共室，同類相得。甘露時降，生我百穀。

　　伏巽爲蛇，艮爲室，數三，故曰三蛇共室。兌爲露。震爲生，爲百穀。

　　【補校】蛇，依汲古。宋、元本作虵。即蛇。

否

衣宵夜遊，與君相遭。除患解惑，使我不憂。

　　詳歸妹之大有。○衣宵，原作衣繡。遭作逢。歸妹之大有、旅之小過，繡皆作宵。按，禮記鄭注，宵即繒也。與繡義略同。茲作繡，似宵之音訛字。以焦用禮記字，此不應獨否。又，逢字上下不協。皆依歸妹之大有校。我，汲古作君。依宋、元本〔一〕。

同人

被髮獸心，難與爲鄰。來如風雲，去如絶絃，爲狼所殘。

此用小過象。震爲髮。艮爲獸，互大坎爲心，故曰獸心。巽爲風，坎爲雲，故曰來如風雲。巽爲絃，兑爲絶。艮爲狼，兑口，故曰爲狼所殘。〇雲，汲古作雨。依宋、元本。

【補校】絃，汲古作弦。殘作賤。均依宋、元本。絃通弦。

大有

剛柔相呼，二姓爲家。霜降既同，惠我以仁。

詳家人之損。

謙

牛馬聾瞶，不曉齊味。委以鼎俎，治亂憒憒。

〇馬，依頤之鼎校。各本皆作耳。

【補校】齊，汲古作聲。憒憒作潰潰。均從宋、元本。

豫

低頭竊視，有所畏避。行作不利，酒酢魚餒，衆莫貪嗜。

詳鼎之解。〇作，汲古作旅。酢作酸。依宋、元本。

隨

雨師娶婦〔二〕，黃巖季子。成禮既婚，相呼南去。膏澤下土，年歲大有。

〔一〕“我”至“元本”九字，刻本無，疑誤脱。據稿本補。
〔二〕“雨”，刻本訛“兩”。據稿本改。

詳井之坤〔一〕。○去，汲古作上。依宋、元本。

【補校】去，宋本、汲古作上。依元本。澤，各本皆作我。依豐之大過校。

蠱

戴盆望天，不見星辰。顧小失大，遁逃牆外。

詳賁之蒙。

臨

二人輦車，徙去其家。井沸釜鳴，不可以居。

兌卦數二，震爲人，爲車。爲行，故曰徙。伏艮爲家。兌爲井，坤水在上，故曰井沸。坤爲釜，震爲鳴，故曰釜鳴。艮爲居，艮伏，故曰不可居。

【補校】釜，宋本作金。依元本、汲古。

觀

攘臂反肘，怒不可止。狼戾腹心，無與爲市。

艮爲臂，爲肘。伏震爲歸，故曰反肘。震爲怒。艮爲狼，坤爲腹心。巽爲市。○止，宋、元本作二。狼訛很。與作以。俱依汲古。狼戾腹心者，言心懷毒很叵測也。

噬嗑

湯火之憂，轉解喜來。

離火，坎水，故曰湯火。震爲解，爲喜。言由坎憂轉爲震喜也。○火，宋、元本作世。依汲古。

賁

忠信輔成，王政不傾。公劉肇基，文武綏之。

〔一〕“井”，稿本、刻本誤“否”。據諸本林辭改。

坎爲忠信,震爲王。艮成終,故曰成王。言周公輔佐成王也。
震爲公,艮爲基。離爲文,震爲武,故曰文武綏之。○基,宋、元本
作舉。依汲古。

【補校】肇,元本作兆。依宋本、汲古。

剝

登高斬木,頓躓蹈險。車傾馬罷,伯叔吁嗟。

一陽在上,故曰登高。艮爲木,爲刀劍,故曰斬木。震爲車,震
覆,故曰車傾。坤爲馬,爲勞,故曰馬罷。罷、疲同,音婆,與嗟
韻。○罷,汲古作疲。依宋、元本。第四句,汲古作叔伯嗟噓。乃
後人所改,以與疲協。豈知疲音皮,皮音婆。古經傳罷倦之罷,固
皆讀婆也。凡易林罷字,無不協婆。以此見易林用字之古,與經傳
同。易中孚六三,罷與歌韻,是其證也。

【補校】罷,宋本、汲古作疲。依元本。罷通疲。斬,汲古作
折。依宋、元本。傾,元本作頓。依宋本、汲古。蹈,宋本作陷。依
元本、汲古。第四句,從宋、元本。

復

桑之將落,隕其黄葉。失勢傾側,而無所立。

○首二句,宋本作桑之隕落,黄敗其葉。元本作桑方落隕[一],
次句同宋。汲古作桑方隕落,黄葉敗散。兹依履之噬嗑校。

【補校】首句,宋本、汲古作桑方隕落。側,從宋本、汲古。元
本作仄。義同。而,各本皆作如。依履之噬嗑校。

无妄

鸞鳳翶翔,集於家國。念我伯姊,與母相得。

〔一〕“方”,刻本作“之”。據稿本改。

伏坤爲文，艮鳥，故曰鸞鳳。艮爲家國。巽長女，故曰伯姊。
伏坤爲母。○家，宋、元本作喜。依汲古。惟汲古作國家。非。依
宋、元本。

【補校】於，依元本。宋本、汲古作于。同於。

大畜

陰淫所居，盈溢過度，傷害禾稼。

通萃。坤爲陰，爲水，兌澤亦爲水，故曰陰淫，曰盈溢。巽爲禾
稼，兌毀，故曰傷害禾稼。○盈，宋、元本作益。非。依汲古。

【補校】盈，元本作益。依宋本、汲古。

頤

霄冥高山，道險峻難。王孫罷極，困於阪間。

艮爲天，故曰霄。玉篇，霄，雲氣也。霄冥高山，言山高入霄漢
青冥之間也。震爲王，艮爲孫。坤爲勞，故曰罷極。艮爲道，爲阪。
坤爲困苦，正反艮，故曰困於阪間。

大過

和璧隋珠，爲火所燒。冥昧失明，奪精無光，棄於道旁。

通頤。震爲珠，爲玉。艮爲火，故曰爲火所燒。坤爲黑，故曰
冥昧失明，曰奪精無光。震爲精。艮爲光，爲道。○奪，宋本譌奮。
依元本、汲古。於，元本作其。依宋本、汲古。

【補校】奪，局本譌奮。依宋、元本、汲古。隋，元本作隨。依
宋本、汲古。旁，宋、元、汲古諸本皆作傍。依翟本。

坎

虞君好神，惠我老親。恭承宗廟，雖愠不去，復我内事〔一〕。

─────────

〔一〕“事”，刻本作“室”。疑音譌。據稿本改。

左傳僖五年，虞公曰，吾享祀豐潔，神必據我。故曰好神。互震爲神。艮爲宗廟。坎爲愠。○神，汲古作田。非。依宋、元本。惠，元本作惡。依宋本、汲古。雖，汲古作長。依宋、元本。

離

爪牙之士，怨毒祈父。轉憂與己，傷不及母。

詳謙之歸妹。○士，宋、元本作夫。依汲古。祈，元本作圻。依宋本、汲古。

咸

倉盈庾億，宜稼黍稷，年歲有息。

詳乾之師。

恒

窗牖戶房，通利明光。賢智輔聖，仁德大行。家給人足，海内殷昌。

詳大畜之升。○房，汲古訛傍。

【補校】房，依宋、元本。明光，宋、元本作光明。從汲古。

遯

切切之患，凶重憂薦，爲虎所吞。

伏坤爲憂患，爲凶。艮爲虎，伏兑口，故曰爲虎所吞。○切切，汲古作忉忉[一]。依宋、元本[二]。

【補校】憂，汲古作與。依宋、元本。薦，宋、元本作荐。依汲古。荐、薦同。

〔一〕“忉忉”，稿本、刻本誤“切切”，據汲古本改。

〔二〕“依宋、元本”，稿本、刻本誤作“依汲古”。據上下文意及宋、元、汲古本改。

大壯

水無魚滋,陸爲海涯。君子失居,小人相攜。

坤爲水,爲魚,坤伏,故曰水無魚滋。滋,生也。伏艮爲陸,坤
爲海,艮坤相連,故曰陸爲海涯。艮爲君子,爲居,巽隕落,故失居。
坤爲小人,重坤,故曰相攜。○滋,宋、元本作池。依汲古。

晉

九疑鬱林,沮濕不中。鸞鳳所惡,君子攸去。

詳无妄之巽。

明夷

六翮泛飛,走歸不及。脱歸王室,亡其騂特。

震爲翮,爲飛,坎數六,故曰六翮泛飛。震爲走,爲歸。坎陷,故
不及。震爲王。坎爲室,爲馬。坎爲赤,故曰騂。騂,赤色馬也。坤
爲牛,故曰特。坤喪,故曰亡其騂特。○泛,宋、元本作況。依汲古。

【補校】亡,汲古作上。依宋、元本。

家人

不直莊公,與我爭訟。媒伯無禮,自令壅塞。

詳前大畜之无妄[一]。○莊,前作杜。莫知孰是,姑兩存之。

【補校】壅塞,宋、元本作塞壅。依汲古。

睽

瘖痹多病,宋公危殆[二]。吴子巢門,殞命失所。

〔一〕“詳前大畜之无妄”,稿本、刻本作“詳前”。兹依諸本林辭補標出處,庶便
查檢。

〔二〕“殆”,稿本、刻本作“殘”。疑誤。據宋、元、汲古及所見其他各本改。按兑
之蠱亦作“殆”。可參考。

詳兌之蠱。○瘖痍多病,元本、汲古作倉庚多億。依宋本。

【補校】瘖痍多病,宋、元、汲古各本皆作倉庚多億。依兌之蠱校。

蹇

失羊捕牛,無損無憂。

兌爲羊,兌伏,故曰失羊。艮爲牛,艮手,故曰捕牛。

解

夏麥豩虆,霜擊其芒。疾君敗國,使我誅傷。

詳泰之賁。○豩虆,依宋、元本。汲古作麩虆。非。

損

昧昧闇闇,不知白黑。風雨亂擾,光明伏匿,幽王失國。

坤黑,故曰昧闇。巽爲白,巽伏,故不知。坤爲風,爲亂,兌爲雨,故曰風雨亂擾。艮爲光明,坤閉,故伏匿。震爲王,坤黑,故曰幽王。坤爲國,爲喪,故曰失國。

【補校】闇闇,宋本、汲古作暗暗。依元本。暗、闇同。

益

執斧破薪,使媒求婦。和合二姓,親御飲酒。色比毛嬙,姑公悦喜。

詳家人之漸。毛嬙,古美女名。○第四句,宋、元本作親迎斯須。非。依汲古。

【補校】公,宋、元本作翁。依汲古。悦,從宋、元本。汲古作說。通悦。

夬

六疾生狂,癡走妄行。北入患門,與禍爲鄰。

伏坤爲疾，乾數六，故曰六疾。兑剛魯，故曰狂，曰妄，曰癡。乾爲行。坤爲禍患，爲門，位北，故曰北入患門。○第二句，元本作妄癡走行。依宋本、汲古。

姤

驅羊就羣，佷不肯前。慶季悷諫，子之被患。

通復。震爲羊，坤爲羣。坤閉，故不前。震爲諫。坤爲患。左傳襄二十八年，慶嗣謂慶封曰，禍將作矣，請速歸。慶封不聽。又，其女盧蒲姜曰，夫子愎，莫之止，將不出。子之，即慶舍，爲慶封子。慶季，即慶封。後子之被盧蒲癸刺死，慶封奔魯。○佷，汲古作狼。依宋、元本。

萃

二人共路，東趨西步。十里之外，不相知處。

○共，依比之損校。各本皆作異。非。

【補校】趨，從汲古。宋、元本作趍。即趨之俗字。

升

義不勝情，以欲自營。幾利危躬，折角摧頸。

詳前^{〔一〕}。○危，汲古訛爲。依宋、元本。幾，皆作覬。依坤之豐校。

困

騷騷擾擾，不安其類。疾在頸項，凶危爲憂。

巽進退不果，故曰騷擾，曰不安。坎爲疾，艮爲項頸。艮伏，兑見，兑毁在上，故曰疾在頭頸。坎爲危憂。

〔一〕“詳前”，當指坤之豐或復之坤。

井

三河俱合，水怒湧躍。壞我王室，民困於食。

詳蠱之頤。

【補校】湧，元本作踴。依宋本、汲古。室，宋、元本作屋。依汲古。

革

陽曜旱疾，傷病稼穡，農人無食。

離火，故曰陽曜，曰旱。伏坎爲疾病，巽爲稼牆。伏震爲耕，故曰農人。坤虚，故無食。

鼎

流浮出食，載豢入屋。釋轡繫馬，西南廡下。

通屯。坎水坤水，故曰流浮。震爲出，爲食。坤爲載。豢，説文，以穀圈養豕也。坎爲豕，故曰載豢入屋。艮爲屋。震爲馬，爲釋，巽爲轡，爲繫，故曰釋轡繫馬。坤爲西南，爲下。上艮，故曰廡下。○轡，宋、元本作鞍。依汲古。

【補校】豢，宋、元本作券。轡作鞍。均依汲古。

震

門户之居，可以止舍。進仕不殆，安樂相保。

互艮爲門户，爲居。艮止，故曰舍。艮爲官，故曰仕。震爲進，爲樂。坎爲殆，震解，故不殆。○仕，汲古訛士。依宋、元本。

艮

過時不歸，雌雄苦悲。徘徊外國，與母分離。

詳豫之大壯。

漸

中田有廬，疆埸有瓜。獻進皇祖，曾孫壽考。

坎爲中。艮爲田，爲廬，爲疆埸，爲瓜。艮爲壽，爲祖，又爲曾
孫。林辭皆小雅詩句。

【補校】疆，從元本、汲古。宋本作彊。通疆。埸，宋、元本、汲
古皆作場。依學津、局本、翟本。

歸妹

失時無友，覆家出走，傫如喪狗。

艮爲時，爲友，爲家。艮覆，故曰失時，曰無友，曰覆家。震爲
出走。艮爲狗，艮覆，故曰喪狗。全取反艮象。家語，孔子在衛東
門外，傫傫如喪家之狗。○傫，汲古作何。依宋、元本。

【補校】時，宋、元本作恃。覆家作嘉福。均依汲古。

豐

反鼻岐頭，二寡獨居。

艮爲鼻，上卦艮反，故曰反鼻。釋名，物兩爲岐。艮爲頭，艮反
向上，故象形曰岐頭。巽爲寡，二至五正反巽，又兌卦數二，故曰二
寡。○二，宋、元本作三。依汲古。

旅

衣裳顛倒，爲王來呼。成就東周，封受大福。

通節。震爲衣裳，正反震，故曰衣裳顛倒。震爲王，兌爲呼。
詩齊風，顛倒衣裳，自公召之。震爲東，爲周，艮爲成，故曰成就東
周。震爲福。義與毛異。

巽

飛不遠去，還歸故處，興事多悔。

巽進退不果,故曰飛不遠去,還歸故處。伏震爲飛,爲反,故曰還歸。

兌

含血走禽,不曉五音。瓠巴鼓瑟,不悅於心。

瓠巴,人名。荀子,瓠巴鼓瑟,游魚出聽。列子,瓠巴鼓瑟,而鳥舞魚躍。首二句,言鳥獸含有氣血,並不曉音律。然一聞瓠巴鼓瑟,而感於心也。伏坎爲血,艮爲禽。伏震爲音,巽卦數五,故曰五音。艮爲瓠,震爲鼓,爲瑟。坎爲心,坎憂,故不悅。〇瓠,汲古訛匏。依宋、元本。

【補校】瓠,宋本、汲古訛匏。依元本。

渙

求玉獲石,非心所欲,祝願不得。

震爲玉,艮爲求,爲石,故曰求玉獲石。坎爲心願,坎失巽隕,故不得。

節

山崩谷絕,大福盡竭。涇渭失紀,玉歷既已。

〇歷,各本皆作石。依屯之蒙校。既,盡也。

【補校】竭,宋、元、汲古諸本皆作歇。依屯之蒙校。

中孚

瞋目懼怒,不安其居。散渙府藏,無有利得。

震爲怒,互大離,故曰瞋目懼怒。艮爲居,爲安,風隕落,故不安其居。艮爲府。巽爲散渙,爲利。此指呂嫛散棄財寶事。

【補校】渙,汲古作漫。依宋、元本。瞋,各本皆作雜。疑爲瞋之形訛字。按,作瞋目,於義頗勝。惟未詳其本,謹紀存備考。

既濟

衆邪充側，鳳凰折翼。微子復北，去其邦國。

多用半象。

未濟

六月采芑，征伐無道。張仲方叔，克敵飲酒。

詳離之坎。○方叔、克敵，汲古作叔季、孝友。依宋、元本。

【補校】克，宋、元本作尅。依學津、局本。尅、克音義同。

既濟之第六十三

既濟

玄兔指掌，與足相恃〔一〕。證訊詰問，誣情自直。宛死誰告，口爲身禍。

> 多用半象。○指，汲古作捐。恃作視。誣作註。直作侶。宛死誰告作死誣難告。均依宋、元本。
>
> 【補校】證，宋、元本作謹。依汲古。

乾

遊駒石門，駯耳安全。受福西鄰，歸隱玉泉。

> 乾爲門，爲石，爲馬，故曰遊駒石門，曰駯耳。坎爲西鄰，爲泉。乾爲玉。○隱，宋、元本作邑。依汲古。
>
> 【補校】遊，從元本。宋本、汲古作游。通遊。

坤

陽春草生，萬物風興。君子所居，禍災不到。

> 坤爲茅茹，故曰草，曰萬物。坤爲風，爲禍災。○風，宋、元本作盛。依汲古。坤爲風，失傳象。
>
> 【補校】草生，宋、元本作生草。依汲古。

屯

人無足，法緩除。牛出雄，走羊驚。不失其家。

> 前四句三字句，末四字句。震爲人，爲足。伏巽下斷，故曰無

〔一〕“與足”，刻本作“相與”。據稿本改。

足。坎爲法律。除,授官也。坤柔,故曰緩除。言人有疾,不能授
官也。坤爲牛。震爲出,爲雄,爲羊,爲鷩。艮爲家。家,音姑,與
除韻。○緩,汲古作綏。依宋、元本。牛,宋、元本作才。依汲古。

蒙

太山上奔[一],變見太微。陳吳廢忽,作爲禍患。

艮爲山,震東,故曰泰山。泰山,東岳也。震爲奔。艮爲星,故
曰太微。坤坎皆在北,太微,北極星也。陳吳皆訛字,疑吳爲突之
形訛,陳爲臣之音訛。言祭仲臣突廢忽也。事見左傳桓十一年。
突,鄭厲公。忽,鄭昭公。坤爲臣。坎爲禍患。○山,元本作上。
上作止。依宋本、汲古。吳,汲古作吾。微作傲。依宋、元本。

【補校】奔,依宋本、汲古。元本作犇。即奔。

需

乘龍吐光,先暗後明。燎獵大得,六師以昌。

乾爲龍。離爲光,互兌口,故曰吐光。坎爲暗。離爲明,爲燎。
坎數六,坎衆,故曰六師以昌。言文王因獵得太公也。○第二句,
宋、元本先作使。依汲古。後,宋本、汲古作復。依元本。又,吐
光,汲古作光土。六作太。均依宋、元本。山海經,天不足西北,有
龍銜燭照天門。

【補校】後,元本作復。暗作闇。均依宋、元本。闇、暗同。

訟

羊頭兔足,羸瘦少肉。漏囊貯粟,利無所得。

詳剝之恒。

〔一〕"太",稿本、刻本作"泰"。據宋、元、汲古及所見其他各本改。太山,即泰山。

師

因禍受福，喜盈其室。螟蟲不作，君無苛忒。

坤爲禍。震爲福，爲喜。坎爲室。巽爲螟蟲，巽伏，故曰不作。震爲君，坤爲苛忒。震解，故無。○苛忒，宋、元本訛可得。依汲古。

【補校】苛忒，汲古作苛惑。疑惑爲忒之訛字。作忒於義勝。馬生新欽疑依剥之頤政庶民忒而改。

比

舜升大禹，石夷之野。徵詣王庭，拜治水土。

○王庭，汲古作黃門。依乾之中孚。

【補校】王庭，宋、元本作王闕。詣，從宋本、汲古。元本作諸。

小畜

烏子鵲雛，常與母俱。顧類羣族，不離其巢。

伏艮爲烏，震爲鵲。坤爲母，爲羣，爲族類。艮爲巢。○族，汲古作聚。依宋、元本。

【補校】俱，汲古作居。依宋、元本。

履

夷羿所射，發輒有獲。矰加鵲鷹，雙鳥俱得。

元本注，夷羿，古之善射者。伏震爲射，坎爲獲。繫繳於矢曰矰。巽爲矰，艮爲鷹，震爲鵲。坤數二，故曰雙鳥。○矰，汲古訛增。鵲作倉。俱依宋、元本。

泰

晨風文翰，大舉就溫。昧過我邑，羿無所得。

詳小畜之革。文翰,鳥也。

【補校】大,汲古作火。依宋、元本。

否

六喜三福,南至歡國。與喜同樂,嘉我潔德。

乾爲喜福,數六,艮數三,故曰六喜三福。乾爲南,坤爲國。乾爲金玉,故曰潔德。○同,宋本作忻。嘉作珪。均依汲古。

【補校】同,宋、元本作忻。嘉作珪。歡,依宋本、汲古。元本作懽。同歡。

同人

鬪龍股折,日遂不明。自外爲主,弟伐其兄。

左傳莊十四年,内蛇與外蛇鬪於鄭南門中,内蛇死。後宋人劫祭仲納厲公。所謂自外爲主也。厲公入,昭公出奔。所謂弟伐其兄也。同人巽爲股,伏震爲龍。坎爲折,故曰折股。離爲日,在下,故不明。震爲主,爲兄。坎爲震弟。

【補校】第二句,汲古作日就遂明。依宋、元本。

大有

蒙慶受福,有所獲得,不利出域。

通比。坤爲民,拱向九五,故曰有獲。坤爲域,坤閉,故不利出域。○域,宋、元本作門。非。依汲古。

謙

蠻夷戎狄,太陰所積。涸冰冱寒,君子不存。

詳前師之巽。

【補校】夷戎,宋、元本作戎夷。從汲古。涸,元本作固。依宋本、汲古。

豫

畏昏潛處，候旦昭明。卒逢白日，爲世榮主。

　　詳大有之中孚。○世榮，依校。各本皆作榮禄。

　　【補校】旦，宋、元、汲古各本皆作時。依節之大有校。逢，各本皆作遭。依大有之中孚校。

隨

水流趨下，欲至東海。求我所有，買鮪與鯉。

　　詳益之无妄。

　　【補校】趨，宋、元本作趍。鮪作魴。均依汲古。趍即趨之俗字。

蠱

冠帶南遊[一]，與福喜期。徵於嘉國，拜位逢時。

　　○拜位，依坎之井校。宋、元本作拜爲。汲古作釋爲。均非。

　　【補校】徵於，汲古作徵爲。依宋、元本。

臨

莎雞振羽，爲季門户。新沐彈冠，仲父悦喜。

　　莎雞，蟋蟀也。詩豳風，六月莎雞振羽。伏艮爲季，坤爲門户。爲，疑爲在之訛，言莎雞在季門户也。詩，九月在户，是其證。伏艮爲冠，艮手，故曰彈冠。仲父，管仲也。管仲初至，齊桓公爲三薰三沐然後見，即以爲相。震爲樂，乾爲父，故曰仲父悦喜。

觀

結衿流涕，遭讒桎梏。周召述職，身受大福。

　　〔一〕“遊”，稿本、刻本作“行”。據宋、元、汲古及所見其他各本改。按坎之井亦作“遊”，可資參考。

坤爲衿,爲結。爲漿,故曰粥。伏震爲周、召。坤爲身。按,管
子初見桓公,紲縲捷衽,使人操斧。結衿,即捷衽,罪人之服也。
粥、鬻通,養也。結衿流粥者,言得罪而流寓在外也。周、召者,周、
召公也。揚子法言先知篇云,召公述職,蔽芾甘棠。言甘棠詩爲召
公述職時,聽訟樹下也。身受大福者,言罪人蒙召公恩,得釋也。
蓋魯、韓詩説祇言聽訟,齊説兼平反冤獄也。○粥,汲古作粥。局
本作溺。兹從宋、元本。但仍恐有譌字。

【補校】召,元本作邵。依宋本、汲古。邵、召古通用。

噬嗑

田鼠野雞,意常欲逃。拘制籠檻,不得動搖。

　　詳需之隨。

【補校】動,從宋、元本。汲古作運。同動。

賁

居華巓,觀浮雲。風不搖,雨不濡。心平安,無咎憂。

　　艮爲華顚,爲觀。坎爲雲,伏巽爲風,坎爲雨。風雨皆在山下,
故不被其禍。坎爲心,爲憂。○三字句,依宋、元本。不,元本作
之。依宋本。汲古作居華山巓,遊觀浮雲。有雨不濡,心樂無憂。
作四字句。皆後人妄改,非。

【補校】巓,元本作顚。不搖作之搖。均依宋本。顚通巓。

剝

傾倚將顚,亂不能存。英雄作業,家困無年。

　　陽窮上反下,故曰將顚。坤爲亂,爲亡,故不能存。艮爲家。
坤爲年,坤喪,故無年。○亂不能存,宋本作不能得存。依汲古。

【補校】亂不能存,宋、元本作不能得存。

復

心願所喜，今乃逢時。保我利福，不離兵革。

　　　　詳兌之蹇。

　　　　【補校】今乃，汲古作乃今。依宋、元本。

无妄

靈龜陸處，盤桓失所。阿衡退耕，夏封於國。

　　　　艮爲龜，爲陸。艮止，故盤桓。巽爲衡，爲夏。坤爲國，故曰夏
封於國。○夏，元本作憂。依宋本、汲古。

大畜

弱水之右，有西王母。生不知老，與天相保，不利行旅。

　　　　伏坤爲水，坤柔，故曰弱水。互兌爲右，爲西。伏坤爲母，乾爲
王，故曰王母。乾爲老，爲天。震爲行旅，兌折，故不利。元注，柳
宗元曰，西海之山有王母，神仙所居〔一〕。其下有水，散渙無力，不
能負芥。

頤

抱瑰求金，日暮坐吟。終月卒歲，竟無成功。

　　　　瑰，説文，珠也。震爲珠，艮爲抱，爲求，爲金。抱瑰求金，必不
能得，故日暮坐吟也。艮爲日，坤爲暮，震爲吟。伏兌爲月，坤爲
歲，艮爲終，故曰終月卒歲。坤喪，故無功。○月，汲古作身。依
宋、元本。

　　　　【補校】瑰，宋、元本作環。依汲古。

大過

言笑未畢，憂來暴卒。身加檻纏，囚繫縛束。

〔一〕“仙”，稿本、刻本誤“山”。據元刊本舊注改。

詳明夷之大過。○檻纜，宋本作搚檻。元本作搚搚。茲依汲古。

坎

望幸不至，文章未成。王子逐兔，犬踦不得。

詳謙之既濟。

離

震悚恐懼，多所畏忌。行道留難，不可以步。

詳前蒙之渙。

【補校】悚，宋、元本作悚。忌作惡。均依汲古。

咸

雄狐綏綏，登山崔嵬。昭告顯功，大福允興。

詳咸之賁。

恒

火起吾後，喜炙我廡。蒼龍銜水，泉嘿屋柱，雖憂无咎。

詳噬嗑之兌。○我，宋、元本作倉。依汲古。銜，汲古作含。屋作吾。均依宋、元本。泉嘿，宋、元本作渠注。汲古作深嘿。依噬嗑之兌校。

【補校】蒼龍銜水，宋、元本作龍銜水深。汲古作蒼龍含水。依噬嗑之兌校。

遯

危坐至暮，請求不得。膏澤不降，政戾民忒。

詳需之頤。

大壯

孟春和氣，鷹隼搏鷙，眾雀憂憒。

震爲長,爲春。兌悦,故曰和氣。伏艮爲鷹隼,爲雀。伏坤爲
衆,故曰衆雀。坤爲憂。

【補校】憒,元本作憤。汲古作潰。依宋本。

晉

緩法長奸,不能理冤。沈湎失節,君受其患。

坎爲法,坤柔,故曰緩法。坎爲奸,爲冤。爲酒,故曰沈湎。艮
爲節,坎失,故曰失節。震爲君,二至四震覆,坤爲患,故曰君受其
患。○能,宋、元本作肯。沈作浮。均依汲古。湎,宋、元本作沈。
汲古訛酒。依局本。

【補校】奸,依宋本。元本、汲古作姦。同奸。

明夷

魚鱉貪餌,死於網鉤。受危因寵,爲身殃咎。

坤爲魚,離爲鱉,震爲餌。離爲網,坎爲矯輮,故爲鉤。坎爲
危,震爲寵,坎震連,故曰受危因寵。坤爲身,爲殃咎。○鉤,汲古
作釣。依宋、元本。因,宋、元本作國。依汲古。

家人

金精耀怒,帶劍過午。徘徊高庫,宿於山谷。兩虎相拒,弓
弩滿野。

詳噬嗑之泰,及震之豫。○耀,宋、元本作輝。依汲古。庫,汲
古作原。依宋、元本。高庫,地名。

【補校】拒,汲古作距。從宋、元本。弩,各本皆作矢。依噬嗑
之泰校。

睽

四目相望,稍近同光,並坐鼓簧。

離爲目,兌數四〔一〕,故曰四目。重離,故曰相望,曰同光。兌爲舌,故曰簀。

【補校】稍,汲古作精。依宋、元本。

蹇

茹芝餌黄,塗飲玉英。與神流通,長無憂凶。

詳旅之復。○塗飲,依校。各本作飲酒。

【補校】英,汲古作漿。依宋、元本。

解

求獐嘉鄉,惡蛇不行。道出岐口,復反其牀。

伏巽爲蛇,爲牀。震爲行,爲道,爲口,爲反。獐、岐,似用半艮象。○道出岐口,汲古作幽岐口還。依宋本。元本岐作歧。復反,宋、元本作還復。依汲古。

【補校】獐,宋、元本作獐。蛇作虵。均依汲古。虵即蛇。牀,宋本、汲古作床。依元本。床、牀同。

損

天門地户,幽冥不覯,不知所在。

艮爲天,爲門,在戌亥。乾鑿度以戌亥爲天門,以辰巳爲地户。兌在辰巳,故曰天門地户。坤爲地,爲户也。坤黑,故曰幽冥不覯。○覯,汲古作觀。依宋、元本。此林皆言先天卦位。

益

跛足息肩,有所忌難。金城鐵郭,以銅爲關。藩屏自衛,安止無患。

〔一〕“兌”下,刻本多“西”字。據稿本删。

詳遯之旅。

【補校】跋,宋、元本作趺。依汲古。自,汲古作息。依宋、元本。

夬

三雁俱飛,欲歸稻池。經涉崔澤,爲矢所射,傷我胸臆。

○崔,宋、元本作蘿。汲古作山。依屯之旅校。

【補校】經,宋、元本作先。依汲古。末句,汲古無。依宋、元本。

姤

濟深難渡,濡我衣袴。五子善櫂,脫無他故。

通復。坤爲水,爲濟。重坤,故曰深。乾爲衣,巽爲袴。數五,故曰五子。震爲子,爲櫂,爲脫。○五,汲古作王。依宋、元本。

【補校】深,宋、元本作流。從汲古。櫂,汲古作濯。脫作決。均依宋、元本。

萃

飲酒醉酗[一],跳起争鬭。伯傷叔僵,東家治喪。

詳比之鼎。

【補校】酗,汲古作飽。起作趨。均依宋、元本。

升

跛躓未起,失利後市。蒙被殃咎,不得鹿子。

詳前[二]。○第二句,宋、元本作後失利市。依汲古。殃咎,

〔一〕"醉",稿本、刻本作"作"。疑誤。據宋、元、汲古及所見其他各本改。按比之鼎作"醉",可互參考。

〔二〕"詳前",當指屯之困。

宋本作咎殃。依元本。宋、元本無末句。依汲古。

　　【補校】殃咎，依元本、汲古。跋，宋、元本作跌。從汲古。

困

辰次降婁，建星中堅。子無遠行，外顛霄陷，遂命訖終。

　　降婁，九月辰次。伏艮居戌，艮爲星。月令，孟秋之月，建星昏
中。兌爲秋。降婁，伏象艮；建星，本象兌也。伏震爲子，爲行。艮
止，故曰無行。外顛句有訛字。巽爲命。困三至上互大過，大過
死，故曰訖終。○命，汲古訛合。從宋、元本。

井

商風召寇，來呼外盜。間牒內應，與我爭鬪。殫己寶藏，主
人不勝。

　　詳豫之革。

革

甘露醴泉，太平機關。仁德感應，歲樂民安。

　　詳屯之謙。

鼎

祭仲子突，要門逐忽。禍起子商，弟代其兄，鄭文不昌。

　　左傳桓十一年，宋人執鄭祭仲，與之盟，以屬公歸而立之。鄭
忽出奔衛。禍起子商者，謂禍起于宋也。或謂子應作于，非也。哀
九年，不利子商。注，子商，謂宋。宋，子姓，商後，故曰子商。屬公
名突，鄭忽之弟，故曰弟代其兄。忽即昭公。昭，明也，文也，故曰
鄭文不昌。鼎通屯，上坎爲仲。本卦兌剛魯，故曰子突。艮爲門。
震爲逐，爲子。震爲兄在下，坎爲弟居五爻君位，故曰弟代其兄。
坤爲文，爲鄭。坤喪，故不昌。○忽，汲古訛急。商訛傷。均依宋、

元本。代,宋、元本訛伐。文訛久。均依汲古。

【補校】忽,元本、汲古訛急。依宋本。祭,汲古訛蔡。從宋、元本。

震

反蟄難步,留不及舍。露宿澤陂,亡其襦袴。

左傳昭十年,蘊利生蟄。蟄,害也,疾病也。反蟄難步者,言身反向後,不能步也。艮爲舍,艮止,故留不及舍。坎爲露,爲宿,爲澤陂。巽爲襦袴。襦袴皆裏衣。巽象伏不見,故曰亡。○及舍,宋、元本作反舍。依汲古。

艮

狼虎結謀[一],相聚爲保。伺候牛羊,病我商人。

詳比之困[二]。

漸

明德克敏,重華貢舉。放勳徵用,八哲蒙祐。

伏兑爲華,兑卦數二,故曰重華。八哲,八元、八愷也。艮後天數八。○徵,汲古訛御。依宋、元本。

【補校】克,從宋本、汲古。元本作剋。通克。重華,汲古作乘興。八作乂。均依宋、元本。祐,從元本。宋本、汲古作佑。同祐。

歸妹

貧鬼守門,日破我盆。毀罌傷瓶,空虛無子。

[一]"狼虎"二字,稿本、刻本誤倒。據宋、元、汲古及所見其他各本校正。按比之困正作"狼虎",可參考。

[二]"詳比之困",稿本誤作"詳賁之訟"。刻本"訟"又訛作"宋"。茲據諸本林辭改。

詳損之剥。

【補校】傷瓶，汲古作破甕。依宋、元本。

豐

天命赤烏，與兵徼期。征伐無道，箕子遊遨。

　　史記，武王觀兵盟津，有火至於王屋，流爲烏，其色赤，其聲魄
云。離爲烏，離南方，故曰赤烏。伏艮爲天，巽爲命，故曰天命。艮
爲兵，爲時。徼期者，言赤烏之瑞，與兵事相應也。震爲征伐，爲箕
子，爲遨遊。○與或作興。

【補校】遊遨，汲占作遨遊。依宋、元本。

旅

威約拘囚，爲人所誣。皋陶平理，剖械出牢，脫歸家間。

　　伏震爲威，巽繩爲約，艮爲拘囚。正反兌口，故曰爲人所誣。
艮爲皋陶。伏坎爲械，爲牢。震在坎下，故曰剖械出牢，曰脫歸家
間。艮爲家也。

巽

羊驚虎狼，聳耳羣聚。無益威强，爲齒所傷。

　　詳坎之臨。皆以兌爲耳。

【補校】强，宋本作彊。汲古作僵。依元本。僵通彊，彊、强同。

兌

初雖啼號，後必慶笑。光明照耀，百喜如意。

　　兌口，故啼號。伏震爲後，爲笑。互離，故曰光明照耀。震爲
百喜。○喜，汲古訛嘉。依宋、元本。

【補校】啼號，宋、元本作號啼。依汲古。耀，從宋本、汲古。
元本作曜。同耀。

渙

馬服長股,宜行善市。蒙祐諧耦〔一〕,獲金五倍。

　　　詩鄭風,兩服上襄。箋,兩服,中央夾轅者。震爲車,爲駕,故
　　曰馬服。巽爲股,爲長。長股,鼁也。鼁亦巽象也。巽爲市。艮爲
　　金,巽爲倍,卦數五,故曰獲金五倍。股長善走。

　　　【補校】耦,依宋、元本。汲古作偶。同耦。

節

應門内崩,誅賢殺暴。上下咸悖,景公失位。長歸元洹,望
妻不來。

　　　詩大雅,迺立應門。箋,諸侯之宮,外門曰皋門,朝門曰應門。
　　兑毀,二三四艮覆,艮爲門,故曰應門内崩。兑爲斧,故曰誅賢殺
　　暴。艮上澤下,二至五正反艮,故曰上下咸悖。言相反也。艮納
　　丙,故曰景。景,日也。震爲公,坎爲失,故曰景公失位。〇崩,元
　　本作萌。依宋本、汲古。元洹,宋、元本作无恒。依汲古。

　　　【補校】殺,元本作煞。依宋本、汲古。悖,汲古作悗。依宋、
　　元本。末句,元本脱不字。從宋本、汲古。

中孚

執斧破薪,使媒求婦。和合二姓,親御飲酒。色比毛嬙,姑
悦公喜。

　　　詳小過之益。〇和,汲古作好。依宋、元本。酒,宋、元本作
　　須。依汲古。末句,元本作姑公悦喜。依宋本、汲古。

　　　【補校】和,宋本、汲古作好。依元本。飲,各本皆作斯。依小
　　過之益校。

〔一〕“諧”,刻本訛“楷”。據稿本改。

小過

兩輪日轉，南上大阪。四馬共轅，無有險難，與禹笑言。

　　詳賁之需。

未濟

千柱百梁，終不傾僵，周宗寧康。

　　詳謙之未濟。

　　【補校】宗，汲古作家。依宋、元本。

未濟之第六十四

未濟

志慢未習,單酒糗脯。數至神前,欲求所願,反得大患。

> 坎爲志,爲酒。單,盡也,厚也。坎爲糗脯。言厚備酒糗脯也。
> 坎爲願,爲患。○志,宋、元本作忠。願,宋本作顧。依汲古。
>
> 【補校】志,從汲古。願,依元本、汲古。

乾

旦生夕死,名曰嬰鬼,不可得祀。

> 詳小畜之升。
>
> 【補校】祀,宋、元本作視。依汲古。

坤

大步上車,南到喜家。送我狐裘,與福載來[一]。

> 詳大過之困。○到,汲古作至。依宋本。
>
> 【補校】到,依宋、元本。載,各本皆作喜。依大過之困校。

屯

西多小星,三五在東。早夜晨興,勞苦無功。

> 詳大過之夬。○興,各本多作行。依大過之夬校。
>
> 【補校】三,從宋本、汲古。元本作參。義同。

蒙

北陸藏冰,君子心悲。困於粒食,鬼驚我門。

[一]"載",稿本、刻本作"俱"。疑誤。據大過之困改。

坎爲北陸。左傳，日在北陸而藏冰。坎爲冰，坤爲藏。艮爲君子。坎爲心，爲悲，爲困。震爲粒，爲食，故曰困於粒食。坤爲鬼，爲門，震驚，故曰鬼驚我門。

需

山水暴怒，壞梁折柱。稽難行旅，留連愁苦。

　　詳咸之豫。

　　【補校】水，汲古作泉。依宋、元本。梁折，宋本作折梁。從元本、汲古。

訟〔一〕

比目四翼，來安吾國。福喜上堂，與我同牀。

　　詳比之離。

師

狡兔趯趯，良犬逐咋。雄雌爰爰，爲鷹所獲。

　　詳謙之益。○咋〔二〕，元本作齚。依宋本、汲古。

比

增祿益福，喜來入室，解除憂惑。

　　坎爲室，爲憂惑。陽居五，故吉。

小畜

騎龍乘風，上見神公。彭祖受刺，王喬贊通。巫咸就位，拜福無窮。

　　詳家人之剥。○風，汲古作鳳。刺訛制。均依宋、元本。

〔一〕訟林，稿本、刻本誤脱。兹據宋、元、汲古各本互校録補，並增注"詳比之離"四字，庶便參閱。
〔二〕"咋"，稿本、刻本誤"逐"。據宋、元、汲古本改。

【補校】剌,元本作剌。依宋本。剌同剌。福,元本作受。依宋本、汲古。

履

天火卒起,燒我旁里。延及吾家,空盡己財。

通謙。艮爲天,爲火,震起,故曰天火卒起。坤爲里。艮爲家。坤爲財,坤虚,故空。

泰

金帛黄寶,宜與我市。嫁娶有息,利得過倍。

乾爲金玉,坤爲帛,爲黄,故曰金帛黄寶。伏巽爲市。震爲嫁娶,爲息。巽爲利,爲倍。○黄,宋、元本作共。依汲古。過,汲古作萬。依宋、元本。

否

鬼魅之居,凶不可舍。

坤爲鬼。艮爲居,爲舍。坤凶,故不可舍。

同人

鳥飛兔走,各有畏惡。鵰鷹爲賊,亂我室舍。

通師。震爲鳥,爲飛,爲兔,爲走。坎爲畏惡。艮爲鵰鷹。艮反,與坎連,故曰鵰鷹爲賊。坤爲亂,坎爲室。○首句,汲古作飛鳥逐兔。非。依宋、元本。

大有

初雖驚惶,後乃無傷,受其福慶。

詳巽之夬〔一〕。○乾爲福慶。

〔一〕"詳巽之夬"四字,稿本只一"詳"字,蓋擬稿未定,刻本則以無下文而刪落。今據稿增"巽之夬"二字,庶足其意。

謙

兩金相擊，勇氣均敵。日月鬪戰，不破不缺。

詳同人之噬嗑。

豫

曳綸河海，掛釣魴鯉。王孫利得，以享仲友[一]。

伏巽爲綸。坤水坎水，故曰河海。坤爲魚，故曰魴鯉。艮手，故曰掛釣魴鯉。艮爲孫，震爲王，坤爲利，故曰王孫利得。坎爲仲，艮爲友。○得，汲古作德。依宋、元本[二]。友，汲古作發。依宋、元本。

【補校】掛，元本作挂。享作饗。均依宋本、汲古。挂同掛。饗、享通。

隨

犬畏狼虎，依人作輔。三夫執戟，伏不敢起，身安无咎。

艮爲犬，爲狼虎。震爲人，爲夫。數三，故曰三夫。艮爲戟，爲手，故曰執戟。巽爲伏，艮爲身。○狼虎，汲古作虎狼。依宋、元本。作，宋、元本作有。依汲古。

【補校】戟，元本訛戰。依宋本、汲古。

蠱

蜘蛛作網[三]，以伺行旅。青蠅嘬聚，以求膏腴。觸我羅域，爲網所得。

〔一〕“仲”，刻本誤“衆”。似音訛。據稿本校改。
〔二〕“得，汲古作德。依宋、元本”，稿本、刻本誤作：“得，宋、元本作得。依汲古。”兹據宋、元、汲古三本互參校訂。
〔三〕“作”，刻本誤“結”。據稿本校改。

巽爲蜘蛛,爲繩,故曰作網。震爲行旅,艮止,故曰伺。巽爲蠅,震爲青,故曰青蠅。艮爲求。震爲觸。○第四句,依宋、元本。汲古無。

【補校】域,宋、元本作絆。依汲古。又,汲古下多死於網羅四字。從宋、元本删。

臨

所望在外,鼎命方來。拭爵滌罍,炊食待之,不爲季憂。

伏艮爲望。巽爲命。震爲鼎,爲爵,爲罍。按,前漢賈誼傳,天子春秋鼎盛。注,鼎,方也。又,南史王僧辯傳,若鼎命中渝,請從此逝。又,徐陵爲陳武帝與周宰相書,欽若唐風,推其鼎命。又,鼎貴、鼎臣、鼎族,爲古所常用,似有大意、盛意。鼎命方來者,言大命方來也。伏艮爲手,故曰拭,曰滌。兑爲食。艮爲季,坤爲憂,震解,故曰不爲季憂。○命,宋、元本作金。滌訛條。均從汲古。

【補校】滌,元本訛條。依宋本、汲古。

觀

日月並居,常暗匪明。高山崩顛,丘陵爲谿。

詳蹇之咸。○谿,汲古作溪。依宋、元本。

噬嗑

春服既成,載華復生。莖葉盛茂,實穗泥泥。

震爲春,爲服,艮爲成,故曰春服既成。震爲華,爲生,震車,故曰載華復生。震爲莖葉,爲茂盛。艮爲果蓏,故曰實穗。泥泥,盛茂。

【補校】盛茂,汲古作茂盛。從宋、元本。

賁

華首山頭,仙道所遊。利以居止,常无咎憂。

詳臨之頤。

【補校】華，元本作莘。依宋本、汲古。遊，宋、元本作由。依汲古。

剥

三狐嗥哭，自悲孤獨。野無所遊，死於丘室。

　　艮爲狐，數三，故曰三狐。震爲歌，震反則哭。易中孚六三，或泣或歌，即以艮爲泣也。自覆象失傳，其辭遂不能解矣。坤寡，又一陽在上，皆孤獨之象也。坤爲悲，爲野，爲死。艮爲丘室。禮，狐死正首丘，仁也。○嗥，宋、元本作翬。依汲古。遊，汲古作由。依宋、元本。

復

火中暑退，禾黍其食。商人不至，市空無有。

　　月令，季夏之月，火昏中。詩，七月流火。傳云，火，大火也。流，下也。蓋火星未月昏中，申月西流，故謂之下。又箋云，火星中而寒，暑退。暑退而禾稼熟，故曰禾黍其食。火中用未濟象。離居五中，故曰火中。離爲暑，中則退矣。復下震爲禾，爲食，爲商人。巽爲市，巽伏，故市空。坤虛，故無有。○禾黍，汲古作求藿。依宋、元本。

无妄

獨立山顚〔一〕，求麋耕田。草木不闢，秋饑無年。

　　巽爲寡，故曰獨立。艮爲山，爲求。震爲麋，爲耕。震爲草木，伏兌爲秋。无妄，漢人多作无望。无望故无年。言麋非耕田之畜，

〔一〕“顚”，稿本、刻本作“巔”。據宋、元、汲古及所見其他各本改。“顚”、“巔”通。

故草木不闚也。○麋，宋、元本作鹿〔一〕。依汲古。

【補校】闚，元本作避。依宋本、汲古。饑，宋、元本作飢。依汲古。飢、饑通。

大畜

火雖燧，在吾後。寇雖近，在吾右。身安吉，不危殆。

　　詳歸妹之震。三字句。

頤

齗齗囓囓，貧鬼相責。無有懽怡，一日九結。

　　詳豐之晉。

【補校】囓囓，各本皆作齰齰。依豐之晉及局本校。齰、囓同。

大過

追亡逐北，至山而得。稚叔相呼，反其室廬。

　　○依需之渙校。各本皆作追亡逐北，呼還幼叔。至山而得，反歸其室。不協。惟需之渙是原詞，韻協象合。

坎

銜命辱使，不堪厥事。遂墮落去，更爲斯吏。

　　伏巽爲命，兌口，故曰銜命。震爲使。伏巽爲墮落。艮爲僮僕，故曰斯吏。斯，賤役也。

【補校】斯，汲古訛欺。依宋、元本。

離

被珠函玉，沐浴仁德。應聘唐國，四門穆穆。蝨賊不作，凶

〔一〕“宋”下，刻本脫“元”字。據稿本補。

惡伏匿[一]。

　　伏震爲珠玉,爲仁德。伏坎,故曰沐浴仁德。震爲帝,故曰唐國。伏艮爲國也。艮爲門,震卦數四,故曰四門。本卦互巽爲蟊賊。詩小雅,及其蟊賊。傳,食根曰蟊,食節曰賊。巽爲伏匿。〇函,汲古作衒。衒,兌象。函,伏艮象。兹從宋、元本。

　　【補校】函,宋本、汲古作衒。從元本。

咸

機關不便,不能出言。精誠適通,爲人所冤。

　　坎爲機關。三上互大坎,故曰不便。震爲言,震伏,故不能言。乾爲精誠,爲往,故曰精誠適通。適通,即感通也。乾爲人,兌爲言,正反兌,故曰爲人所冤。言被誣也。易林每遇正反兌,或正反震,不曰讒佞,即曰誣罔,皆本易與左氏。〇第三句,宋、元本作精成通道。皆訛字。故依汲古。

恒

甕破缶缺,南行亡失。

　　震爲甕,爲缶。巽下斷,故破缺。震爲南,爲行。巽隕落,故曰亡失。〇缶,宋、元本作盆。依汲古。失,元本作夫。依宋本、汲古。

遯

唇亡齒寒,積日凌根。朽不可用,爲身災患。

　　兌爲唇齒,二四兌覆,故曰唇亡齒寒。乾爲日,乾實,故曰積日。艮爲根。凌,寒也,言日久根冷也。巽下斷,故曰朽。伏坤爲身,爲災患。〇災,元本訛哭。依宋本、汲古。凌疑訛。

────────────

〔一〕"匿",刻本作"慝"。據稿本改。慝、匿音義同。

大壯

蒙惑憧憧，不知西東。魁罡指南，告我失中。利以宜止，去
國憂患。

> 通觀。坤迷，故曰蒙惑憧憧。本卦震爲東，兌爲西，惑故不知。
> 艮爲星，數七，故曰魁罡。參同契，二月榆落，魁臨於卯。八月麥
> 生，天罡據西〔一〕。注，天罡即北斗。夢溪筆談，斗杓謂之剛。蓋
> 前四星斗之魁，後三星斗之柄，故曰魁罡。震爲南，伏艮爲指。震
> 言，故曰告。艮爲止。坤爲國，爲憂患也。○失，局本訛室。

> 【補校】知，元本作曉。依宋本、汲古。失，宋、元本作室。從
> 汲古。

晉

烏鴟搏翼，以避陰賊。盜伺二女，賴厥生福。旱災爲疾，君
無黍稷。

> 艮爲黔啄，爲烏鴟。搏，束也，卷也。攷工記，鮑人卷而搏之是
> 也。烏鴟搏翼者，言鳥下擊物時，必戢其兩翼，不開張，若卷束然，
> 正以防不測也。震爲翼，二四震覆，故曰搏翼。坎爲盜賊，爲隱伏，
> 故曰以避陰賊。坤爲女，數二，艮止，故曰伺二女。離火艮火，故曰
> 旱。震爲君，爲黍稷。震覆，故無黍稷。

明夷

名成德就，項領不試。景公耄老，尼父逝去。

> 詳履之剥。

〔一〕“二月”至“據西”十六字，稿本、刻本作：“二月榆，魁臨於卯，天罡據西。”其
　　文有脫落，末字“酉”誤“西”。茲據《漢魏叢書》本《周易參同契通真義》校
　　補。參閱渙之比尚注。

【補校】試,汲古作伐。老作耄。均依宋、元本。

家人

言與心詭,西行東坐。鯀湮洪水,佞賊爲禍。

　　離兩兌口相背,互坎爲心,故曰言與心詭。坎爲西,離爲東。離爲惡人,故曰鯀。坎爲水,爲賊。離兩兌口相對,故曰佞。明夷以離爲有言,故此曰詭,曰佞。

　　【補校】坐,汲古作望。從宋、元本。洪,依宋本、汲古。元本作鴻。義通。

睽

獫狁匪度,治兵焦穫。伐鎬及方,與周爭彊。元戎其駕,衰及夷王。

　　詩六月篇,獫狁匪茹,整居焦穫。注,焦穫,地名。坎爲北,獫狁北狄。離爲甲兵,重離,故曰焦穫。鎬、方,皆地名,兌西象也。震爲周,兌折震,故曰與周爭彊。○穫,汲古作元。元作穫[一]。今依宋、元本。劉云,毛詩作匪茹。箋云,度也。鄭蓋用齊詩以申毛義。又云,夷王雖亦命將出師,而未能攘逐,故曰衰。按,夷王始下堂迎諸侯,周室衰。

　　【補校】匪,依宋本、汲古。元本作非。義同。彊,元本、汲古作疆。依元本。

蹇

三火起明,雨滅其光。高位疾顛,驕恣誅傷。

　　詳大有之師。

────────────────

〔一〕“穫,汲古作元。元作穫”,稿本、刻本兩“穫”字皆誤“焦”。據汲古本改。

解

陰涿川決，水爲吾祟，使我心憒。毋樹麻枲，居止凶殆。

重坎，故曰陰涿川決。涿，説文，流下滴也。方言，瀧涿謂之霑
漬。言陰盛川決也。坎爲祟，爲心。震爲麻枲。水多，故不可樹藝
也。○首二句，宋、元本作承川決水，爲吾之祟。茲依汲古。

【補校】憒，汲古作潰。從宋、元本。殆，宋、元本作咎。依汲古。

損

厭浥晨夜，道多湛露。濿衣濡袴，重難以步。

詳革之豫。○第三句，宋本、汲古作沾我襦袴。依元本。

益

宜行賈市，所求必倍。載喜抱子，與利爲友。

詳大過之恒。

夬

陰變爲陽，女化作男。治道得通，君臣相承。

詳屯之離。

【補校】作，宋、元、汲古諸本皆作爲。依屯之離校。

姤

樹蔽牡荆，生藪山旁。仇敵背憎，孰肯相迎。

本草，牡荆一名黃荆。淮南萬畢術曰，南山牡荆，指病自愈。
巽爲樹，爲荆，震亦爲荆。震伏，故牡荆不見。○牡，元本訛壯。孰
訛熟。從宋本、汲古。

【補校】樹，汲古作淵。背作皆。均從宋、元本。藪，元本作
醫。依宋本。旁，元本作傍。從宋本、汲古。

萃

坐茵乘軒,據德宰臣。虞叔受命,六合和親。

巽爲茵,艮爲坐,故曰坐茵。坤爲車。軒,車也。坤爲臣。伏
震爲帝。艮少,故曰虞叔。巽爲命。坤爲合,伏乾數六,故曰六
合。○據於德,見論語。汲古作握德。兹依宋、元本。

升

雲興蔽日,雨集草木,年茂歲熟。

坤爲雲。乾爲日,乾伏,故曰蔽日。兌爲雨,巽爲草木,故曰雨
集草木。坤爲年歲,爲豐熟。○年茂,元本作茂年。非。今依宋
本、汲古。

困

播梅折枝,與母別離,絶不相知。

詳旅之大過。○播,宋本作蟠。依元本、汲古。播,種也。

【補校】梅折枝,汲古作枝折岐。依宋、元本。

井

天旱水涸,枯槁無澤。困於沙石,未有所獲。

通噬嗑。艮爲天,爲火,故曰天旱水涸。坎上下皆火,故涸也。
離爲枯槁,艮爲沙石。

革

圭璧琮璜,執贄見王。百里寧戚,應聘齊秦。

通蒙。震爲玉,爲王。坤爲贄,艮手,故曰執贄。坤爲里,爲
百,爲憂,故曰百里寧戚。本卦巽爲齊,兌爲秦。言百里奚相秦,寧
戚相齊也。

【補校】圭,從宋本、汲古。元本作珪。即圭。贄,宋、元本作

禮。依汲古。

鼎

龍渴求飲，黑雲景從。河伯捧醴，跪進酒漿，流潦滂滂。

通屯。震爲龍，艮爲求。坤爲雲，坤黑，故曰黑雲景從。坤爲河海，震爲伯，坎爲酒，艮手，故曰河伯奉醴。坤爲漿，坎水坤水，故曰流潦滂滂。〇黑雲，汲古作雲黑。依宋、元本。

震

雹梅零墜，心思憒憒，亂我靈氣。

〇首句，依大有之蒙校。各本皆作零蒂。思，元本作積。依宋本、汲古。

【補校】憒憒，汲古作積積。靈作雲。均依宋、元本。

艮

鹿求其子，虎廬之里。唐伯李耳，貪不我許。

詳隨之否。

【補校】里，汲古作西。從宋、元本。李，宋、元本作季。依汲古。

漸

穿匏挹水，篝鐵然火。勞疲力竭，飢渴爲禍。

詳前艮之坤。

【補校】篝鐵，汲古作搆錢。依宋、元本。然，宋本、汲古作燃。依元本。然即燃之本字。疲，元本作罷。汲古訛瘦。依宋本。罷通疲。飢，從宋、元本。汲古作饑。通飢。

歸妹

龍生馬淵，壽考且神。飛騰上天，舍宿軒轅，常居樂安。

震爲龍，爲馬，爲生。下兌，故曰淵。震爲神。伏艮爲壽，爲

天。震爲飛騰,在艮上,故曰上天。坎爲宿,艮爲舍。爲星,故曰軒
轅。軒轅,星名也。震爲樂,伏艮爲安,爲居。○第三句,汲古無。
依宋、元本增。常居樂,汲古作居樂常。依宋、元本。三四句,指傅
説騎箕事。

豐

崔嵬北岳,天神貴客。温仁正直,主布恩德。閔哀不已,蒙
受大福。

　　詳屯之家人。○閔哀,依校。各本皆作衣冠。非。

　　【補校】岳,從宋本、汲古。元本作嶽。同岳。大,汲古作天。
依宋、元本。

旅

鬼夜哭泣,齊失其國,爲下所賊。

　　二五互大坎爲鬼,爲夜。下卦震覆,故曰哭泣。本中孚六三爻
辭也。巽爲齊,艮爲國,兌毀坎失,故曰齊失其國。巽爲盜賊。按,
戰國策,齊湣王時,有當闕而哭者,求之則不得。後果失國,爲淖齒
所殺。

巽

二政多門,君失其權。三家專制,禍起季孫。

　　伏震。互艮爲門,初至四正反艮,故曰多門。震爲君,巽爲權。
互坎,故曰失權。艮爲家,震數三,故曰三家。艮爲孫,爲少,故曰
季孫。季氏三家之一,曾逐昭公,故曰禍起季孫。

兌

望幸不到,文章未就。王子逐兔,犬踦不得。

　　詳渙林。○王,汲古作三。依宋、元本。

【補校】犬,元本作大。依宋本、汲古。

渙

伯虎仲熊,德義淵泓。使布五教,陰陽順序。

　　元刊注,高辛氏有伯虎仲熊,佐伯益治水。互艮爲虎熊,震長,坎中,故曰伯虎仲熊。震爲德,坎水,故曰德義淵泓。巽爲命,卦數五,故曰五教。○淵泓,宋、元本作昭明。茲依汲古。

　　【補校】泓,汲古作弘。依局本。序,從宋本、汲古。元本作敍。義同。

節

兩足四翼,飛入家國。寧我伯姊,與母相得。

　　詳同人之謙。○姊,宋、元本作叔。依汲古。

中孚

春秋禱祝,解禍除憂,君無災咎。

　　互震爲春。兌爲秋,爲禱祝,爲君,爲解。○祝,宋、元本作祀。災咎作咎憂。均依汲古。

　　【補校】災咎,元本作咎憂。依宋本、汲古。

小過

牧羊稻園,聞虎喧謹。畏懼悚息,終無禍患。

　　詳隨之漸。

　　【補校】喧謹,從宋本。元本作喧嚾。汲古作誼謹。義皆同。畏懼,宋、元本作懼畏。依汲古。

既濟

大蛇巨魚,相搏於郊。君臣隔塞,衛侯廬漕。

　　詳噬嗑之訟。○第四句,依校。各本皆作郭公出廬。

焦氏易林注跋

　　昔楊子雲著太玄，人皆笑之。子雲曰：是不足病也，後世復有楊子雲，則好之矣。焦氏易林，自來學者多愛其詞，而莫有通其義者。今經吾師尚節之先生，按照易象句解字釋，凡昔人不知其所謂者，經先生以易象釋之，則機趣環生，神妙盡出。如復之頤云，嘖嘖所言。嘖，對語也。震爲言，頤初至上正反震相對，儼然對語，故曰嘖嘖。需之小過，焱風阻越。月令注，焱風，迴風也。小過二至五正反巽，儼象迴風，故曰焱風。家人之小畜曰，杲杲白日，爲月所蝕。小畜互離，離爲日，而下兑爲月，侵入離體之半，故曰爲月所蝕。若是者，不知其幾千百。又如林辭極幽深晦闇，不易明者。如大壯之離，丑寅不徙，辰巳有咎。離伏坎，坎上互艮，下互震，震先天居丑寅，艮後天居丑寅，故曰不徙。言艮震同居丑寅也。離上互兑，下互巽，兑先天居辰巳，巽後天居辰巳，澤風大過，故曰有咎。又如井之震，三男從父，三女從母。至巳而反，各得其所。震上下互坎艮，共三男，而震爲父，故曰從父。震伏巽，巽上下互離兑，共三女，而巽爲母，故曰從母。震巽相反復。至巳而反者，言至巳，震究仍爲巽也。又如需之晉，咸陽辰巳，長安戌亥。晉坤爲安，消息卦坤居西北，故曰長安戌亥。坤伏乾，消息卦乾盈於巳，故曰咸陽辰巳。言乾至巳而爲純陽也。又如履之既濟，不忍主母，爲失醴酒，冤尤誰告。經先生疏明，知用列女傳侍婢進毒酒事。豫之恒，梟鳴室北，聲醜可惡。經先生疏明，知用説苑齊景公築臺不通，爲梟鳴事。蠱之中孚，商人子孫，資所無有。貪狼逐狐，留連都市。貪狼逐狐，注家皆認爲訛字，經先生注明，狼狐二星，皆主盜賊，見史記天官書。貪狼逐狐者，言流爲盜賊也。又如漸之比曰，文山鴻豹。依坤雅釋鴻豹爲鴇。小畜之革曰，晨風文翰。據逸周書釋文翰爲鳥〔一〕。復據説文，知文翰即晨風。小畜之未濟曰，靈明督郵。依古今注，定督郵爲龜名。關於前者，非易理易象熟於胸中，不能識其義。關於後者，非博覽羣書不能通其詞。全書四千九十六林，畢釋無遺。無匿象，無遁形。然則二千年來，易林之詞不能通者，徒以世不復有焦延壽耳。有之，則如鏡燭形，一讀其詞即知其於易象何屬，烏足爲病哉？至於是書一出，所有二千年周易舊解，王陶廬所謂盲詞囈説者，盡行改革，於經學所關至鉅，又非第易林一書之顯晦也。其可寶貴，爲何如哉！顧是書脱稿已十餘年，徒以卷帙浩博，印行匪易。益與豐潤董宗之、作人昆仲，皆從先生遊，遂合力舉辦，成此寶書，公之於世。以己卯夏開雕，至庚辰春竣事。至於校訂之役，益與宗之等雖分任其勞，然以易象之故，有非先生自任不可者，此亦無如之何也。庚辰正月受業仵道益謹跋。

〔一〕“據”下，刻本無“逸”字。兹依大過之豫尚注增。